ADALBERT STIFTER HEUTE

Schriftenreihe
des Adalbert-Stifter-Institutes
des Landes Oberösterreich
Folge 35

Publications of
the Institute of
Germanic Studies,
University of London
Volume 33

ADALBERT STIFTER HEUTE

Londoner Symposium 1983

Herausgegeben von
Johann Lachinger, Alexander Stillmark und Martin Swales

Die *Stifter-Silhouette* auf dem Buchumschlag (Original im Besitz der Adalbert Stifter Gesellschaft Wien) wurde in Linz im Hause Anton Ritter v. Spauns, des von Stifter hochgeschätzten oberösterreichischen Kulturhistorikers und Politikers, verfertigt.

CIP-Kurztitelaufnahme der Deutschen Bibliothek

Adalbert Stifter heute: Londoner Symposium 1983/ [Adalbert-Stifter-Inst. d. Landes Oberösterreich]. Hrsg. von Johann Lachinger . . . — Linz: Adalbert-Stifter-Inst. d. Landes Oberösterreich, 1985. (Schriftenreihe des Adalbert-Stifter-Institutes des Landes Oberösterreich; Folge 35) (Publications of the Institute of Germanic Studies, University of London; Vol. 33

ISBN 3-900424-03-9

NE: Lachinger Johann [Hrsg.]; Adalbert-Stifter-Institut des Landes Oberösterreich: Schriftenreihe des Adalbert-Stifter-Institutes . . . ; Institute of Germanic Studies 〈London〉: Publications of the . . .

Schriftenreihe des Adalbert-Stifter-Institutes des Landes Oberösterreich, Folge 35
ISBN 3 900424 03 9

Publications of the Institute of Germanic Studies University of London, Volume 33
ISBN 0 85457 119 1

Linz 1985
Medieninhaber: Land Oberösterreich
Herausgeber: Adalbert-Stifter-Institut des Landes Oberösterreich, A-4020 Linz, Untere Donaulände 6.

Gesamtherstellung: OÖ. Landesverlag Ges.m.b.H. Linz

Inhalt
Contents

Siglenverzeichnis
Abbreviations

Stifter-Ausgaben:

HKG Adalbert Stifter, *Werke und Briefe. Historisch-kritische Gesamtausgabe.* Hrsg. von Alfred Doppler und Wolfgang Frühwald. (Stuttgart, Berlin, Köln, Mainz, 1978 ff.).

SW Adalbert Stifter, *Säm(m)tliche Werke.* Bd. I — XXV. Prag-Reichenberger-Ausgabe. Hrsg. von August Sauer u. a. (Prag, 1901 ff., Reichenberg, 1927 ff., Graz, 1958, 1960, Hildesheim, 1979).

GW Adalbert Stifter, *Gesammelte Werke in vierzehn Bänden.* Hrsg. von Konrad Steffen (Basel, Stuttgart, 1962 ff.).

Andere Ausgaben:

HA *Goethes Werke. Hamburger Ausgabe in 14 Bänden.* Hrsg. und mit Anmerkungen versehen von Erich Trunz (Hamburg, 1949 ff.).

PW *The Poetical Works of William Wordsworth* ed. by Hutchinson, O.U.P. (Oxford, 1923).

Periodika:

DVJ *Deutsche Vierteljahresschrift für Literaturwissenschaft und Geistesgeschichte.*
Euph. *Euphorion.* Zeitschrift für Literaturgeschichte.
PEGS *Publications of the English Goethe Society.*
VASILO *Vierteljahresschrift. Adalbert-Stifter-Institut des Landes Oberösterreich.*
ZfdP *Zeitschrift für deutsche Philologie.*

Siglen anderer Publikationen sind im Anmerkungsteil des jeweiligen Beitrags verzeichnet und aufgelöst.

Other abbreviations are explained in the notes to the articles in which they occur.

Vorwort

„Adalbert Stifter heute". — Unter diesem Titel legen die Herausgeber die gesammelten Vorträge des Londoner Adalbert-Stifter-Symposiums 1983 vor. Dieses Symposium wurde unter der Patronanz des University College London, des Österreichischen Kulturinstitutes in London und des Institute of Germanic Studies am 5. und 6. Mai 1983 am Institute of Germanic Studies in London durchgeführt. An der Tagung waren Germanisten aus Großbritannien, aus der Republik Irland, aus der Bundesrepublik Deutschland und aus Österreich als Referenten beteiligt. Die Organisation des Symposiums lag in den Händen von Prof. Dr. Martin W. Swales und Alexander Stillmark, University College London, für das Zustandekommen der Tagung hat sich der Direktor des Österreichischen Kulturinstitutes in London, Dr. Bernhard Stillfried, maßgeblich eingesetzt.

Dem Adalbert-Stifter-Institut des Landes Oberösterreich wurde die Veröffentlichung der Vorträge anvertraut, das Institute of Germanic Studies London hat den Band in seine Publikationsreihe aufgenommen. So erscheint die vorliegende Sammlung als ein Band der Schriftenreihe des Adalbert-Stifter-Institutes des Landes Oberösterreich (Folge 35) und zugleich als Veröffentlichung der Reihe Publications of the Institute of Germanic Studies, University of London (Vol. 33).

Das Adalbert-Stifter-Institut des Landes Oberösterreich dankt den Organisatoren und Referenten des Symposiums für die Einladung zur Edition des vorliegenden Sammelbandes und dem Institute of Germanic Studies für die Aufnahme des Bandes in seine Publikationsreihe.

Johann Lachinger
Adalbert-Stifter-Institut
des Landes Oberösterreich

Preface

The papers collected in this volume were all read at a special Stifter Symposium held at the Institute of Germanic Studies on 5th and 6th May 1983. The initiative for organizing the symposium came from Alexander Stillmark and Martin Swales, both of University College London, yet it could not have been realized without the generous support and cooperation of Dr. Bernhard Stillfried, Director of the Austrian Institute in London, and the willing assistance of the staff of the Institute of Germanic Studies.

The symposium was not intended to mark a particular calendar event but arose for the best and most natural of reasons, namely the keen and widespread interest that the writings of Stifter continue to arouse within German Studies in the United Kingdom and Ireland. Thanks to the generosity of the Austrian Institute, we were able to extend invitations to Stifter scholars in Austria and Germany and so give our symposium an international dimension. Not just the sizeable audience which attended but the animated discussions which followed the papers gave ample proof of the vitality of Stifter studies today. It is to be hoped that the publication of these papers will help to continue the debate in a wider public forum and also to throw critical light upon an author whose growth of reputation and controversiality seem to go hand in hand.

The Editors

Referenten

Prof. Dr. Martin SWALES, University College London
Univ.-Prof. Dr. Alfred DOPPLER, Universität Innsbruck
Prof. Dr. Peter BRANSCOMBE, University of St. Andrews
Alexander STILLMARK, M. A., University College London
Dr. Erika SWALES, King's College, Cambridge
Prof. Dr. John REDDICK, University of Liverpool
Dr. Eve MASON, Newnham College, Cambridge
Prof. Dr. Peter SCHÄUBLIN, University College, Cork
Dr. Johann LACHINGER, Adalbert-Stifter-Institut, Linz
Dr. Helen WATANABE-O'KELLY, University of Reading
Dr. Hans R. KLIENEBERGER, University College, Dublin
Dr. Hubert LENGAUER, Universität Klagenfurt
Dr. Joachim W. STORCK, Deutsches Literaturarchiv, Marbach

Introduction

Martin Swales

The papers collected in this volume were all read at the Adalbert Stifter Symposium held at the Institute of Germanic Studies in London on 5 and 6 May 1983. Germanists from Austria, Germany, the Republic of Ireland, and the United Kingdom came together to discuss the particular importance and fascination of Stifter's prose. Participants were, of course, free to select their own topics and no attempt was made by the organisers to legislate for unanimity of approach or interpretation. Yet in the discussions that followed each paper it became clear that certain interpretative centres of gravity emerged and came to dominate the conference.

Peter Branscombe's paper opened the proceedings. He paid meticulous attention to Stifter's re-writing process, and traced the gradual shifts of style and thematic emphasis that emerge in the movement from *Journalfassung* to *Buchfassung*. An important exchange followed his paper: one participant advanced the view that the re-writing process effected a 'de-dramatizing' of the events portrayed: but this suggestion was promptly countermanded by another speaker who asserted that precisely the reticence of the later versions served to heighten the drama inherent in Stifter's prose.

In a sense, both speakers were right. For in Stifter's art the drama is explosive because it is suppressed: suppressed, but not thereby banished. The drama is, as it were, driven underground and asserts itself as subtext, as intimations made through indirection: through symbol, metaphor, through suggestive detail, through those extraordinarily eloquent silences that make Stifter's prose so resonant. To that implicit drama the symposium returned again and again.

Joachim Storck's paper reminded us of Rilke's admiration for Stifter's language, an admiration that cherished both the seamless continuity of his prose and the shock waves that radiate from that apparently intact discourse of containment and orderliness. Time and time again colleagues spoke of the willed intactness of Stifter's art, and of the eddies and undercurrents which can be felt below the placid surface. Helen Watanabe and Johann Lachinger found unsettling gaps in the psychological causality of particular Stifter texts, and other speakers discerned vital areas of disturbance within the stately, almost ritualistic, cadences of Stifter's dialogue. The silences are the more eloquent because they are located within a fiercely upheld narrative and pedagogic doctrine which rigorously circumscribes the realm of the admissible and the sayable. Several speakers addressed Stifter's heavily descriptive mode, and made us question how far the weighty cadences of listing, of reverent attention to detail, ultimately yielded an intact narrative world. Implicit in all these perceptions of textual discontinuity is the question of narrative mode to which Erika Swales's paper was devoted. Once again, the drama of Stifter's deliberately undramatic prose was the centre of attention.

Several participants spoke of the expectations aroused by certain key doctrines of Stifter's creative personality. Alexander Stillmark compared Stifter and Wordsworth in terms of their belief in the sublimity of nature, Peter Schäublin examined Stifter's view of the family, H. R. Klieneberger the theme of child and childhood in *Bunte Steine*. Yet it was stressed how often these and other doctrinal — perhaps even doctrinaire — positions were not so much articles of unquestioned (and unquestioning) faith as acts of will, espousals of belief made in the teeth of nagging uncertainty. As Hubert Lengauer suggested, the ethical imperative is strong in Stifter's work, but nowhere more moving than when it is challenged to the quick. Eve Mason's discussion of *Bunte Steine* reminded us of the strange interplay of 'märchenhaft' and ethical motivations. And

1

she was one of many who suggested that the manifold strategies by which Stifter seeks to shore up human experience against the inroads of unreason and catastrophe amount to an exorcism that is as poignant as it is brittle.

What emerged most clearly from the Stifter symposium was just how much Stifter has to say to the modern reader. Alfred Doppler's paper on the shifting patterns of 'Stifter-Rezeption' charted the complex and volatile course of his literary reputation. We may still be a long way from the point of consensus, but the continued openness of the debate makes it clear how unsettling and provocative Stifter still is for us today. In its closing session, the symposium addressed the issue of Stifter's literary-historical context, and of his modernity. It was pointed out that there is no shortage of contemporary writers who implicitly or explicitly are indebted to Stifter (Arno Schmidt, Peter Handke, Peter Rosei, Gert Friedrich Jonke, Felix Mitterer, Thomas Bernhard). With these writers we associate a style that is laconic, painstaking in its constatation of facts, objects, and circumstances. Yet if we question the specific gravity of that style and ask what kind of import it generates, we are immediately uncertain of our ground. Does such a stylistic mode function simply as the precipitate and emblem of the bureaucratic mind, pedantic, orderly to the point of monomanic *Akribie?* Or does that style suggest the vibrant abundance of the physical world? We are reminded of Roland Barthes' argument about the 'effect of the real' — by which he means that creative love affair with physical detail in all its redundant 'thereness' which sustains traditional nineteenth-century European realism.[1] In the works of the moderns such an affirmatory stance is hardly to be felt. By contrast, the affirmation is still present in Stifter: but poised on the knife edge that separates emblems of plenty from oppressively multiplying clutter. And that knife-edge is captured in the extraordinary phrase from the *Studienmappe* in which the narrator announces his determination to create 'Dichtung des Plunders' (SW II, 135), poetry of clutter. We all know that in Stifter's hands simple objects can be invoked as symbols, that is, in Erich Heller's memorable phrase, as 'artistic vindications of the reality of a lovable world.'[2] But we also know that Stifter's will to symbolic affirmation can founder, leaving us with a world neither transcendentally nor humanly vindicated, a world of refractory matter. At such moments Stifter's art moves alarmingly close to the 'chosisme' of the 'nouveau roman' which, as Philippe Hamon suggests,[3] may be the necessary radicalization of the Barthesian 'effect of the real', whereby the 'real' in its redundant plenitude comes to resist the recuperative ministrations of literary narrative.

To this complex of issues, which are inseparable from the hazardous condition of modern prose, Stifter's art is unmistakably relevant.

In a recent study Hans Piechotta writes:

Der wohl erbarmungsloseste Versuch, Wirklichkeit als „Ordnung" im strengen Sinne zu gestalten, produziert die erste literarische Version eines extrem ungegenständlich-nichtreferentiellen Schreibverfahrens; der Umschlag äußerster funktionaler Mimesis in Tendenzen ästhetisierender Selbstbezüglichkeit und hermetischer Verschließung des Zeichens setzt das exakte Datum des Beginns moderner deutscher Literatur.[4]

This presupposes a definition of modernity that is heavily indebted to Foucault. Moreover, we find ourselves thinking not only of Foucault but of, on the face of it, Stifter's most unlikely admirer: Friedrich Nietzsche. It was Nietzsche who wrote that the world is only to be justified as an aesthetic phenomenon. Stifter, one suspects, would have found such a disparagement of the world totally unacceptable. But the secret drama of his art acknowledges such a doctrine and was acknowledged by Nietzsche. Stifter, like Nietzsche, was the reluctant — and radical — maker of modernity.

Notes

1 Roland Barthes, 'L' effet du réal', *Communications*, II (1968), 84—89.
2 Erich Heller, *The Disinherited Mind* (Harmondsworth, 1961), p. 96.
3 Philippe Hamon, 'Qu' est-ce qu'une description?' *Poétique*, 12 (1972), 465—485.
4 Hans Piechotta, *Aleatorische Ordnung* (Gießen, 1981), pp. 159 f.

Formen und Möglichkeiten der wissenschaftlichen Stifter-Rezeption

Alfred Doppler

Die vierbändige *Stifter-Bibliographie* von Eisenmeier[1] verzeichnet die Sekundärliteratur auf 626 Seiten, darüber hinaus ist die Stifter-Forschung in einer Reihe von Berichten dokumentiert (Dünninger, Vancsa, Lunding, Seidler[2]), die zusammen ebenfalls einen stattlichen Band ergeben würden. Diese Berichte, die eine Fülle von Titeln, Themen, Fragestellungen, kritischen Hinweisen und Wertungen enthalten, sollen nun nicht um einen weiteren Bericht vermehrt werden, sondern es soll an einem Beispiel gezeigt werden (und dieses Beispiel bin ich), welche Konsequenzen sich für die gegenwärtige Rezeption aus der Geschichte der Stifter-Forschung ziehen lassen.

Goethe hat in einem Brief an den Kritiker Rochlitz am 13. Juni 1819 dreierlei Arten von Lesern unterschieden: „Eine, die ohne Urteil genießt, eine dritte, die ohne zu genießen urteilt, die mittlere, die genießend urteilt und urteilend genießt; diese reproduziert eigentlich ein Kunstwerk aufs neue. Die Mitglieder dieser Klasse . . . sind nicht zahlreich."[3] Es wäre sicherlich gut und wünschenswert, wenn die Literaturwissenschaftler zu der mittleren Art von Lesern gehörten; die Stifter-Forschung zeigt allerdings, daß unter ihnen alle drei Arten von Lesern ziemlich gleichmäßig verteilt sind.

Es gab und gibt eine große Zahl von Literaturwissenschaftlern, die über Stifter nicht urteilen, sondern sich von ihm ihre eigenen Vorurteile und Weltanschauungen bestätigen lassen, indem sie alles, was sie selbst für gut halten, aus seinen Schriften ableiten. In moralisierendem Predigerton wird Stifter als „der schlichte Sohn des Böhmerwaldes", als der „Weise aus Oberplan" vorgestellt, der Trost stiftet und alle menschlichen Gebrechen heilt. Ohne zu fragen, wie etwas gesagt und wo es gesagt wird (ob in einer Erzählung, einem Roman, einem Aufsatz oder einem Brief), werden alle Äußerungen als Zeugnisse angerufen, daß Stifter — es folgen nun Zitate dieser Art von Preisungen — „das allgemeine Gesetz der Schöpfung darstelle", daß ihm „die Offenbarung des Absoluten im Konkreten" gelinge und „die Realisation von Urtatsachen" und daß er seine Menschen von einer „überdimensionalen Wesensmitte" aus erfasse. Ein akademischer Vortrag, der von einem namhaften Germanisten während des Zweiten Weltkrieges in der Schweiz gehalten wurde, beschreibt Stifter als einen Dichter, der das wirke, was auch Goethe vor der Seele geschwebt sei, und der sich in Goethescher Weise allmählich „zum edelsten Instrument" der Musen gebildet habe. — Man gewinnt den Eindruck, Stifter hätte ausschließlich und ununterbrochen ewige Gesetze geoffenbart, ideale Vorbilder reiner Menschenwürde geschaffen und uns endgültig und für immer gesagt, wie Kunst, Natur und Geschichte ineinanderwirken und zu deuten seien. Ohne den geringsten Versuch zu entallgemeinern, was doch die Aufgabe eines urteilenden Lesers wäre, erhebt sich überall das Allgemein-Menschliche, das Sanfte, das Daseins- und Dinggerechte, das organische Wachstum, das Wohlgeordnete, die gebändigte Leidenschaft und der heilsame Schmerz.

Dieser Ton reizte und reizt zu Entgegnungen, die meist nicht Stifters Texte als Ausgangspunkt nehmen, sondern das hochstilisierte Bild eines „klassischen" Dichters. Es gibt daher eine Reihe von Literaturwissenschaftlern, die von Stifters Schriften abgestoßen werden, noch ehe sie sich damit eingelassen haben. Stifter schrumpft ihnen zum „Haus- und Familienidylliker", zum pedantischen, ängstlichen Beamten, der beschränkteste Philisterhaftigkeit weltanschaulich vertieft, der ein konservatives Heimattum ermüdend ausspinnt und in kleinbürgerlichem Ton eine mittelmäßige Wohlanständigkeit verbreitet. Seine milden, idyllischen Ideale erscheinen diesen Lesern als kindische körperlose Anständigkeit.

Diese beiden Arten, Stifter zu lesen und zu beurteilen, sind nicht bloß ärgerliche Extrempositionen, die nach der einen oder anderen Seite hin zu korrigieren wären, sie haben auch ihr Gutes. In ihrer Einseitigkeit fordern sie Auseinandersetzungen heraus, und der sanfte Stifter ist nicht bloß der Dichter, der wohltemperierte Bildungsgüter vermittelt; denn wo um letzte Fragen gestritten wird, wie um die Offenbarung des Absoluten, um das allgemeine Sittengesetz und das Allgemein-Menschliche, kommen auch vorletzte Fragen ins Spiel, nämlich, ob und wo und wie diese Werte zu verwirklichen seien und in welcher Gesellschafts-, Wirtschafts- und Staatsform sie sich entfalten könnten. So verhindern die an sich fragwürdigen Lesegewohnheiten, daß Stifter zu einem Monument erstarrt. Wenn Stifters *Nachsommer* einmal „ein Gesetzbuch des wahren Lebens" genannt, ein andermal aber als „restaurative Ideologie" abqualifiziert wird, so provozieren solche Wertungen die Frage, was es denn eigentlich sei, daß Stifters Werke immer wieder und immer noch zu Reflexion und Auseinandersetzung herausfordern.

Ein Monument kann man anstaunen oder niederreißen. Literatur aber, die durch differenzierte Beschreibungstechniken, durch eine hochorganisierte literarische Form nicht allein erbauliche oder ärgerliche Inhalte mitteilt, sondern literarische Modelle entwirft, die in Beziehung stehen zu einer bestimmten historischen Wirklichkeit, bringen jedoch etwas zur Anschauung, was eben nur mit Hilfe von Literatur erfahren werden kann. Das zeigt sich vor allem in der Überlegenheit Stifters gegenüber der aktuellen, der Tagesdiskussion verpflichteten Literatur des „Jungen Deutschland". Wirklichkeit wird von Stifter nicht bloß dargestellt, sondern sie wird hergestellt und als Möglichkeit menschlichen Denkens und menschlichen Lebens vorgelegt; solche Literatur stellt Fragen und stellt in Frage, sie fördert das Gespräch der Gegenwart mit der Vergangenheit, einer Vergangenheit, die in unsere Gegenwart hineinreicht und noch keineswegs abgetan ist. — Damit ein solches Gespräch zustande kommt, bedarf es allerdings ästhetischer Sensibilität und kritischer Distanz, bedarf es des Lesers, der genießend urteilt und urteilend genießt und so das Kunstwerk aufs neue reproduziert. Damit ist zwar nicht das einzige, aber doch ein wichtiges Arbeitsfeld des Literaturwissenschaftlers umschrieben, die Reproduktion eines Kunstwerkes im Horizont der Probleme unserer Zeit. Und dies scheint der Punkt zu sein, den die gegenwärtige wissenschaftliche Stifter-Rezeption umkreist. Weder Heiligenverehrung noch vorschnelle Ideologiekritik entspricht dem derzeitigen Forschungsstand. Der Literaturwissenschaftler hebt das Werk Stifters als ein besonderes Moment der allgemeinen Geschichte hervor, indem er es als Zeugnis des Zustandes der menschlichen Gesellschaft in einer bestimmten Situation betrachtet, zugleich aber auch als ein Element, das auf diese Situation eingewirkt, sie kritisiert und mit Gegenbildern konfrontiert hat. Sein Augenmerk gilt weniger den offen verkündeten Botschaften und Weltanschauungen, selbst wenn sie durch Absichtserklärungen des Autors über sein Werk besonderen Nachdruck gewinnen, es gilt mehr solchen Mitteilungen, die unter der Oberfläche verborgen, nirgendwo anders enthalten sind als im Beziehungsgeflecht des literarischen Textes. Dabei geht es nicht darum, die Bedeutung eines solchen Textes schlechthin zu erfassen, der Literaturwissenschaftler weiß, daß die Texte dem geschichtlichen Wandel unterworfen sind wie die Menschen, die sich damit beschäftigen, aber er stellt Bedeutungen fest, die zu einer bestimmten Zeit vorherrschend waren, und er erforscht die Gründe, die zu dieser Meinungsbildung geführt haben, er fragt nach der Auswirkung von Texten im engeren Bereich der Literatur und im weiteren Bereich des vergangenen und gegenwärtigen Lebens.

Das heißt, daß der Literaturwissenschaft bei einem Autor wie Stifter zwei Aufgaben gestellt sind, die sie, aufeinander bezogen und ineinander verschränkt, zu lösen hat: Sie muß die historischen Voraussetzungen und Bedingungen rekonstruieren, unter denen Stifter gelebt und gearbeitet hat, und zugleich seine von ihm in dieser spezifischen Situation entwickelte, unwiederholbare literarische Verfahrensweise erkennbar machen.

Aus der Vielzahl der Probleme, die durch eine solche Zielsetzung aufgeworfen werden, möchte ich drei Punkte herausgreifen, die mir für die Aufschließung der Stifterschen Werke wichtig scheinen. Ich beschränke mich dabei einseitig auf den historischen Aspekt der Literaturwissenschaft und lasse die textanalytischen Untersuchungen außer acht, die vom historischen Vorwissen gesteuert, dieses Vorwissen korrigieren oder erweitern. Erst im Zusammenwirken beider Arbeitsweisen kann gezeigt werden, wie eine Dichtung beschaffen ist, aber auch, warum sie gerade diese Gestalt angenommen hat.

Punkt eins: Wie ist die Meinung zu werten, Stifter sei ein österreichischer Nachfahre der deutschen Klassik? — Um die Jahrhundertwende, als man sich anschickte, Stifter wissenschaftlich zu ergründen — die Prag-Reichenberger-Ausgabe unter August Sauer ist das sichtbare Zeichen dieser wissenschaftlichen Absicht — ging es darum, einen großen Dichter in der Nachfolge Goethes und der Weimarer Klassik vorzustellen. Gezeigt sollte werden, daß das Gedankengut klassisch deutscher Humanität in Österreich seine legitime Fortsetzung gefunden habe. Das Einverständnis Stifters mit dieser Einschätzung kann vorausgesetzt werden, einmal, weil er glaubte, daß die österreichische Literatur die deutsche vom literarischen Wahnsinn retten müßte (6. 12. 1850), wobei er mit Genugtuung vermerkte, daß der „grotteskeste und sittlich verkröpfteste und widernatürlichste Poet [Hebbel] kein Österreicher“ (SW XVIII², 67)[4] sei, zum anderen, weil er selbst darauf hinarbeitete, daß er als ein Nachfolger Goethes und als ein Wegbereiter einer neuen, Goethe und Schiller in sich vereinigenden Klassik gesehen werde: „Ich bin zwar kein Göthe aber einer aus seiner Verwandtschaft und der Same des Reinen Hochgesinnten Einfachen geht auch aus meinen Schriften in die Herzen“ (SW XVIII², 225). In seinen späten Briefen, die er bewußt im Hinblick auf eine Veröffentlichung geschrieben hatte, beruft er sich wiederholt auf Goethe, und als er 1865 in Karlsbad dessen Spuren nachgeht, schreibt er: „Ich habe, die Geistes- und Herzensgaben abgerechnet, eine ungemeine Ähnlichkeit in meinem sonstigen Wesen mit Göthe, daß ich mich zu diesem Menschen, wie mit Zauber hingezogen fühle“ (SW XX, 297 f.). Diese Selbstdeutung und Selbststilisierung hat nachhaltig die Sehweise einzelner Stifter-Forscher und die der Editoren der Prag-Reichenberger-Ausgabe beeinflußt. Stifters Werke sind diesen Forschern ein Beispiel „von der inneren Notwendigkeit und Gesetzmäßigkeit im Ablauf der Entwicklung eines Künstlers“ und über seinem letzten Werk, dem *Witiko*, steht daher ein „hoher, abgeklärter Künstlergeist, der die Erdennebel zerteilte“ (SW IX, S. X) — wie es in der Einleitung zur Prag-Reichenberger-Ausgabe heißt, und zwar in Analogie zu dem immer höheren Sphären entgegenschreitenden Goethe.

Dieser Auffassung entspricht es, daß die ursprüngliche Form der Stifterschen Erzählungen, in denen dieser klassische Impetus noch vermißt wird, in die alte kritische Ausgabe, die nach dem Muster der Weimarer Goethe-Ausgabe eingerichtet ist, gar nicht aufgenommen, sondern in die Lesarten verbannt wurde. Später hat man im Anklang an die Goethe-Philologie für die Erstdrucke der Erzählungen den Namen *Urfassungen* gewählt, was den Eindruck erweckt, es handle sich dabei (wenn man an den *Ur-Faust* oder den *Ur-Meister* Goethes denkt) um nur teilweise ausgeführte Werke, die für eine Veröffentlichung eigentlich noch nicht recht geeignet waren. Für die Buchausgaben wird Stifter in der Prag-Reichenberger-Ausgabe bescheinigt, daß er sich dort „größerer Korrektheit befleißigt, wenn auch noch genug Nachlässigkeiten und Austriazismen stehengeblieben sind“ (A. Sauer). Bei den sogenannten *Urfassungen* übersieht man oft sowohl das Impulsiv-Jugendliche als auch die Gleichzeitigkeit von *Ur-* und *Studienfassungen*. Es ist nicht möglich, von zwei Phasen im Schaffen Stifters zu sprechen, da die ersten *Studien*bände zugleich mit späteren *Journal*drucken erschienen sind.

Die Abwertung der Erstveröffentlichungen Stifters verbietet sich aber auch noch aus einem anderen Grund: Durch die regelmäßige Mitarbeit an dem elegant ausgestatteten Taschenbuch *Iris* hatte Stifter von 1841–1848 dafür gesorgt, daß er seinem Publikum als Autor ständig im Bewußtsein blieb. In einer finanziell einigermaßen gesicherten Position konnte er an neue und größere Aufgaben denken, „auf künftige, ganz selbständige Sachen" (SW XXV, S. CIL). Am 13. 2. 1847 schreibt er seinem Bruder: „Das Publikum [kauft] die Iris recht fleißig, Prandel sagte mir neulich wörtlich: ‚Heckenast macht heuer mit der Iris ein ungeheures Geschäft.' Mir selber sagen die Leute, wo ich hinkomme, die größten Freudenbezeugungen" (SW XVIII[2], 206). Als nach der Revolution von 1848 das Taschenbuch nicht mehr erschien, weil durch die geänderte politische Situation die traditionellen Journale einen Großteil ihrer Leser eingebüßt hatten, bestand vorerst keine Aussicht mehr auf zureichende Einnahmen aus schriftstellerischer Tätigkeit, und die Möglichkeit, ausschließlich als Schriftsteller zu leben, ging verloren. — Die Tatsache, daß die Journale es gewesen sind, denen Stifter seine dichterische Entwicklung verdankt, bedeutet, daß den *Journalfassungen*, wie sie in der jetzt entstehenden *Historisch-kritischen Gesamtausgabe* genannt werden, ein neuer Stellenwert beizumessen ist. Es gibt unter ihnen zwar von den eher trivial-biedermeierlichen Anfängen des *Haidedorfs* bis zum 1847 erschienenen *Waldgänger* und dem 1848 erschienenen *Prokopus* eine Entwicklung, aber sie läuft nicht so geradlinig auf die Buchfassungen der *Studien* zu, wie das bisher dargestellt wurde, und es muß offenbleiben, ob es in jedem Fall eine Entwicklung zu immer reinerer Menschlichkeit und höherer Kunst gewesen ist. Es ist zu überdenken, ob es tatsächlich zutrifft, daß sich bei Stifter in allen Fällen die „Vagheit" der *Journalfassungen* zu den ethisch fundierten Sprachkunstwerken der *Studien* veredelt; auch die *Studien* sind in der Selbsteinschätzung Stifters „mehr oder minder nur Ziehkinder" (SW XXV, S. CIL). Friedrich Sengle, der beste Kenner der Biedermeierliteratur, meint, „statt dieser Dienstleistung für das wirkliche Lesepublikum nach alter Sitte idealistisch zu mißtrauen, sollte man in ihr ein Musterbeispiel für die vom Leser ausgehende Anregung der literarischen Produktivität erblicken";[5] denn erst der Wettstreit der Journale trieb vereinzelt die Leistungen empor, die den bescheidenen Beitrag der deutschsprachigen Literatur zur Weltliteratur um die Mitte des 19. Jahrhunderts ausmachen.

Punkt zwei: Ausgehend von dieser Situation des Schriftstellers, seines Publikums und der damit gegebenen Thematik und Stilform seiner Erzählungen, sollten auch die Dokumente, die wir zu Stifters politischer Haltung gegenüber den Ereignissen von 1848 und dem darauffolgenden Neoabsolutismus haben, neu gelesen werden. Die Revolution bedeutete für Stifter den finanziellen Ruin und eine Verschuldung, die für ihn bedrohlich wurde und von der er sich zeitlebens nicht mehr erholen konnte. Der Versuch, sich nach 1848 erneut eine Existenz aufzubauen, die es erlaubt hätte, ausschließlich als Dichter zu wirken — das Amt wurde sehr bald als eine unerträgliche Belastung empfunden —, war von Anfang an eine Illusion, aber diese Illusion scheint eine Lebensnotwendigkeit gewesen zu sein, und sie umkreiste beständig die Vorstellung einer Lebensführung, die in Analogie zu Goethes Lebensmöglichkeiten in Weimar stand. Wie einen Treffer in der Lotterie (Stifter lebte ständig in Erwartung eines Haupttreffers) erwartete er einen Fürsten, der den Adel des Geistes und ein Leben für die Kunst ausreichend dotierte. Doch die Zeiten hatten sich geändert. Stifter hat zweimal seine Werke Fürsten gewidmet mit der unterschwelligen Hoffnung, daß dies nicht umsonst sein werde. Kaiser Franz Joseph verlieh ihm für die kostbar gebundenen *Studien*-Bände das Ritterkreuz des Franz-Josephs-Ordens; der Großherzog Alexander von Sachsen-Weimar das Ritterkreuz der ersten Abteilung des Ordens vom Weißen Falken. Stifter meldet, er habe sich sehr gefreut über diesen Falken-Orden, weil der Wahlspruch „Seid wachsam" von Goethe stammen soll. 1867 hatte er offenbar schon resigniert, 1854 war die Reaktion noch bitter: „Se[ine] Majestät unser trefflicher Kaiser hat mir den Franz Josephs-Orden geschikt, wüßte er, wie er mich mit so wenig, daß es ihm nichts ist, beglüken könnte, wenn er mir wie Augustus dem Vergil wie ein kleiner Fürst dem hohen Göthe die Muße gäbe, schaffen zu können" (XVIII², 225). Für den Literarhistoriker heißt dies, daß Selbstdeutung und tatsächliche Existenz, Wunschdenken und geschichtliche Situation aufeinander zu beziehen sind, und die Widersprüche nicht harmonisch ausgeglichen oder als allgemeines Künstlerschicksal beklagt werden dürfen.

Punkt drei: Die Zeit nach 1848 kennt nicht mehr das Refugium eines Musenhofes, von dem aus es trotz aller Einschränkungen möglich war, zu einer ausgedehnten Italienreise aufzubrechen — nach der sich Stifter vergeblich sehnte — oder *Briefe über die ästhetische Erziehung des Menschen* zu schreiben. Linz war für Stifter ein Verbannungsort, ein Dorf mit Gasbeleuchtung, schon 1850 wünscht er sich Erlösung von Linz und von der dortigen Enge; und die beiden großen Dichtungen, die in Linz entstanden sind, *Nachsommer* und *Witiko,* sind nicht nur gegen die Zeit im allgemeinen geschrieben, sondern auch gegen die Zeit, die er hier erlebt hat, im großen wie im kleinen; gegen die imperialistische Machtpolitik Napoleons III., später gegen die Bismarcks — und gegen den Alltag, der gekennzeichnet ist: „Durch das Heu den Häkerling die Schuhnägel die Glasscherben das Sohlenleder die Korkstöpsel und Besenstiele, die in [seinem] Kopfe sind" (XVIII², 223), womit Stifter den Kleinkram des Schulrates drastisch umschreibt. Im Freiraum der Einbildungskraft schafft Stifter daher im *Nachsommer* das Modell einer menschenwürdigen Gesellschaft, in welcher der Held und Erzieher dieser Gesellschaft erst nach seinem öffentlichen Leben zu leben beginnt und den jungen Leuten zeigt, wie sie die gegenwärtige Übergangzeit nützen könnten, daß sich einmal die Forderungen der *Vorrede* zu den *Bunten Steinen* erfüllen, die dem Gesetz und den Kräften gelten, „die nach dem Bestehen der gesammten Menschheit hinwirken, . . . Es ist das Gesez . . ., das will, daß jeder geachtet geehrt ungefährdet neben dem Andern bestehe, daß er seine höhere menschliche Laufbahn gehen könne, sich Liebe und Bewunderung seiner Mitmenschen erwerbe , daß er als Kleinod gehütet werde, wie jeder Mensch ein Kleinod für alle andern Menschen ist."[6] Diese Übergangzeit ist gekennzeichnet durch den Widerspruch, daß eine auf die Ganzheit des Lebens ausgerichtete adelige Lebensform ihre reale Basis verloren und verspielt hat und daß diese Lebensform in der Gegenwart nur noch durch Geld erworben werden kann, das in einem langen Leben und in harten, ungeliebten Geschäften verdient werden muß, wenn es einem nicht durch Erbschaft oder Lotteriegewinn zufällt. Der Kapitalist rückt in die Position des Adels ein; die Zeit der Abfassung des *Nachsommers* ist die Zeit des Aufschwungs der kapitalistischen Wirtschaft, eines Aufschwungs, der auf der Pariser Weltausstellung von 1855 glanzvoll demonstriert wurde und von dem noch nicht zu entscheiden war, was sich daraus entwickeln würde. Wie eine Bestätigung seiner Vorstellungen empfindet daher Stifter die Tätigkeit des Wiener Geldwechslers Schaup, über den er im Jänner 1860 schreibt, daß dieser sich nun „einen netten Nachsommer macht", „sich die Herrschaft Frankenburg in Oberösterreich gekauft hat, dort nun herumwirthschaftete, Sümpfe austroknet, Schulen anlegt, Forste regelt, Brauhäuser baut und durch seine Wohlthaten als ein Segen für die Gegend bezeichnet wird" (XIX², 217 f.). Die Genauigkeit, mit der die materiellen Bedingungen einer idealen Lebensform beschrieben werden und die bis ins letzte durchkomponierte und -konstruierte Harmonie von Ich und Welt, die nicht für das Leben an sich, sondern nur für die Endzeit des Alters gilt, straft ideologiekritische Arbeiten Lügen, die von einer schlechten

Idylle sprechen. Adornos Hinweis, daß auch die affirmativen Kunstwerke (wenn sie echte Kunstwerke sind) a priori polemisch seien, wird von der neueren Stifter-Literatur für den *Nachsommer* in Anspruch genommen. Indem diese Kunstwerke „von der empirischen Welt, ihrem Anderen emphatisch sich trennen, bekunden sie, daß diese selbst anders werden soll, bewußtloses Schema von deren Veränderung."[7]

Dieser *Nachsommer* war ursprünglich nur als ein Einschiebsel gedacht, das die mühevolle Arbeit an den großen Geschichtsromanen aus der Ottokarzeit lustvoll unterbrechen sollte. Als Stifter nach der Fertigstellung der wider Erwarten umfangreichen „Erzählung" des *Nachsommers* zur Geschichte zurückkehrte, hatte er offenbar die Unbefangenheit ihr gegenüber in noch höherem Maße verloren, als dies vorher schon der Fall war. Und so wirkte das Konzept des *Nachsommers* gewollt oder ungewollt auch im *Witiko* weiter, und zwar so, daß dort der „Sommer" erzählt wird, der im *Nachsommer* nicht gewesen ist: Witiko erlebt all das, was den Nachsommerern versagt oder nur als Möglichkeit aufgetragen ist. Witiko tut das, wozu Heinrich Drendorf nur erzogen wurde, er tut, wie Stifter sagt, das „Ganze", und er erfährt die Totalität des Lebens. Der Spielraum dieses Lebens ist nun allerdings der Gegenwart sehr weit entrückt, er führt in eine urtümliche kindliche Welt, in eine Welt, die der Heilsgeschichte zugänglich ist und die den Widerpart zur Unheilsgeschichte abgibt, wie sie Stifter erlebt. Die Geschichte in *Witiko* wird geprägt durch ein ideal gesteigertes patriarchalisches Familiensystem, in dem wie im Märchen die Bösen bestraft und die Guten belohnt werden, durch ein System, das den Gesetzen der Natur verpflichtet ist und in dem Geschichte und Natur so ineinanderfließen, daß in hochbewußter Naivität das sanfte Gesetz zur Anwendung gebracht werden kann. Das treibt eine literarische Form hervor, in der die Kindlichkeit des Epos, wie sie der Kindheitsgeschichte des Menschen angemessen ist, gebrochen wird durch das immer weiter fortschreitende Bewußtsein der Widersprüche, die das gegenwärtige Leben bestimmen. In einem Brief vom 18. 5. 61 heißt es: „Oft beschleicht mich der tiefste Ekel an der Menschheit im Großen, und wären nicht noch einzelne gute und starke Menschen, man müßte sich zu dem lieben Vieh wenden, wie mir ja schon Pflanzen und Gewächse ein freundlicher Umgang geworden sind" (SW XIX², 278).

Wäre Stifter nur der gepriesene „Dichter der Ehrfurcht" oder der geschmähte „reaktionäre Idylliker", würde er auf die Schriftsteller der Gegenwart kaum jene Anziehungskraft ausüben, von der auf dem Linzer Symposion 1982 ausführlich die Rede war.[8]

In Stifters Erzählungen verliert der für die Biedermeierzeit typische transparente Realismus, der eine göttliche, väterlich personalisierte Ordnung hinter den Dingen sichtbar zu machen versucht, seine Selbstsicherheit und seine Selbstverständlichkeit. Schon in den *Studien* ist das Wankende dieser Zeit aufgezeichnet. Der heitere Himmel, der sich über einem fatalen Geschehen wölbt, wie im *Hochwald* betroffen festgestellt wird, verweist auf die enge Nachbarschaft von Ordnung und möglicher Katastrophe; im *Condor* ist die Erde nicht mehr das wohlbekannte Vaterhaus, der einzelne gerät in „Zustände, die wir kaum zu enträtseln wissen" (wie es in der Erzählung *Turmalin* heißt), und er kann nicht absehen, wie er sich gegenüber der schrecklichen „Gewalt der Tatsachen" verhalten wird. Nach den *Bunten Steinen* kommt es Stifter nicht mehr auf das Erfinden von Geschichten an, sondern auf ein Finden und Aufstellen von Ordnungsprinzipien, die ein Orientierungszentrum ersetzen müssen. Da sich Stifter „mit der grinsenden Amoralität der Geschichte" (E. Lunding) nicht abfindet, zerbricht ihm endgültig die klassisch-romantische Analogie von Mensch und Natur, auch wenn er im literarischen Modell anscheinend daran festhält. Doch die Harmonie ist nicht Abbild, sondern Reaktion. Der symbolische Einklang von Subjekt und Objekt besteht nur im hergestellten Kunstwerk: Stifters Beschreibungen, Aufzählungen, Namensnennungen, die Gruppierungen von Dingen und Menschen, die

Gliederungen von Landschaften und Herrschaften, die variierenden Wiederholungen im *Nachsommer,* vor allem aber im *Witiko* dienen nicht der Festlegung einer außerliterarischen Seinsordnung; es sind „Expeditionen nach der Wahrheit" (im Sinne Kafkas), Versuche, in dem Wirrsal der Dinge das Problem einer menschenwürdigen Ordnung zu umkreisen, und die Vielfalt der Beschreibungen verweist auf das, was nicht mehr zu beschreiben ist. Bereits bei Adalbert Stifter wirkt, was Elias Canetti von Franz Kafka gesagt hat: Die einzigartige Verbindung von Ehrfurcht und Fragwürdigkeit, „und wenn man sie einmal erlebt hat, ist sie nicht mehr zu missen".[9]

Anmerkungen

[1] Eduard Eisenmeier, *Adalbert-Stifter-Bibliographie,* Schriftenreihe des Adalbert-Stifter-Institutes des Landes Oberösterreich, 21 (Linz, 1964).
ders., *Adalbert-Stifter-Bibliographie,* Forts. 1, Schriftenreihe des Adalbert-Stifter-Institutes des Landes Oberösterreich, 26 (Linz, 1971).
ders., *Adalbert-Stifter-Bibliographie,* Forts. 2, Schriftenreihe des Adalbert-Stifter-Institutes des Landes Oberösterreich, 31 (Linz, 1978).
ders., *Adalbert-Stifter-Bibliographie,* Forts. 3, Schriftenreihe des Adalbert-Stifter-Institutes des Landes Oberösterreich, 34 (Linz, 1983).
[2] Josef Dünninger, „Das Stifterbild der Gegenwart", *Germ.-Roman. Monatsschrift,* 19 (1931), S. 161—174.
Kurt Vancsa, „Das neue Stifterbild. Ein Forschungsbericht", *Oberösterreich,* 1 (1951), H. 4, S. 29—30 und *Oberösterreich,* 2 (1952/53), H. 3/4, S. 60—61.
Erik Lunding, „Probleme und Ergebnisse der Stifterforschung 1945—1954", *Euphorion,* 49 (1955), S. 203—244.
Herbert Seidler, „Adalbert-Stifter-Forschung 1945—1970" (1. u. 2. Teil), *ZfdP,* 91 (1972), S. 113—157 u. 252—285.
ders., „Die Adalbert-Stifter-Forschung der siebziger Jahre", *VASILO,* 30 (1981), S. 89—134.
[3] Johann Wolfgang v. Goethe, *Briefe 1805—1821* (Hamburg, 1965), *Goethe-Briefe,* Hamburger Ausgabe in vier Bänden, Bd. 3, 456.
[4] Adalbert Stifters *Sämtliche Werke,* 18. Band, Briefwechsel, 2. Band, hrsg. von Gustav Wilhelm, 2. Auflage (Reichenberg, 1941), 67.
[5] Friedrich Sengle, „Biedermeier", *Handbuch der deutschen Erzählung,* hrsg. von Karl K. Polheim (Düsseldorf, 1981), S. 192.
[6] Adalbert Stifter, *Werke und Briefe,* Historisch-kritische Gesamtausgabe, II, 2, 12 f.
[7] Theodor W. Adorno, *Ästhetische Theorie,* 2. Auflage (Frankfurt, 1947), S. 264.
[8] *Anstoß Adalbert Stifter. Perspektiven aus Gegenwartsliteratur und Germanistik,* Vorträge des Linzer Adalbert-Stifter-Symposions 1982, *VASILO,* 32 (1983), S. 129—219.
[9] Elias Canetti, *Aufzeichnungen 1942—72* (München, 1973), S. 306.

Summary

Research on Stifter is characterized by a polarization of judgements. For one group of literary scholars Stifter is 'the simple son of the Bohemian forest', 'the sage from Oberplan'; they avow that he 'represents the general law of creation', that he succeeds in portraying 'the revelation of the absolute within the concrete' no less than 'the realization of primal facts'. They see everywhere the principle of a common humanity, gentleness, the validation of being and thing, organic growth, bridled passion and healing pain. This adulatory tone provokes contradiction. A Stifter, therefore, who is stylized into a classical writer, for another group of literary scholars shrinks to an 'idyllist of home and family', to a pedantic civil servant who ideologically deepens the narrowest of philistinism and wearisomely spins out his conservative parochialism.

Both these ways of reading Stifter are extreme positions which have the virtue of keeping the argument alive. In the present day reception of Stifter they have produced a situation in which neither veneration nor hasty ideological criticism has given the lead, but rather one where historical research and analytical textual scrutiny have become interrelated.

As far as the historical aspect is concerned, I wish to take up three points which are significant for present-day research:

1. Stifter was admittedly himself concerned to be seen as a successor of Goethe's, but this must not obscure the fact that Stifter had made his name as a writer with the *Journalfassungen* of his stories. Furthermore, there are not two phases in Stifter's creative life since further *Journalfassungen* were still to appear after the publication of the first *Studien* volumes.

2. The 1848 revolution made it impossible for Stifter to achieve some kind of financial security as a freelance writer. His position as school inspector very soon became burdensome to him. Stifter yearned for living conditions which might be compared to Goethe's in Weimar; he set his hopes on a Prince who would sufficiently remunerate nobility of mind and a life devoted to art.

3. The period after 1848 no longer has time for the refuge of a Court of the Muses. Linz became for Stifter, the longer he lived there, a place of banishment. The two great works *Der Nachsommer* and *Witiko* are not only written against the times in general but against the great and small events of the day: against the power politics of Napoleon III and Bismarck and against 'the hay, chaff, hobnails, glass fragments, shoe leather, corks and broomhandles which are in [his] head.' In *Der Nachsommer* Stifter creates the model for a society worthy of humanity in which the educator of that society only begins to live after his public life is over. This form of existence can only be gained with money which must be earned in tedious, unwelcome commerce. The capitalist adopts the position of the nobleman: *Der Nachsommer* ist written at a time when the capitalist economy is on the upturn (World Exhibition in Paris, 1855).

The precision with which the material conditions of an ideal form of existence are depicted and the conscious construct of a harmony between self and world gives the lie to those works of an ideological persuasion which speak of a flawed idyll.

The 'Nachsommer' conception continues into *Witiko* where the Summer which never existed in *Der Nachsommer* is unfolded. Witiko performs 'the whole', yet his sphere of activity is indeed far removed from the present. In *Witiko* Nature and History so flow into each other that the gentle law may be applied with highly conscious naivety which, among other things, consists in allowing Man unimpeded 'to pursue his loftier human path'.

In Stifter the transparent realism of the Biedermeier period loses its self-assurance, the close proximity of order and possible catastrophe is constantly invoked. He is not ultimately concerned with the invention of stories but with the discovery and establishment of ordering principles which replace a realistic centre of orientation. The symbolic accord between subject and object is possible only in the work of art: descriptions, enumerations, the naming of names, the disposition of landscapes and families, the varying repetitions are attempts to circumscribe the problem of human order within the confusion of things. The multiplicity of descriptions points to that which can no more be described.

Some Reflections on the Use of Dialogue in Stifter's Stories

Peter Branscombe

The style and function of dialogue in Stifter's stories have received surprisingly little critical attention. Apart from isolated comments in the standard secondary literature, only a section in Hans-Ulrich Rupp's study of *Stifters Sprache* springs to mind — part 5 of his third main section, entitled 'Die Kunst der Reden und der Gespräche',[1] which is mainly devoted to dialogue in *Witiko*. My own realization that I would one day write a paper on Stifter's use of dialogue lies many years in the past. Yet even now I fear I am posing problems rather than solving them, putting forward tentative suggestions on the basis of various examples rather than presenting rounded and convincing arguments.

My starting-point was and remains the short, decisive cry of Stephan Murai to his wife at that point in *Brigitta* when their marriage breaks up. In the first version — which we are learning to call the *Journalfassung* — Stephan says: 'Weib, ich hasse dich, ich hasse dich!' (HKG I, 2, 245). The emphatic repetition is in the circumstances entirely natural, credible. But what happens to that outburst in the *Buchfassung?* It becomes the virtually unspeakable 'Weib, ich hasse dich unaussprechlich, ich hasse dich unaussprechlich!' (HKG I, 5, 459). This is probably the most striking instance of dialogue in *Brigitta,* but there are others only slightly less remarkable, as in that other scene of violence when Gustav is attacked by wolves in the autumn fog; two muffled shots are heard: '"Ich kenne die Pistolen" schrie der Major' (HKG I, 2, 252), and he gallops off to the rescue. The later versions reads: '"Das sind meine Pistolen, und keine andern", rief der Major' (HKG I, 5, 468). Again we have a re-modelling, and again the revision is longer, less likely to be thought appropriate to speech in the given circumstances. But, unlike my first example, this conveys no overt intensification of emotion — the outburst of hatred and increase of passion go against the general trend in the revised version of the story, which is to tone down the emotional outbursts, diminish the eerie Romanticism (for instance in the description of the gallows at night), shorten and simplify the sentence-structure.

It is obviously dangerous to try and draw general conclusions from any number of precise examples of Stifter's, or any other artist's, revisions of his own earlier work. I would nevertheless maintain that a toning-down of emotional outbursts, a reduction in the length of sentences, a tendency to replace complex parentheses by simple consecutive sentences, are typical of Stifter's revisions. His use of dialogue, however, does not regularly accord with this pattern.

I should like to quote, as an example of non-dramatic dialogue in prose fiction, a brief exchange from the start of a familiar English novel:

'My dear Mr. Bennet', said his lady to him one day, 'have you heard that Netherfield Park is let at last?' Mr. Bennet replied that he had not. 'But it is', returned she, 'for Mrs. Long has just been here, and she told me all about it.' Mr. Bennet made no answer. 'Do not you want to know who has taken it?' cried his wife impatiently. '*You* want to tell me, and I have no objection to hearing it.' This was invitation enough. 'Why, my dear, you must know, Mrs. Long says that Netherfield is taken by a young man of large fortune from the north of England . . . What a fine thing for our girls!'[2]

In this passage from *Pride and Prejudice* Jane Austen is juxtaposing the excited direct speech of Mrs. Bennet with the reluctant indirect speech of her husband ('Mr. Bennet replied that he had not'; 'Mr. Bennet made no answer'); though eventually he is drawn into the conversation with the direct rejoinder of '*You* want to tell me, and I have no objection to hearing it.' The combination of direct speech, reported speech, and what we may call 'stage directions' ('cried his wife impatiently', 'this was invitation enough') is in varying proportions typical of dialogue in the European novel, and Stifter employs just the same conventions — dialogue can reveal, as it can also conceal, the innermost thoughts of the speaker. It can be natural and direct; or rarefied and highly formal; it can be used with conscious artifice to impart to the reader information which is already familiar to the interlocutor, and which therefore does not actually need to be said. This subject is over-ambitious for a half-hour paper, so I must limit myself to a few examples, chosen from the stories rather than the novels (inclusion of *Witiko* would have provided some interesting if not entirely successful ventures into Middle High German dialogue). The quantity and the range of dialogue differ widely from story to story — there is no direct speech at all in the brief *Zwei Witwen*, for instance, and a considerable quantity in the even shorter Erzählungen *Der Tod einer Jungfrau* and *Die Barmherzigkeit*. There is little dialogue in *Abdias*, the story of a solitary man — lonely from the death of his wife to the time when he at last begins to devote himself to the education of his daughter. In other works, lengthy passages consist wholly or almost wholly of dialogue, or monologue. There is normally only a rudimentary attempt at individual characterization by speech-patterns — Abdias's neighbours in the ruined Roman city in the desert are caricatures in their vindictive, chattering outburst after Melek has robbed Abdias of all he could find; the woodchopper who guides the lost hero in *Der Waldsteig*, or Hanna and her friends in *Der beschriebene Tännling*, do not speak as we would expect peasants to speak.

The almost pedantic correctness of utterance which we shall remark in the dialogue of Stifter's stories was not confined to his writings — as a pleasing little anecdote indicates. It concerns the one authenticated meeting between Stifter and that other great master of the Upper Austrian Danube area, Anton Bruckner. Bruckner's love of folk-music, and his willingness to play at village social occasions, are well known. Max Auer records one such occasion:

Selbst aus Linz kam Bruckner noch manchmal zu diesen Abenden nach Leopoldschlag. Einmal nahm auch Adalbert Stifter, der die Schule inspiziert hatte, an einem solchen Abend teil. Er konnte den „Schulmeister" auch an diesem Abend nicht unterdrücken und hatte an der Aussprache der jungen Leute immer herumzunörgeln. Auch Bruckner blieb dabei nicht verschont, als er vom Wein sagte, er sei noch nicht „ausgegärt". Stifter belehrte ihn sogleich: „Man sagt: ,Der Wein hat noch nicht ausgegorn.'"[3]

This incident cannot be precisely dated, as the available source-material does not record a visit to Leopoldschlag by Stifter in his capacity as inspector of schools.[4] Even if we assume that it took place quite soon after Bruckner settled in Linz in 1855, he would have been 31, perhaps older, and already at least locally renowned as an organist, at the time of Stifter's snub. In Bruckner's defence let it be said further that the past participle 'gegärt' is accepted in Grimm's *Deutsches Wörterbuch* at least in transitive usage.[5]

∗

Let us turn now to an examination of examples taken in chronological order from Stifter's *Studien* and *Erzählungen*. The earliest of the stories, *Der Condor*, contains totally different styles of dialogue. The opening, fanciful exchange between Hinze, the cat, and the human narrator, is in setting and tone reminiscent of the children's tale of *Der gestiefelte Kater,* and also of the Hoffmann of *Lebens-Ansichten des Katers Murr*. More interesting — because it looks ahead to the dialogue of the mature stories — is the long speech of Gustav shortly after he and Cornelia, the trepid balloon-passenger of the first chapter, have kissed for the first time. He wonders how he will ever be able to forget the moment; she tells him that it is not a moment to forget — 'wir wollen ihn auch nicht vergessen; ich müßte mich hassen, wenn ich es je könnte. — Und auch Sie, bewahren Sie mir in Liebe und Wahrheit Ihr großes, schönes Herz' (HKG I, 4, 35).

It is instructive to compare the two versions of Gustav's reply:

Journalfassung

Er stand auf und trat vor sie, ordentlich höher geworden, und schaute sie mit den flammenden genialen Augen an, wie ein starker Mann, und rief:
„Vielleicht ist es [mein Herz] reicher, als ich selber weiß, eben kommt ihm ein Entschluß, der
mich überrascht, aber er ist gut: M o r g e n trete
ich meine Reise an — laß uns diese Minute retten
— zwey Herzen haben sich in derselben Aufloderung überrascht — in einer Aufloderung — laß
nun sehen, was sie sind. Die Zukunft wird bringen, was sie muß und kann, und so gewiß die Sonne aufgeht, wird sie eines Tages die Frucht der
heutigen Wunderblume beleuchten, sie sey so
oder so — ich weiß nur eines — daß draußen eine
andre Sonne ist, andere Bäume, andere Lüfte —
und ich ein anderer Mensch — o C o r n e l i a ,
es liegt mir eine ganze Welt im Herzen selig glänzend und leuchtend wie ein Sternenhimmel, und
es ist mir, als sollte ich es nur ausströmen lassen
in Schöpfungen durch das ganze Universum —
ach und ich kann es nicht — ich kann es ja nicht
einmal sagen, wie grenzenlos und unausssprech-
lich und wie ewig ich Sie liebe, und lieben will, so
lang nur eine Faser halten mag an diesem Herzen." (HKG I, 1, 27)

Buchfassung

Er schlug nun plötzlich die Augen zu ihr auf, erhob sich von dem Sitze, trat vor sie, ordentlich höher geworden, wie ein starker Mann, und rief:
„Vielleicht ist dieses Herz reicher, als ich selber
weiß; eben kommt ihm ein Entschluß, der mich
selber überrascht, aber er ist gut: meine vorge-
nommene Reise trete ich s o g l e i c h , und
zwar morgen schon an. — Ich kann noch an das
neue Glück nicht glauben — ist es etwa nur ein
Moment, ein Blitz, in dem zwei Herzen sich be-
gegneten, und ist es dann wieder Nacht? Laß uns
nun sehen, was diese Herzen sind. V e r l o r e n
kann diese Minute nie sein, aber was sie bringen
wird!? Sie bringe, was sie muß und kann — und so
gewiß eine Sonne draußen steht, so gewiß wird sie
eines Tages die Frucht der heutigen Blume beleuchten, sie sei so oder so — ich weiß nur eines,
daß draußen eine andere Welt ist, andere Bäume,
andere Lüfte — und ich ein anderer Mensch. O
Cornelia, hilf mir's sagen, welch' ein wundervol-
ler Sternenhimmel in meinem Herzen ist, so selig,
leuchtend, glänzend, als sollt ich ihn in Schöpfungen ausströmen, so groß, als das Universum
selbst, — aber ach, ich kann es nicht, ich kann ja
nicht einmal sagen, wie grenzenlos, wie unaussprechlich, und wie ewig ich Sie liebe, und lieben
will, so lange nur eine Faser dieses Herzens halten
mag." (HKG I, 4, 36)

The differences between the two versions are interesting, and, I suggest, fairly typical of the
changing emphases which Stifter made in most of his revisions. The *Buchfassung* is rather longer
(sometimes the revised versions of the stories are more than twice as long as the original versions); it is broken up into rather shorter units of thought; the passionate elements are toned
down, or are implied rather than stated. The elements that are preserved unchanged, or are only
slightly changed, are of course of equal significance: the descriptive touches in the 'stage directions' before the speech (the conceit that the young artist as a result of the kiss is 'ordentlich höher
geworden', the simile 'wie ein starker Mann'), modified by the greater length and formality of
'erhob sich von dem Sitze' for 'stand auf', and even more by the deletion of the reference to
Gustav's 'flammenden genialen Augen' — the *Buchfassung* here places the emphasis more firm-
ly on Gustav as lover rather than as promising young painter.

When we turn to the speech itself, we note that two sentences in the *Journalfassung* have become six sentences in the *Buchfassung* — the phrases are more measured (for the reader more
manageable, because for the protagonist less spontaneous, jerky, unconnected — or connected
by unconscious associations). On the other hand there is an increase in rhetoric, with the introduction of two questions, the second of them both exclamation and question. There is also
greater subtlety in Stifter's treatment of the temporal and psychological implications of their

declaration of mutual love. In the *Journalfassung* the points of reference are 'diese Minute' — 'in derselben Aufloderung' — 'in einer Aufloderung'; calmer temporal associations are introduced in the *Buchfassung* by the retrospective placing of 'diese Minute', which narrows down and, as it were, lowers the voltage of 'ein Moment, ein Blitz', while also introducing a prophetic hint of the unconsummated nature of their relationship with the unanswered question 'und ist es dann wieder Nacht?'

The second passage for detailed study is an example of dialogue which Stifter entirely deleted when he came to revise the story. It is from *Der Hochwald*. The old baron has just broken to his daughters the tidings that the Swedish army is drawing near, and that they will be conveyed until the end of hostilities to a remote and uninhabited mountain area (the 'Blockstein' and its dark, mysterious lake which in *Granit* grandfather and grandson include in their panoramic survey of the landscape). The young and impressionable Johanna has overheard rumours about the 'kühnen Wildschützen', with his magic bullets and spooky nocturnal familiars, who roves the forest and has murdered the miller of Spitzenberg. She is so frightened by this *Freischütz*-like tale that she is unwilling to fall in with her father's plan. In the passage which follows, the baron in the presence of his daughters interrogates the 'Jägerbursche' about the rumours he has been spreading. This excerpt from the dialogue conveys the remorselessness of the old man's cross-examination of the youth, in vivid, entirely credible exchanges:

„Tretet hieher, meine Töchter", fuhr er fort, „so, und nun nehmt Platz in diesen Sesseln — und du, jetzt rede: wo und wie hast du, zwanzig Meilen in der Runde, den Wildschützen und Mörder gesehen?"
„Wildschützen", antwortete der Bursche, „sind freilich bald hier, bald da . . ."
„Keine Ausflucht", rief der Freiherr, „kein Sandkorn, kein Atom von Lüge — wo sahest du ihn?"
„Gesehen habe ich ihn so recht eigentlich nicht . . ."
„Wer sah ihn?"
„Man erzählt . . ."
„Nichts von Erzählen, geradezu, wer hat ihn gesehen?"
„Ich kann mich nicht so ganz mehr erinnern, aber reden hörte ich gar oft von ihm."
„Gut, so nenne augenblicklich Namen und Wohnort dessen, der von ihm redete."
„Ja wer zuletzt redete, ich weiß nicht, war es . . ."
„Zuletzt oder zuerst oder mitten — nenne nur irgend einen — aber siehe zu!!"

(HKG I, 1, 214—5)

What prevents any sense of unpleasantness, of bullying, is the narrator's insertion, immediately following this first part of the interview, of the phrase 'fast lächerlich war es' (to see the lad trying to extricate himself from his confusion), then Johanna tries hard not to burst out laughing, and finally the old Freiherr himself laughs as he completes his exposure of the baselessness of the lad's rumours, before sending him off for a glass of wine in the servants' quarters. This charming little scene was deleted when Stifter revised *Der Hochwald;* all that survives in the *Buchfassung* is the very end of the scene: Clarissa and Johanna, the focus of the narrator's attention, rejoin their father at the very moment when he is gently dismissing the crestfallen young rumourmonger. — In a story the two versions of which are unusually close in length, Stifter presumably omitted an artistically pleasing but formally redundant scene, as part of a more general process of concentrating attention on the essence of the story.

My third example is a humorous one, from *Der Waldsteig;* it is the first occurrence of direct speech in the story:

... denn Herr Tiburius platzte endlich eines Tages heraus: „Wenn Sie, mein hochverehrtester Herr Doctor, in einigen wenigen Fällen, wie Sie ja selber heute vor fünf Wochen sagten, ganz zuverlässige Mittel wissen, so wüßten Sie etwa auch eines in dem meinigen."

„Allerdings."

„Nun also — so reden Sie!"

„Sie müssen heiraten — aber zuvor müssen Sie noch in ein Bad gehen, wo Sie sogar Ihr Weib finden werden."

Das war zu viel!!

„Und in welches Bad?" fragte Herr Tiburius mit zusammengekniffenen, ungläubigen Lippen.

„Es ist schier einerlei", sagte der Doctor, „nur in ein Gebirgsbad, zum Beispiele in das in unserem Oberlande, welches jetzt so gepriesen wird. Oheime, Tanten, Väter, Mütter kommen mit den allerschönsten Mädchen, wo diejenige darunter ist, die Sie brauchen."

Herr Tiburius fragte nicht weiter, er sagte kein Wort mehr, sondern schoß fort, und fuhr auf und davon.

(HKG I, 3, 120)

... er sagte: „Wenn Sie mein hochverehrtester Herr Doctor, wie Sie ja selber gerade heute vor fünf Wochen zu mir gesagt haben, in ganz wenigen Fällen zuverlässige Mittel wissen, so wüßten Sie etwa zufällig auch eins in dem meinigen?"

„Allerdings, mein verehrter Herr Tiburius", antwortete der Doctor.

„Nun also — um Gottes willen — so reden Sie."

„Sie müssen heirathen, aber zuvor müssen Sie in ein Bad gehen, wo Sie sogar Ihr Weib finden werden."

Das war für Herrn Tiburius zu viel!!

Er kniff seine Lippen zusammen und fragte mit ungläubigem spöttischem Lächeln: „Und in welches Bad soll ich denn gehen?"

„Das ist in Ihrem Falle schier einerlei", antwortete der Doctor, „nur irgend ein Gebirgsbad dürfte am vorzüglichsten sein, etwa das in unserm Oberlande, wohin jezt so viele Menschen ziehen. Oheime, Tanten, Väter, Mütter, Großmütter, Großväter sind mit sehr schönen Mädchen dort, und darunter wird auch die sein, welche Ihnen bestimmt ist."

„Und also endlich, weil Sie die Mittel so gut angeben, welches ist denn mein Fall?"

„Das sage ich nicht", erwiederte der Doctor, „denn wenn Sie ihn einmal wissen, dann hilft kein Mittel mehr, weil Sie keins nehmen — oder Sie bedürfen keins mehr, weil Sie bereits gesund sind."

Herr Tiburius fragte um nichts weiter, er sagte auf diese Unterredung kein Wort mehr, sondern er ging allmählich zu seinem Wagen und fuhr davon.

(HKG I, 6, 161—2)

The tone of the *Buchfassung* is again more neutral, more deliberate in pace, as can be seen in the 'stage directions' as well as in the dialogue — 'platzte . . . heraus' is replaced by 'sagte', 'sondern schoß fort, und fuhr auf und davon' by 'sondern er ging allmählich zu seinem Wagen und fuhr davon'. The most obvious difference is of course the difference in length; the extension of the story as a whole, however, is even more marked than the extension of this passage — the *Journalfassung* is hardly more than two-fifths the length of the *Buchfassung*.

But the subject of our attention must be the dialogue itself. The extreme politeness of Herr Tiburius' mode of address ('mein hochverehrtester Herr Doctor') is unchanged, as is — almost — the pedantic (and uncheckable) accuracy of '[gerade] heute vor fünf Wochen'; the essential triviality of this precision is an important element in the humour. Otherwise, in the revised version Stifter retards the impact of the doctor's advice by building up the one-word reply of the earlier version, 'Allerdings', to '"Allerdings, mein verehrter Herr Tiburius", antwortete der Doctor'; and by adding ' — um Gottes willen —' to Tiburius' plea for enlightenment. When he is given the doctor's advice — to marry, but before that, to go to a spa — Tiburius' rejoinder is made more explicit in the *Buchfassung* by the mocking tone ('mit ungläubigem spöttischem Lächeln') with which he asks which watering-place he should choose. The more detailed advice which follows again contains a retarding element; and a touch of not unwelcome polish transforms the 'allerschönsten Mädchen, wo diejenige darunter ist, die Sie brauchen' to 'und darunter wird auch die sein, welche Ihnen bestimmt ist'. A nice touch of dramatic irony and latent tension attaches to the thought that the doctor's forecast — and it becomes destiny in the later version with 'bestimmt' — is not quite accurate: the girl for Herr Tiburius will not be a society belle but the simple 'Erdbeermädchen', the naive country girl.[6] The other important difference between the versions, again teasing reader as well as Tiburius, is the latter's curiosity about the nature of his case, on which the doctor for psychologically sound reasons declines to enlighten him.

The fourth passage for close study is an incident in the two versions of *Kalkstein*:

Der arme Wohltäter	*Kalkstein*
... Er stand also, da ich meines Weges nicht weiter ging, vor mir, sah mich freundlich an und lächelte. Ich fragte ihn, ob er sich denn meiner gar nicht mehr erinnere.	... Er blieb nur so vor mir stehen, und sah mich an. Ich sagte daher, um ein Gespräch einzuleiten: „Euer Ehrwürden werden mich nicht mehr kennen."
Ich bin nicht der Ehre theilhaftig, daß ich noch weiß, wo Euer Wohlgeboren zu mir gesprochen haben, antwortete er.	„Ich bin nicht der Ehre theilhaftig," antwortete er. „Aber ich habe die Ehre gehabt," sagte ich auf den Ton seiner Höflichkeit eingehend, „mit Euer Ehrwürden an ein und derselben Tafel zu speisen."
„Ich habe auch mit Euer Ehrwürden," sagte ich auf die Art seiner Höflichkeit eingehend, „nicht das Vergnügen gehabt, selber zu sprechen, sondern ich habe Sie nur vor einigen Jahren gesehen und habe Sie da auch mehrere Worte sprechen gehört."	„Ich kann mich nicht mehr erinnern," erwiderte er.
Ich kann die Zeit nicht angeben, antwortete er.	„Euer Ehrwürden sind doch derselbe Mann," sagte ich, „der einmal vor mehreren Jahren auf einem Kirchenfeste bei dem Pfarrer zu Schauendorf war, und nach dem Speisen der erste fort ging, weil er, wie er sagte, vier Stunden bis zu seinem Pfarrhofe zu gehen hätte?"
„Euer Ehrwürden sind doch derselbe Mann," sagte ich, „der einmal bei einem kirchlichen Feste in dem Dorfe Ober-Schauen war, dann nach dem Feste bei dem Pastor von Ober-Schauen zu Mittag speiste, und nach dem Essen gleich zu Fuße fort ging, weil, wie er sagte, er noch fünf Stunden nach Hause zu gehen hatte."	„Ja, ich bin derselbe Mann," antwortete er, „ich bin vor acht Jahren zu der hundertjährigen Jubelfeier der Kircheneinweihung nach Schauendorf gegangen, weil es sich gebührt hat, ich bin bei dem Mittagsessen geblieben, weil mich der Pfarrer eingeladen hat, und bin der erste nach dem Essen fortgegangen, weil ich vier Stunden nach Hause zurük zu legen hatte. Ich bin seither nicht mehr nach Schauendorf gekommen."
Ja, ich bin der nämliche Mann gewesen, antwortete er; es war das hundertjährige Kircheneinweihungsfest und ich bin dann den ganzen Rest des Nachmittags und einen Theil der Nacht nach Hause gegangen. (HKG II, 1, 65—6)	(HKG II, 2, 68—9)

Here the differences are less marked; and — as I shall suggest — at least one detail is not wholly satisfactorily handled in either version. The passage preceding this excerpt, which describes the pastor sitting on a sand-dune, has been shortened for the *Buchfassung* to its advantage (the details of the threadbare state of his clothes have been adequately given earlier). The narrator's greeting takes the pastor by surprise: recognition is one-sided, not mutual; the pastor's friendly gaze and smile in the *Journalfassung* are found to be inappropriate to the *Buchfassung;* and the slightly presumptuous linking sentence of indirect speech ('Ich fragte ihn, ob er sich denn meiner gar nicht mehr erinnere.') is replaced by a 'stage direction' and direct address ('Ich sagte daher, um ein Gespräch einzuleiten: "Euer Ehrwürden werden mich nicht mehr kennen"'). A curious detail — unresolved in either version, it seems to me — is the form of address. In the first version it is the pastor who uses the formal 'Euer Wohlgeboren', to which the narrator replies with 'Euer Ehrwürden', whereas in the revision the narrator sets the tone with 'Euer Ehrwürden werden mich nicht mehr kennen' — to which the pastor's response 'Ich bin nicht der Ehre theilhaftig' is hardly unusual enough for Stifter's day to warrant the rejoinder '"Aber ich habe die Ehre gehabt", sagte ich *auf den Ton seiner Höflichkeit eingehend . . .*'. A hint that already in *Der arme Wohltäter* the forms of address created a problem for Stifter lies in the statement of the narrator a few pages later: 'Das "Euer Wohlgeboren" und "Euer Ehrwürden" war schon früher aus unseren Gesprächen auf meine herzliche Bitte verbannt worden' (HKG II, 1, 71) — in fact, though, neither man consistently avoids using these forms of address in the remainder of *Der arme Wohltäter,* and there is no equivalent agreement between them in the finished *Kalkstein.*

Even when they have come to know each other well, pastor and surveyor continue to speak formally, self-consciously to each other. For altogether more natural speech we need only look to *Granit.* Here the inflections of the grandfather's speech have a dignified yet warm and sometimes humorous quality which carries absolute authenticity; the boy — the narrator — is for much of the tale merely the reason for his grandfather's speaking, yet his observations and questions also impress with their directness and appropriateness of utterance. For long stretches we have the grandfather soliloquizing; the boy walking at his side is a patient listener and learner. The essential kindness and gentleness of the old man does not, however, exclude violence from his narration of the events of the plague-year: what happened in the environs of the village, and what happened to the family of the pitch-burner who tried to escape from the plague. Here we have a striking instance of direct speech within monologue, of ruthless selfishness within instructive narration; it is a brief passage from *Die Pechbrenner,* and it indicates the lengths to which a man will go who feels his own and his family's safety to be threatened:

Dann lief er [der Pechbrenner] gegen den Brennofen hinab, kam wieder mit einem Balken in der Hand zurück, der an einem Ende glühte und angebrannt war. „Mit diesem Balken," rief er, „werde ich Jedem die Brust zertrümmern, der es wagt, in unser Bereich zu treten; es wahre sich Jeder in der Zeit, und ertragt, was Euch auferlegt ist." (HKG II, 1, 36)

Violent as is the threat, cruel in the extreme the act of the father who leaves his son to die on the cliff-face, we must remember that these details — entirely absent from the more familiar revised version — are told to us by the narrator's grandfather, as part of the inherited folklore of the region; there is no question that the dialogue, or even the narrative of the deaths of the pitch-burner's family in the plague, could be based on anything other than the narrator's imagination, or on oral tradition derived from the reminiscences of the little boy and little girl who alone survive and, later — as in a fairy-story — meet again, marry, and have a family.

I have included a passage from *Prokopus* as an instance of elevated discourse between a couple who, despite their protestations of love for each other, fail each other, prove incompatible ('Gertraud war eine tiefe stille Natur, der Alles klar, unverworren und eben sein mußte . . .' [SW XIII, 1, 212]; 'Prokopus war offener heiterer Natur' [SW XIII, 1, 214]). The extract which follows is their last dialogue in the story:

„Lieber Prokop, sieh, du hast mir einmal versprochen, daß mir alle diese Dinge auf dem Berge schon gefallen werden — das will nicht kommen: schaue nur, wie das wüste Bauen ist; da haben sie gleich den ganzen Berg mit einer finstern Mauer umgeben, und ihn von der andern Erde weg gerissen — an unsere Wohnung sind die Trümmer des Baues, in dem die Voreltern gelebt haben, angeheftet, wie ein Todter an einen

Lebendigen — dann ist der verzauberte Garten und der sonderbare rothe Saal — — und neulich bist du gar im Mondscheine über den Trümmerberg in den Garten hinab und in den Saal gegangen!"

„Liebe, sanfte, theure Gertraud", antwortete er, — „das ist ja schön, wenn man im Niederstrom des Mondlichtes durch die Male der Vergangenheit und neben den Zeugen der Gegenwart, den schwarzen ruhigen klumphaften schweigenden Bäumen vorüber geht. Und was die Voreltern auf dem Berge thaten, ist ja auch nicht bedeutungslos. Es ist groß, es ist schwunghaft und tüchtig, wenn man versucht, auch im Reiche des Geistes zu weilen, zu ändern, umzugestalten und fremde Kräfte, bisher unbekannte, in sein Wesen zu ziehen — statt daß man blos fort lebt in täglichem Ernähren und in ordentlichem, häuslichem Wirthschaften. Das leuchtet ja mit klaren hellen Strahlen!"

Sie nickte und schwieg. Er, der bei ihr gesessen war, war aufgestanden. (SW XIII, 1, 215—6)

From this exchange more clearly than from any number of allusions and juxtapositions in the narrative prose we can sense the failure of their relationship. From Gertraud there is sad, uncomprehending reproach that the castle is still a place of defence (the date is the late seventeenth century), and that its older parts are ruinous yet preserved; she has never revised her earliest impression of her new home, expressed in her first words to her husband on their wedding night, 'Es ist schauerlich . . .' (SW XIII, 1, 199). (We may of course feel that this attitude comes strangely from the daughter of another castle dweller, Graf Werner von der Staue.) And from Prokopus there is an uncomprehending attempt at justification of his family and his ancestral castle (the string of four oddly assorted adjectives to describe the trees may be seen as subconscious awareness of the vanity of the attempt); there is also implied scorn for the simple, domestic way of life evidently closer to Gertraud's nature — and also to that of the family whose fortunes and attitudes are set against those of the Scharnasts in the story, the uncomplicated yet proud family of Romanus, who have owned the inn known as 'die grüne Fichtau' for even longer than the Scharnasts have lived on the Rothenstein.

Finally, let us consider some examples of dialogue from that deep yet frivolous, often undervalued yet witty and enchanting late work, *Der fromme Spruch*. This is how the first conversation in the story opens:

Dietwin setzte sich in den Armstuhl, die Schwester bedeutete die Kammerfrau, welche aufgestanden war, sich wieder nieder zu setzen, und als dieses geschehen war, wendete sie sich zu dem Bruder, und sagte: „Sei gegrüßt, Dietwin."

„Sei gegrüßt, Gerlint," antwortete er.

„Erfreust du dich einer vollkommenen Gesundheit?" fragte sie.

„Ich bin frisch und gesund, wie ich es alle Tage meines Lebens gewesen bin," antwortete er, „und kann ich von dir das Gleiche erfahren?"

„So wie mich Gott der Herr bisher noch nie mit einer Krankheit heimgesucht hat," entgegnete sie, „so bin ich auch seit unserem letzten Zusammensein gesund geblieben. Ich habe mein einfaches Leben zur Erhaltung meines Körperwohles fortgesetzt, und nehme eine Krankheit, wenn sie Gott sendet, demüthig an, und trage, was sie bringt."

„An diesen Gesinnungen erkenne ich dich," sagte er.

„Und ist deine Gemüthsruhe nicht gestört worden?" fragte sie.

„Wie es in der Verwaltung von Liegenschaften Verdrießlichkeiten gibt," antwortete er, „und wie ein leichter Unmuth über den Gang der öffentlichen Dinge zuweilen in das Gehirn kömmt, so rechnete ich diese Sachen in der letzten Zeit so wenig wie früher, und so glaube ich, daß nichts meinen jetzigen Gleichmuth zu erschüttern im Stande wäre."

„Das ist recht gut," erwiederte sie.

„Und wie ist es mit deiner Seelenruhe beschaffen?" fragte er . . .   (SW XIII, 2, 392)

Dialogue plays a crucial part in this story, takes up an unusually high proportion of its pages.

Very unusual dialogue it is, too, of a stately, elevated, ceremonial kind. Indeed, adjectives such as 'convoluted' and 'precious' would be entirely justified. How have these formulae come into being, we may ask, since the very nature of the brother-sister relationship precludes the possibility of their being due to continuous family tradition. Nevertheless we know from various allusions that these exchanges between Baron Dietwin and Baroness Gerlint have for some years taken place each 24th day of April, following his journey to his sister on the eve of their joint birthday, the 25th. This year it is his fiftieth birthday, her forty-fourth.

These pretty speeches of greeting in Gerlint's 'Prunkzimmer' are part of an elaborate and in two senses familiar game. But they are as nothing compared to the ceremonial of the birthday itself. When Dietwin enters the great hall of the castle, brother and sister greet and kiss: '"Das Heil Gottes, Gerlint," sagte er, "und möge dir dieser Tag noch recht oft wiederkehren." — "Das Heil Gottes, Dietwin," sagte sie, "und möge dir dieser Tag noch recht oft wiederkehren."'[7] (p. 394) The pattern of repetition already established will recur throughout the story, now literal, now with rhythmic and verbal variation (much of that variation, however, was introduced by Johannes Aprent when he edited the story for publication; an example is cited in footnote 7).

Some of the most obvious verbal repetitions occur in the scene which follows young Dietwin's formal request for his cousin's hand in marriage. Brother and sister have found that their ruse of planning a journey has had not the effect they expected, but has triggered what they had earlier been hoping for. They sit in silence after Dietwin has left them. 'Dann rief die Tante: "Dietwin, Dietwin, Dietwin!"' (gentle reproach?), to which he replies: 'Das ist nun freilich anders, als wir gedacht haben, wir müssen es hinnehmen, daß wir gedacht haben, was wir gedacht haben' (p. 472). Their thoughts then turn to the possibility that their misinterpretation of the objects of their nephew's and niece's affections may become public knowledge. '"Nun, nun, nun," sprach der Oheim' (embarrassed pause for thought?). They then interpret correctly the signs that they had earlier misinterpreted about young Dietwin's jealousy. '"Ja, ja, ja," sagte die Tante' (p. 473 — recognition and acceptance?). Woven into this scene, as into so many in the story, is a variant on Baroness Gerlint's rondo theme that gives the work its name; from the 'Frühlingsreichstag' on the birthday morning ('Ich habe einen alten frommen Spruch gehört: Ehen werden in dem Himmel geschlossen' [p. 402]) right through to the closing sentence, this cliché is endlessly and wittily varied.

Part of Stifter's intention here is surely to highlight the essential sterility of the relationship between brother and sister, which is based on etiquette and family tradition rather than on potentially productive intercourse. But the precious, repetitive style is normally observed by the young people too in their converse.

In an attempt to establish what ails Gerlint the younger, her aunt questions Auguste, the girl's close friend and distant relative, but she recognizes (as does the narrator in *Brigitta*[8]) that it would be an impertinence to ask such a question straight out: '"Thue es nicht Tante, ich bitte dich thue es nicht," sagte Auguste. "Ich thue es nicht," antwortete die Tante' (p. 456). Threefold repetition of words and phrases becomes a marked feature, especially (but not wholly) of the dialogue. When brother and sister — now normally identified as uncle and aunt, in terms of their relationship to the young people — meet to discuss the girl's disposition, elaborate circumlocutions again stand out. 'Es muß doch einmal von dem geredet werden, wovon geredet werden muß' occurs three times in one and a half pages (pp. 457—8), with elegant variation, and with a glance back in time ('doch einmal') as well as forward, with brother and sister both reluctant to take the bull by the horns. The fact that neither of the young people shows the slightest interest in his or her contemporaries is brought out in terms of over-protesting repetition; when Gerlint mentions her hope that he will choose a 'holde Gattin', Dietwin answers very quickly: '"Tante, Tante, Tante, diese Puppen, nie, nie, nie . . . Ich bitte dich, Tante, rede nicht davon, ich bitte dich, rede nicht davon." Ich erwiederte: "Nun, ich rede nicht davon . . ." ' (pp. 461—2 — the perspective is that of a conversation with her nephew recollected by the aunt when speaking to her brother).

The device which brother and sister settle on in order to put an end to the unsuitable love which, each is convinced, niece and nephew feel for them, is that they should undertake a lengthy voyage. Though they have totally misunderstood the young people's hearts, their announcement drives the latter to declare their love for each other in language close to that of an operatic duet ('"Gerlint," rief Dietwin, "ich kann es nicht ertragen, wenn dein Auge auf irgend einen Mann blickt." — Gerlint wendete sich um, und rief: "Dietwin, ich kann es nicht ertragen, wenn dein Auge auf ein Weib blickt"', followed by further duettings and stichomythia [pp. 468—9]). Only in Dietwin's bold confession ('"Ich bin auf die Mauer des Gartens eurer Erziehungsanstalt geklettert," sagte Dietwin. — "Du bist es gewesen?" rief Gerlint' [p. 469]) is the tone lowered to the level of ordinary conversation. And when Dietwin next morning appears in the ceremonial hall of the castle, to request his cousin's hand in marriage, the entire scene is so operatic that one half expects to stumble upon a source for Hofmannsthal's Presentation of the Silver Rose in *Der Rosenkavalier.*

Baroque symmetry and rococo variation are vital elements in the structure and content of *Der fromme Spruch*, a story which we would be tempted to place in the late eighteenth century were it not for the statement in its second sentence[9] that the year is 1860. Among the factors which prevent our losing patience with so much self-satisfied, unselfquestioning anachronism, are the tension between thought and expression (for instance in the aunt's rejoinder to her brother's suggestion that she is the object of young Dietwin's love, 'Das wäre ja, wenn es wäre, das ist, ich weiß es nicht, sage es mir, das wäre merkwürdig' [p. 459]), and the frivolous humour of the uncle, who refers to the annual birthday discussion as 'unser Frühlingsreichstag' (p. 409), is frequently accused of making 'Frevelreden' (pp. 394, 404, 414, 449, 475), and who casts a superbly ironic light on family conventions of decorum and speech when he greets his newly-betrothed niece[10] with '"Lasse dich küssen, du lieber Besen." Und er küßte sie sehr herzhaft auf den Mund, und aus seinen Augen quollen Thränen hervor' (p. 477)[11]. Appropriately, it is the uncle who makes the final comment on the young people's passionate and competitive cultivation of their rose-gardens, which had threatened to get out of hand: 'Gott sei Dank, jetzt ist die Grenze für die Rosen gefunden, daß sie nicht das ganze Gebieth unserer Güter bedecken.' (p. 479)

We have seen from the examples adduced that the range of Stifter's dialogue in the *Studien* and *Erzählungen* is very wide. Contrary to his general tendency to lower the emotional tension when revising his works, Stifter can be seen in one passage in *Brigitta* to be increasing the degree of passion, and also to be moving away from dialogue that is actually speakable. The passage from *Der Condor* is typical of those speeches in which the author's revisions include breaking up long sentences into shorter units of speech. The passage from *Der Hochwald* reveals Stifter as having been ready to excise a passage of lively and effective dialogue where he felt it to be damaging to the structure of the whole. From *Der Waldsteig* we considered a passage of humorous dialogue, in which the narrator with his ironic perspective presents the punctiliousness and triviality of the principal character, and in the *Buchfassung* also arouses the curiosity of the reader as to the nature of the protagonist's indisposition. The interest of the excerpt from *Kalkstein* lies partly in the light it throws on Stifter's changes from indirect speech[12] to direct speech, partly also in the uncharacteristic uncertainty about forms of address which Stifter here reveals.

From *Prokopus* we considered the last dialogue between husband and wife, where lack of true communication is suggested in her sense of grievance (powerful in the simile 'wie ein Todter an einen Lebendigen', almost bathetic at the close of her speech) and in his reply (he addresses her with three conventional endearments, where one might serve; he has an answer to each of her points, apart from the last, yet lapses into the argument that the rightness of his perceptions is self-evident). The stage direction after the exchange confirms graphically that their married life on the 'Rothenstein' has become literally a marriage on the rocks.

Finally, and in some depth, we examined dialogue from *Der fromme Spruch*. The discourse is leisurely, high-flown, hermetic, symmetrical. It reveals the superficialities of the anachronistic life of this aristocratic family; only indirectly does it draw the reader's attention to what he must surely regard as the most important issue, albeit one implied rather than stated: what will become of young Dietwin and Gerlint, drawn together and into the vortex of their family, their relationship taking on an almost incestuous quality in that Gerlint regards her aunt as mother, and Dietwin is nearly as close to his uncle, whilst brother and sister preside over the family as if they were husband and wife. The unnaturalness of this situation is paralleled in the stilted, even grotesque, phraseology, with verbal repetitions signifying agreement but also to be seen as mannered circumlocutions enabling their user to evade the need for profound original thought. Will the young couple be able to win through to a 'normal' relationship, with language based on lively, personal response rather than on ornate family tradition? And a further question: does the decision to leave empty the two principal family estates of Bieberau and Wieden (for that is how the final paragraph must be read, with the uncle settling at Weidenholz, the aunt at Bergen, and Dietwin and Gerlint at Weidenbach [p. 480]) carry the ironic implication that the linguistic vacuousness of the von der Weiden family is mirrored in the vacuum being left at the heart of its estates? In the presentation of all these concerns, dialogue plays a vital if sometimes puzzling role. No wonder that Stifter's contemporaries were bewildered by *Der fromme Spruch*, and that its dialogue in particular suffered at the hands of its first editor.

Notes

[1] H.-U. Rupp, *Stifters Sprache* (Zurich, 1969), pp. 73—86. Mention should also be made of H. G. Barnes's article 'The Function of Conversations and Speeches in *Witiko*' *Studies presented to Professor H. G. Fiedler* (Oxford, 1938), pp. 1—25.

[2] The Novels of Jane Austen, Winchester Edition, III (Edinburgh, 1905), pp. 1—2.

[3] M. Auer, *Anton Bruckner: Sein Leben und Werk* (Vienna, Munich and Zurich, n. d.), p. 50.

[4] K. Vancsa, *Die Schulakten Adalbert Stifters*, Schriftenreihe des Adalbert-Stifter-Institutes des Landes Oberösterreich, 8 (Graz and Vienna, 1955); K. G. Fischer, *Adalbert Stifter*, Documenta Paedagogica Austriaca, I, II, Schriftenreihe des Adalbert-Stifter-Institutes des Landes Oberösterreich, 15 (Linz, 1961).

[5] J. and W. Grimm, *Deutsches Wörterbuch*, IV/1/1 (Leipzig, 1878), col. 1353, section II b.

[6] Though Stifter's last reference to Maria in the story is to her 'naiven klaren Kraft' (HKG I, 6, 212), we are earlier prompted to take her naiveté with a pinch of salt, e. g. when she reveals that she has made enquiries in the spa about Herr Tiburius, and when — with 'langstielige hohe Feuerlilie' (HKG I, 6, 205) as appropriate attribute — she prompts Herr Tiburius to look at her properly for the first time by reporting the compliments of the men at the spa who called her 'Schönes Mädchen'.

[7] Readers will probably be more familiar with the version: '"Gottes Heil mit dir, Gerlint", sagte er, "und möge dir dieser Tag noch recht oft wiederkehren." — "Gottes Heil auch mit dir, Dietwin", sagte sie, "möge auch dir dieser Tag noch recht oft wiederkehren."' Until 1960, the year of publication of SW XIII, 2, the only text available was Aprent's revision of Stifter's manuscript, e. g. ed. M. Stefl, *Bunte Steine, Späte Erzählungen* (Darmstadt, 1960), p. 683.

8   One of the lessons learnt by the narrator in *Brigitta* is the importance of curbing indiscrete curiosity: 'Ich habe auch nie gefragt [the Major about his *Ziel*], so wie ich später nicht fragte. Wer viel reiset, lernt schon die Menschen schonen, und läßt sie in dem inneren Haushalte ihres Lebens gewähren, der sich nicht aufschließt, wenn es nicht freiwillig ist' (HKG I, 5, 439). For a more detailed discussion of this point, see P. Branscombe, 'The Use of Leitmotifs in Stifter's *Brigitta*', *Austrian Life and Literature, 1780—1938. Eight Essays*, ed. P. Branscombe (Edinburgh, 1978)/*Forum for Modern Language Studies*, 13, No. 2 (1977), 49—58 (51—2).

9   The date is omitted from Aprent's version, see e. g. p. 680 of the edition cited in footnote 7.

10 *Is* she in fact yet betrothed? — there are still ten days 'Bedenkzeit' to run — a convention to which the family affects to adhere, whilst tacitly accepting and indeed welcoming the engagement as a fact.

11 Not surprisingly, this passage was another casualty of Aprent's revision, in which it is Gerlint who speaks, merely saying 'Lieber, lieber Oheim', ed. cit. p. 756.

12 Which, H.-U. Rupp argues, is more subjective than direct speech, here implying a reason for the presence of a generally increased proportion of dialogue in the later stories, in which the author is at pains to avoid subjective involvement; op. cit. (see footnote 1), pp. 74—5. H. G. Barnes (in the article cited in footnote 1) makes a similar observation (p. 3—4).

Zusammenfassung

Der Frage von Stil und Funktion des Dialoges in Stifters Erzählungen wurde von seiten der Kritik bisher wenig Aufmerksamkeit geschenkt, sieht man von einem Abschnitt in H. U. Rupps Werk *Stifters Sprache* ab. Im vorliegenden Aufsatz werden Beispiele von Stifters Dialoggestaltung anhand einer Auswahl aus den *Studien* und *Erzählungen* untersucht, es ist ein Versuch, einige Wesenszüge von Stifters sich wandelnder Auffassung gegenüber dem in direkter Rede gesprochenen Wort in diesen Erzählungen darzustellen. Das Verhältnis zwischen Dialog und Erzählerbericht variiert erheblich in den Erzählungen — von völliger Absenz des Dialoges in *Zwei Witwen* bis zu einem sehr großen Anteil des Dialoges in *Der Tod einer Jungfrau* und *Die Barmherzigkeit*. Im allgemeinen ist Stifters Dialog nicht realistisch, sondern stilisiert und häufig gekennzeichnet durch wörtliche Wiederholungen. Stifters Bauern sprechen nicht jene Sprache, die wir von Bauern erwarten würden; individualisierende Charakterisierung durch Verwendung entsprechenden Sprachgebrauchs wird kaum angestrebt.

Die kurzen Ausschnitte aus *Brigitta* deuten darauf hin, daß Stifter im Hinblick auf den Dialog den Modus der Überarbeitung, wie er für die Neufassung seiner Werke allgemein charakteristisch ist, praktiziert: nämlich um die emotionalen Ausbrüche abzuschwächen und komplexe Satzstrukturen zu reduzieren und zu vereinfachen. Ein Beispiel aus Jane Austens *Pride and Prejudice* zeigt einige für den europäischen Roman des 19. Jahrhunderts typische Beispiele für den Einsatz von direkter und indirekter Rede und für den Übergang zwischen diesen beiden Formen wie für die Anwendung von Mitteilungsformen, die man im Drama „Bühnenanweisungen" nennt. Die zwei Versionen von Gustavs entscheidender Rede aus der Erzählung *Der Condor* stehen als typische Beispiele für die Überarbeitung von Stifters frühen Werken: Die Rede in der *Journalfassung* erscheint in der *Buchfassung* erweitert; ein Eindruck der Beruhigung entsteht durch die Bevorzugung kürzerer gedanklicher Einheiten; die Leidenschaft tritt nur gedämpft in Erscheinung, oder sie wird eher indirekt zum Ausdruck gebracht und nicht direkt ausgesprochen; vor allem liegt größere Subtilität und Artistik vor.

Ein Beispiel aus *Der Hochwald* zeigt, daß Stifter eine reizvolle Szene, der jedoch kein wesentlicher Stellenwert in der Erzählökonomie des Ganzen zukommt, in der *Studienfassung* wegläßt.

Aus einer Szene der Erzählung *Der Waldsteig* wird deutlich, daß Stifter im Interesse der klareren Herausarbeitung der Charakter-Motivierung einem Gespräch einen gemächlicheren Verlauf gibt, um den humoristischen Kontrast hervorzuheben und um die Spannung sowohl beim Leser als auch beim Helden im Hinblick auf die Frage der Art der „Krankheit" des Helden zu erhöhen — die Spannung wird erst viel später gelöst. Der Vergleich eines Abschnittes der zwei Fassungen von *Kalkstein* macht Stifters Bemühen im Bereich geringfügiger im Gegensatz zu umfangreicheren Änderungen deutlich: Es geht hier um direkte Rede, die indirekte Rede ersetzt, und um die Glättung in der *Buchfassung*. Aber in keiner der beiden Fassungen hat Stifter das Problem der adäquaten Anredeform der beiden männlichen Figuren ganz gelöst. Andererseits weist die Erzählung *Granit* eine natürlichere Stilebene des Gesprächs zwischen Großvater und Enkel auf. Dennoch wurde der Charakter des Grausamen und Gewaltsamen aus der ersten Fassung *Die Pechbrenner* nicht eliminiert, trotz der Verlagerung der Mitteilung des Geschehens auf die Erzählerfigur des freundlichen und sanften Großvaters.

Das letzte Gespräch zwischen dem Gatten und der Gattin in der Erzählung *Prokopus* macht die innere Distanz der beiden deutlich, der innere Abstand wird sowohl in den Vorwürfen der Frau hinsichtlich der Anlage des Hauses des Prokopus und seiner Lebensgewohnheiten als auch bei seinem Versuch, sich selbst zu rechtfertigen, spürbar; mehr noch aber im Ausdruck der Gestik, mit der ihr kurzer Dialog schließt. Ganz anders geartet ist der Dialog in der späten Erzählung *Der fromme Spruch;* hier stellt das Gespräch das hauptsächliche Instrument der Lenkung der Lebensläufe der vier Angehörigen der Familie von der Weiden dar. Der Gestaltung der formalen Symmetrie in der Figurenführung entspricht die gehobene, gezierte Sprache der Konversation. Die förmliche Etikette im Umgang der Familienmitglieder miteinander spiegelt sich in ihren höflichen, altmodischen Redewendungen und im Sprachrhythmus, mit den häufigen Wiederholungen einzelner Worte und Wendungen und im betonten Kontrast zwischen der Geringfügigkeit der Gesprächsgegenstände und der umständlich-erhabenen Weitschweifigkeit der Rede, in der von diesen Dingen gesprochen wird. Die Politur stilisierter sprachlicher Künstlichkeit bricht gelegentlich auf, etwa in dem Moment, als die Baronesse in Erregung gerät, als sie von ihrem Bruder erfährt, er glaube, ihr Neffe sei in sie verliebt oder als Dietwin seiner Cousine mitteilt, daß er auf die Gartenmauer ihres Mädchenpensionates geklettert sei, und vor allem bei einer ganzen Anzahl von Dietwins „Frevelreden". Er entspricht zwar geduldig und höflich, wenn auch mit spielerischem Humor, dem Wunsch seiner Schwester nach dem sprachlichen Zeremoniell, weicht aber auch ironisch und witzig und verheerende Folgen hervorbringend, davon ab, wenn ihn die Laune dazu treibt.

Stifter and Wordsworth. Observations on some Affinities in Creative Imagination

Alexander Stillmark

The names of Stifter and Wordsworth have hardly been associated by scholarship to date despite the existence of what appear to me to be quite evident links, for these two writers were not only attracted to a whole range of similar subjects but also show remarkable affinities in their sense of form, in literary sensibility and in the workings of the creative imagination.

Though as long ago as 1853 an English reviewer noted that the 'poetical faith' expressed in Stifter's Preface to *Bunte Steine* 'appears to bear a strong resemblance to that of Wordsworth',[1] finer points of contact between such manifestly congenial minds have scarcely received comment.[2] By 'congenial' I mean that as writers they possessed kindred sympathies in the moral and aesthetic spheres and that these were expressed in language which equally reveals a remarkable congruence of formal design. The fact that Wordsworth wrote in verse and Stifter wrote prose need not present an obstacle to comparison. Indeed, it is strange how far their respective talents appear to converge in their general bias, for just as Wordsworth so often tends towards the narrative and prosaic mode, so Stifter's style aspires to the controlled expressiveness of 'Dichtung'.[3] What Pater identified in Wordsworth as 'the duality of the higher and lower moods', an uneasy coexistence of the humble and the majestic in language, is equally present in Stifter, especially in those places where he is most intent on depicting with absolute simplicity the pure condition of being. It was the central tenet of Wordsworth's Preface to *Lyrical Ballads* (1800) that poetry had no peculiar vocabulary of its own different from that of prose, and conversely Stifter's literary aspirations were directed towards the ennoblement and refinement of his narrative style. The fact that both tend towards epic expansiveness and a certain prolixity has not passed unnoticed.[4] Critics since Arnold and Pater at least have been drawing attention to the prosaic and the barren in Wordsworth, and Stifter did not fare differently at the hands of his early reviewers.[5] Both writers appeared unconscious of the presence of those dull or uninspired parts of their writing, a trait which may indeed have been rooted in a common defect namely, the apparent absence of a vital sense of the ludicrous. Both were extremely conscious of, and sensitive to the medium of language; they each reworked and revised endlessly, thought deeply about words, wrestled with form and pursued stylistic problems with pedantic tenacity. For all their social and cultural differences (and they are considerable), this profound involvement with words, this dedication to expressiveness and vividness, stems from a real kinship of artistic temperament and creative endeavour.

Wordsworth and Stifter were born thirty-five years apart in very different geographical settings, of quite different social backgrounds and developed from widely divergent educational and intellectual traditions. For all these differences, their deep sense of vocation and all-absorbing devotion to nature overshadows the rest and makes distinctions pale. To claim that within the two literatures their names are strongly associated in our minds with writing which is first and foremost devoted to natural description would hardly be taken as an exaggeration. It is nature, both in its real sensuous presence and as the agent to recollection, thought and meditated experience, which forms the very pith and marrow of their respective oeuvres. It is perhaps regrettable that neither writer knew of the existence of the other. Arnold wrote of Wordsworth in 1888: 'on the Continent he is almost unknown', while Stifter's reputation in his lifetime was decidedly restricted to German speaking countries and he certainly never made mention of Wordsworth. Wordsworth once late in life said to a friend: 'I have hardly ever known anyone but myself who had a true eye for Nature'.[6] Had he known Stifter he might have met his match. Both writers had much of the recluse about them and withdrew from the capital to the solitude of provincial or rural existence. The successes they scored with their public were, in their lifetimes, of short duration and soon to be superseded by new literary fashions and trends. Yet both clung defiantly to a belief in the value of their work and were content for later generations to discover the contributions they had made.

As apologists for their art they also resemble one another. The controversial nature of their avowals of creative purpose (the Preface to *Lyrical Ballads* and the 'Vorrede' to *Bunte Steine*) were equally innovatory and unconform with their time and later proved of more lasting influence than their authors could have imagined. Each was motivated not by a bent towards public polemics but by an assertive and self-assured didacticism, an impulse to propagate ideas that sprang from strong conviction. The critic A. C. Bradley once wrote: 'Wordsworth, who hungered for realities, recovered from his theoretic malady, sought for good in life's familiar face, yet remained a preacher.'[7] By way of parallel, the pedagogue in Stifter, always fully integrated with the artist but scarcely to be overlooked, also has something of a proselytizing disposition. One is reminded of Stifter's view of the poet as 'der Lehrer, Führer, Freund seiner Mitbrüder, er kann ihnen ein Dolmetsch und Priester des Höchsten werden', and that he once referred to his works as having the value of 'sittliche Offenbarungen'.[8] The ethical accentuations of their respective work, especially in relation to aesthetic concepts, is one of the chief affinities between them.

In both writers the gradualness of a meditative approach to a narrative subject dwells rather on inward states of being, on significant images, and tends to diminish narrative interest. Wordsworth in his Preface to *The Excursion* states that the work was 'designed to refer more to passing events and to an existing state of things' (PW, 754)[9] and in 'Hart-Leap Well' he declares his purpose to be the avoidance of the sensational:

> The moving accident is not my trade;
> To freeze the blood I have no ready arts:
> 'This my delight, alone in summer shade,
> To pipe a simple song for thinking hearts. (PW, 202)

Avoidance of the sensational and frequent stress on the ideas of constancy and duration within Stifter's writings are ideas proximate to these lines. His aesthetic creed is summarily expressed in a review of 1846:

Der Verfasser dieser Zeilen gesteht, daß er zwar nicht von Kindheit an, wohl aber schon seit einer großen Reihe von Jahren das Schöne nicht in dem Absonderlichen, Seltsamen und Ungeheuren gesucht hat, sondern daß er stets glaubte, dasselbe liege in dem ewigen Leben der Menschen und in der Natur, wie uns Beide immer und allzeit umgeben. (SW XVI, 340)

If one then turns to lines about the Wanderer from *The Excursion,* it is as if Stifter's view of existence, his most central convictions as to the relative values of great and small, had been put into verse:

> But in the mountains did he *feel* his faith.
> All things, responsive to the writing, there

Breathed immortality, revolving life,
And greatness still revolving; infinite:
There littleness was not; the least of things
Seemed infinite. (PW, 759, ll. 226—231)

The common ground is both intellectual and intuitive. This extraordinary perception for the life of things which derives both from observation and apperception ('Ehrfurcht vor den Dingen' is Stifter's phrase), this intuitive grasp of the infinite within finite nature which converts the mind to a reappraisal of great and small, forms an essential link between them.

Neither Stifter nor Wordsworth can be valued above all by the philosophical or intellectual content of their writing but rather by the range and depth of their creative imagination in exploring ideas 'on Man, on Nature and on Human Life'.[10] To search for an orderly and coherent system of ideas in their work appears to me misplaced. It will rather be my purpose to investigate some of the common ground existing between these writers' creativity, to trace out certain kindred ideas and sympathies and to look for some similarities of treatment in select parts of their work. It would be futile to attempt any comprehensive survey, as indeed some reaches within their respective oeuvres bear no meaningful comparison.

What strikes one in reviewing their most characteristic work is that correspondences appear more prominent than contrastive features. An unusual vividness of the imagination interfused with a high degree of the contemplative faculty is native to them both. 'The still sad music of humanity' is by both writers communicated through the divers images of nature without recourse to the Pathetic Fallacy, for the discrete identities of man and of nature are fully respected and faithfully recorded. In Wordsworth, it is true, we find a greater tendency to be analytical of his sensibilities, to allow the reflective mind to meditate upon itself. The chief products of this disposition to a critical self-absorption are *The Prelude* and *The Excursion* but equally the 'Lines composed above Tintern Abbey', 'Ode on Intimations of Immortality', 'Resolution and Independence' and numerous other lesser poems. Wordsworth was wont to reflect upon the notion of the Imagination and to distinguish it from Fancy in various prefaces and critical writings. By imagination he meant 'the faculty which produces impressive effects out of simple elements', or again, 'Imagination is the power of depicting, and Fancy of evoking and combining', or yet again, 'Fancy is given to quicken and to beguile the temporal part of our nature, Imagination to incite and to support the eternal.'[11] Yet these efforts to refine and to sharpen understanding of the divers functions of the creative mind are interesting mainly in so far as they offer insight into Wordsworth's own mind and personality. They are not especially helpful in offering tools to a better understanding of his work, any more than they proved illuminating when he used them as categories to create a typology of his poetry.

We must turn to the work itself for insight into the quality of the imagination and for those subtler indications of the relationship between it and ideas. The connections formed in the poet's mind between natural beauty and ideas of moral import are paramount and they are very often introduced in terms of a mystery. This inter-connection of the aesthetic with the moral is a notional premise which again links him to Stifter. Wordsworth's perceptions of the natural world offer intimations of an intenser spiritual life: the contemplating eye is intimately associated with the contemplative mind. The visual and the visionary become interfused. The language of sensuous receptivity and of moral intuition are so interrelated as to combine into a single experience and this is what makes for that complexity of texture which we find in his greatest poems. This is what Wordsworth himself called 'the visionary power' which would come to him in 'elevated mood' and passing through the calmer mind of recollection became distilled into some of his finest language. Lines such as these from *The Prelude* (in the first version of 1805) perfectly express this complex duality:

> Thence did I drink the visionary power.
> I deem not profitless those fleeting moods
> Of shadowy exultation: not for this,
> That they are kindred to our purer mind
> And intellectual life; but that the soul,
> Remembering how she felt, but what she felt
> Remembering not, retains an obscure sense
> Of possible sublimity, . . .
>   And not alone,
> In grandeur and in tumult, but no less
> In tranquil scenes, that universal power
> And fitness in the latent qualities
> And essences of things, by which the mind
> Is mov'd by feelings of delight, to me
> Came strengthen'd with a superadded soul,
> A virtue not its own. (*Pr.* II, ll. 330-348)[12]

The Platonic notion of *anamnesis,* which we find more fully expressed in the 'Ode on Intimations of Immortality', is central to this poet's self-exploration. The mysterious connection in the creative mind between the sentient self and the deeper intuitive powers is given meaning in terms of a mystical insight, a glimpse as it were, into the transcendent life of the soul. And that 'life' is, of course, the source of inspired creativity in the artist. In Stifter's autobiographical sketch *Mein Leben* we find a comparable attempt to formulate that revelatory and deeply disturbing encounter with the primal sources of perception and imagination (SW XXV, 177f.). The intensity of such moments of insight, which for Wordsworth as for Stifter mainly arose from encounters with the sublime and the beautiful, is celebrated in a language which powerfully combines elements of reflection and feeling. In the same book he writes:

> From Nature and her overflowing soul
> I had received so much that all my thoughts
> Were steep'd in feeling. (*Pr.* II, ll. 416-419)

These lines very succinctly express that crucial relationship and interaction of thought and feeling which is Wordsworth's particular signature. The notion of the sublime represents the perfect fusion of these two functions of the creative mind. And such 'art of impassioned contemplation', in Pater's happy phrase, springs not just from Wordsworth's creative imagination. In Stifter too, sublimity is present both in 'grandeur and in tumult' as well as in 'tranquil scenes'. Both minds were fed and stimulated from youth by mountain landscapes, by images of grandeur, by dimensions of height and depth, by the experience of vastness, by lonely wastes of seeming infinitude. Wordsworth analyses this sense of the sublime in a fragment written at the period when he was producing *A Guide through the District of the Lakes*. The 'Guide' itself points repeatedly to instances of the sublime which range from the awesome to 'tranquil sublimity' while the fragment attempts to account for and analyse the sensations aroused in the beholder. Again it is the relationship of visual perception to moral sensibility that is being enquired into. For Wordsworth the power that communicates itself through nature's forms is especially concentrated and heightened in experience of the sublime. Sublimity is above all said to produce 'a feeling or image of intense unity, without a conscious contemplation of parts'. [13] This 'notion or image of intense unity, with which the Soul is occupied or possessed' shows the mind no longer fixed upon and absorbed by the physical detail and parts of a scene but transported into the visionary state where all perceptions are unified. Such a relationship between sight and insight — one that is most elegantly expressed in Alec King's study of Wordsworth — is peculiarly relevant to the writer whose experience of the world is primarily visual.[14] Stifter was such a writer; in him too 'the eye was master of the heart' (*Pr.* XI, 1. 172), and though accentuations may differ as treatment is affected by differences in temperament and culture, a far-reaching affinity of minds is to be discerned in this preoccupation with the sublime and the beautiful.

The sublime was not fundamentally distinguished from the beautiful in the understanding of either writer but rather seen in complementary terms. Wordsworth writing of Alpine scenery calls it 'the sublime and beautiful' region in his 'Guide', and elsewhere mentions 'a place where sublimity and beauty seemed to contend with each other'.[15] Stifter too uses the two concepts in cognate manner in a letter of 18/19 March 1866: 'im Schneekleide sind die Alpen weit schöner und erhabener als im Sommer' (SW XXI, 179). For him 'das Erhabene' is the highest form of the beautiful: it is beauty intensified to its highest potential. The scale of this 'Steigerung' passes from the pristine experience of simple forms (such as the barren landscapes in *Brigitta, Kalkstein* or *Zwei Schwestern)* to those overwhelming spectacles manifesting the extraordinary in nature (such as the awesome unknown in the further reaches of the sky as depicted in *Der Condor* or *Die Sonnenfinsternis,* or the ominous might of ice-bound landscapes in the *Studienmappe* or *Bergkristall).* In reflecting upon the scientific and calculable aspects of a total eclipse of the sun which he observed in 1842, Stifter traces out that mental transition from contemplation of the beauty of a simple, understood phenomenon ('es war ein so einfach Ding') to the visionary grandeur of an encounter with the sublime at its most awesome:

Ein solcher Komplex von Erscheinungen ist mit diesem einfachen Dinge verbunden, eine solche moralische Gewalt ist in diesen physischen Hergang gelegt, daß er sich in unserem Herzen zum unbegreiflichen Wunder emportürmt. (SW XV, 6)

It is the phrase ,eine solche moralische Gewalt' which particularly stands out as a significant connective with Wordsworth. The sense of a moral power mysteriously present in nature and communicated to man when he is at his most receptive, whether 'in vacant or in pensive mood' or addressing scientific curiosity, form part of the beliefs of both men; indeed 'beliefs' is the proper term, for one has a sense of this intense communion with nature forming an essential part of their religious convictions. 'Die wunderbare Magie des Schönen, die Gott den Dingen mitgab' is Stifter's formulation for that revelatory power in grandiose natural phenomena such as the total eclipse. This is paralleled in his *Winterbriefe aus Kirchschlag* where he evokes the overpowering beauty of the infinite cosmos: 'so steht eine Schönheit vor uns auf, die uns entzückt und schaudern macht, die uns beseligt und vernichtet' (SW XV, 280). The traditional idea that nature in its beauty is the cloak or veil in which the divinity is clothed, is one Stifter first learned at Kremsmünster and subsequently assumed the authority of an axiom which he often repeated. As the eclipse reaches its climactic point the analogue of seeing God in awful majesty is proposed when Stifter writes: 'Aber auch eine solche Erhabenheit, ich möchte sagen Gottesnähe war in der Erscheinung dieser zwei Minuten.'[16] The close connection between the ideas of 'Erhabenheit' und 'Gottesnähe' is significant. Beauty at its most exalted converts into the sublime, becoming a direct manifestation of powers that are attributed to God. So immediate is this sense of revelation that the idea of purposeful communication — namely the analogue of language — is adopted by Stifter: 'es war der Moment da Gott redete und die Menschen horchten.'[17] Nowhere is Stifter more explicit in drawing the idea of divinity into a depiction of nature's grandeur.

Wordsworth, who in 'Tintern Abbey' calls himself a 'worshipper of nature', consistently drew upon moral and religious notions in his treatment of nature (*Pr.* XI, 234 f.). 'Natural piety' is his expression for that childlike total responsiveness in man's relationship to the infinite wonders of the universe. In that sense the child becomes for him the symbol of purest humanity, its ingenuousness signifies proximity to God, its joyful oneness with nature reflects 'the primal sympathy' which man has lost; and so as the famous line has it 'the child is father of the man' (PW, 78). Stifter comes closest to this theology of childhood in *Bergkristall* where complete submissiveness to nature and innocent trust are seen as saving graces; yet he differs from Wortsworth by not accentuating the spiritual life of the child or pursuing any intimations of immortality. Wordsworth's belief in the soul and its immortality is inextricably bound up with his sympathetic understanding of nature. A few representative examples must suffice to establish the point. The 'Ode on Immortality' opens with recollected images of natural beauty which to the poet now appear as reflections of a former celestial existence. Though there is abundant beauty in the sights and sounds of 'this sweet May morning', that 'visionary gleam' whose loss is mourned in maturity is essentially a religious notion, the numenous, which continues to haunt the Poet's imagination. *The Prelude,* Wordsworth's greatest tribute to the growth of the creative imagination, is centrally concerned with the lofty theme of poetic consecration, offering an image of the poet who lives 'with God and Nature communing' (*Pr.* II, 1. 446). He there refers to 'Nature's self, which is the breath of God' (*Pr.* V, 1. 222) in a phrase which draws the two ideas so closely together as to make them appear cognate. Elsewhere in the poem he writes of 'that strong and holy passion' (*Pr.* X, 1. 382) felt by him towards nature from early youth, again drawing heavily upon religious connotations in seeking to communicate an almost sacred sense of personal dedication. We find the poet celebrating the sense of union or communion between man's moral nature and the universe which links him with Nature and God in a kind of sacred trinity (*Pr.* VIII, ll. 830—36). Poem after poem has recourse to this theme. Nature raises 'altars undisturbed of mossy stone' for worship ('Yew Trees'), it teaches man the deepest moral truths ('The Tables turned'), it is inspired by a spiritual presence ('Nutting') and it is seen at its grandest in the description of the Simplon Pass where nature's majestic features act as a powerful revelation of the godhead:

> The immeasurable height
> Of woods decaying, never to be decay'd,
> The stationary blasts of waterfalls,
> And every where along the hollow rent
> Winds thwarting winds, bewilder'd and forlorn,
> The torrents shooting from the clear blue sky,
> The rocks that mutter'd close upon our ears,
> Black drizzling crags that spake by the way-side
> As if a voice were in them, the sick sight
> And giddy prospect of the raving stream,
> The unfetter'd clouds, and region of the heavens,
> Tumult and peace, the darkness and the light
> Were all like workings of one mind, the features
> Of the same face, blossoms upon one tree,
> Characters of the great Apocalypse,
> The types and symbols of Eternity,
> Of first and last, and midst, and without end. (*Pr.* VI, ll. 556—572)

Here the imaginative reach, the quality of perception, the capturing of detailed impressions and even the referential framework of ideas stand close to Stifter's evocative description of the total eclipse of the sun. The manner in which both writers can translate spectacular visual images into a language which both creates vivid pictures for the mind and conjures up a visionary dimension (also referred to as the 'egotistical sublime') shows a fundamental kinship of the imagination and of associative thought. There is a like transition from sense impression to recognition of the immanence of an eternal power vested in finite natural phenomena. In both writers contemplation of nature's grandeur tends to flow into a heightened intuitive style which engenders ideas of sublimity.

Neither Stifter nor Wordsworth saw any need to look chiefly to the exceptional or the extraordinary in nature for manifestations of the sublime and the beautiful. A striking feature of Stifter's narrative art is his repeated choice of settings which consist of barren and monotonous landscapes. One might say that he chooses desolate settings with a kind of wilful persistence. The bleak solitude of the heathland dominates *Das Haidedorf, Brigitta, Zwei Schwestern* and figures significantly in *Nachkommenschaften*. In *Abdias* we find the African desert and its complement, the remote, barren Austrian valley and in *Kalkstein* the arid limestone wastes. The forest too, which holds pride of place in Stifter's imagination, is the correlative of the desert place; it too impresses by virtue of its solitude, monotony and vastness. The greater part of these landscapes are the products of an imagination which is biassed towards starkness and simplicity. 'Einfachheit' is a crucial concept for gaining a proper understanding of this province of Stifter's art for it is an ambivalent aesthetic term as will emerge from a number of examples to be considered.

Many of Wordsworth's Cumbrian landscapes have a comparable bleakness and play upon that tension between simplicity and grandeur from which the poetic imagination draws its inspiration. One thinks of the utter solitude evoked in 'The Thorn' or in 'Lines left upon a Seat in a Yew-tree'; the desolate moor in 'Resolution and Independence', the wind-swept mountain slopes in 'Michael' or the bare mountainous regions paced with the Traveller in *The Excursion*. It is less significant to enquire into specific features of such landscapes to discover what resemblances they may bear to Stifter's than to perceive a common quality of imagination which insistently chooses desolate and empty spaces in nature for its settings, and to look for a meaning in the truly idiosyncratic attention he gives to the solitude of wastelands. A passage from the third book of *Die Welt als Wille und Vorstellung* may be seen as the perfect philosophical complement to the workings of the creative imagination which here concerns us. Schopenhauer sketches an imaginary scene in the course of his discussion of reasons for the mind's transition from a sense of the beautiful to that of the sublime:

Versetzen wir uns in eine sehr einsame Gegend, mit unbeschränktem Horizont, unter völlig wolkenlosem Himmel, Bäume und Pflanzen in ganz unbewegter Luft, keine Thiere, keine Menschen, keine bewegte Gewässer, die tiefste Stille; — so ist solche Umgebung wie ein Aufruf zum Ernst, zur Kontemplation, mit Losreißung von allem Wollen und dessen Dürftigkeit: eben dieses aber giebt schon einer solchen, bloß einsamen und tiefruhenden Umgebung einen Anstrich des Erhabenen. [18]

The very absence of objects and of movement, the lack of variety which offers the eye no prominent features or focal points of interest are all conducive to that 'Zustand der reinen Kontemplation' which, as Schopenhauer proposes, harbours a sense of sublimity for those who share this capacity. The converse response in those who cannot 'see into the life of things' is, of course, not denied as they are prone to fall victim to 'der Leere des nichtbeschäftigten Willens, der Quaal der Langenweile'. [19] And as we know, both our authors have had their fair share of such readers!

31

It is significant that some of Stifter's most vivid and momorable descriptions of empty wasteland (especially in *Abdias* and *Zwei Schwestern*) are set in places he had never seen. The productive role of the powers of imagination and invention are thus as important to Stifter as the role of vital recollection is to Wordsworth. In both cases the 'inward eye', whether in its reflective, recollective or image-making capacities is always called into play. The narrator's description of the trackless wastes in *Zwei Schwestern* might serve as the prototype in Stifter since the principal features of a persistent conception are here joined. The fascination of such a desolate landscape lies in its total disappointment of all that is commonly held to be beautiful. Conventional expectations are patently unfulfilled:

Die Maler haben eigentlich diese Dinge noch nicht gemalt; denn da war kein Baum, kein Gesträuchlein, kein Haus, keine Hütte, keine Wiese, kein Feld, sondern nur das sehr dürftige Gras und die Felsen — gewiß wenige Künstler hätten das für die Aufgabe eines Meisters gehalten, wenn sie nicht früher die Erfahrung gemacht hätten, wie so unaussprechlich die düstere Schönheit solcher Oeden auf die Seele des Menschen zu wirken vermag. (HKG, I, 6, 261)

The description is built up out of negatives; we learn not of what is seen, but of what is lacking to the eye. Yet though the visual aspect is colourless, dull and void, it moves the narrator to say: 'so war ich hier vollständig hingerissen und, ich kann sagen, in der Tiefe meiner Seele entzückt' (HKG, I, 6, 261). It becomes clear that we are faced with a conflict of aesthetic values which are reconciled only in the beholder's mind. The grey, monotonous wastes undergo the kind of transformation that Schopenhauer designates in meeting the contemplative mind; they are inwardly transmuted into surpassing beauty. The narrator proceeds:

Hier stand ich in einer Oede, wo alles fehlte, wo gar keine Mittel waren, etwas darzustellen, und wo sich doch eine so ruhige Schönheit zeigte, als legte die Natur ein einfach erhabenes Heldengedicht vor mich hin. Ich war gleichsam gebeugt, und die Lautlosigkeit um mich rückte erst alles recht in die Weite und Breite, daß ich mich verlor. (HKG, I, 6, 262)

Instead of dwelling on descriptive detail, Stifter accentuates an elated aesthetic response to this extraordinary beauty — 'die düstere Schönheit solcher Oeden'. The conflict of values that arises within the contemplative mind is perfectly rendered in the oxymoron 'eine ruhige Gewalt der Schönheit' (HKG, I, 3, 184) which Stifter had written into the earlier *Journalfassung* and later changed to 'eine so ruhige Schönheit'. The unresolved tension between the ideas of 'ruhig' and 'Gewalt' evidently seemed too disharmonious upon reflection. Such emendation alone reveals the high degree of deliberation in judging the accent given to the conceptual in description and how carefully he modulated ideal content, not always for the best as in this case.

Within this province of the sublime, which so finely relates him to Wordsworth, Stifter is seen to be wrestling with the intellectual problem of rendering his inner vision of grandeur in terms of what he understands as 'Einfachheit' but which is in fact a complex and elusive aesthetic notion. This 'simplicity' is essentially a composite idea embracing the total sensuous and ideal impact of an object upon the aesthetic and moral sensibilities. Paradoxically, Stifter associates fullness of import and magnificence with the idea of simplicity. The abundant use of the adjective 'einfach' within his writing always carries a positive accent, an approving moral value judgement. One might say that the 'visionary gleam' which Wordsworth discovers through heightened awareness within nature's commonplaces finds its correspondence in Stifter's adulation of simplicity. The narrator in *Zwei Schwestern* again offers an example:

Der Umblick von der besagten Bergspitze war wirklich außerordentlich. Ich will nichts von dem duftenden Gewimmel der Berggipfel sagen, die man auch von anderen Bergen sieht, aber die große Ebene war es, welche man hier übersieht, und welche wirkte. Ohne die einzelnen Merkmale des Bewohntseins zu gewahren, war es nur ein einfacher unkenntlicher undeutlicher erschütternder Hauch, der in der Trübe des Himmels gehend und in ihr schwimmend die Seele mit dem ganzen riesenhaften Eindrucke des Unendlichen erfaßte. (HKG, I, 6, 309)

Visual detail is drained of all variety and colour; what fascinates the eye and the contemplative mind is the grandeur of misty expansiveness concentrated within a single unified image, and again the leading adjective is 'einfach' which finds significant amplification in 'erschütternd'. The recurrent image of the desert place in Stifter's works is marked out by an uncommon austerity: its chief constituent features are barrenness, simplicity, solitude, silence and boundlessness. Significantly these five abstract terms are also key concepts in Burke's *Enquiry into the Origins of our Ideas of the Sublime and the Beautiful*, a treatise which was fundamental to Wordsworth's thinking on this subject, though it is uncertain whether Stifter knew the work.

Bearing in mind this paradoxical element in Stifter's treatment of austere simplicity in nature, we can recognize a consistent pattern of recurrence in a number of places. The desolate valley to which Abdias retires draws him 'weil es eine Aehnlichkeit mit der Lieblichkeit der Wüste hatte' (HKG, I, 5, 302); the essence of its beauty, we read, consists in 'ein sanfter Reiz der Oede und Stille' (HKG, I, 5, 300). An intense poetic suggestiveness informs the narrator's first description of the unending puszta in *Brigitta* when he admits to being wholly captivated 'von der Größe des Bildes' and by 'ein Glanz der Einsamkeit' — again phrases stronger in conceptual than visual force. The eye, overcome by the immensity of insubstantial space in nature, is turned inward to contemplation, as it were; and an introspective tendency induced by powerful visual impressions is as much a hallmark of Stifter's style as it is typical of Wortsworth. The narrator in *Brigitta* further records that he had first met Murai 'in einer eben so feierlichen Oede wie die war, durch die ich heute wandelte' (HKG, I, 5, 413). The qualification 'feierlich', often used by Stifter of desolate landscapes, again alerts one to the impact of the sublime through quiet grandeur. In *Zwei Schwestern* 'die Feierlichkeit der Oede' (HKG, I, 6, 298) is the phrase used by the narrator to condense the total impression made on him by the endless wastes he traverses, and in *Der Hochwald* Stifter writes of the primeval forest as 'der ringsum liegenden, heiligen Einöde der Wildnis' (HKG, I, 4, 255). In all these examples emphasis falls on notional values of aesthetic and moral connotation which show distinctly reverential attitudes of mind. The desert place figures as a manifestation of the sublime.

It might be said of both writers that the human figures drawn by them are inseparable from the specific natural setting in which they are placed. Both seem reluctant to represent man except in close relationship to nature. The innumerable bonds which tie the human to the natural spheres are thus established by delicately suggestive means or by symbolism. And so in place of overt psychological exploration, we find continual interplay of the outward and the inward, of visual impact and latent import, concealment and revelation. Narrative poems such as 'Michael' and 'The Brothers' stand particularly close to Stifter in imaginative quality and also in that reticence of exposition, in that restrained modest tone which Wordsworth is wont to use. The stories of Felix in *Das Haidedorf* and of the priest in *Kalkstein* might be adduced as appropriate parallels. The poet calls his verse tale about the solitary shepherd Michael 'a story — unenriched with strange events' and 'a history, homely and rude' told 'for the delight of a few natural hearts' (PW, 131) in words that seem to echo Stifter's 'Vorrede' when he declares his wish: 'den Lesern ein noch Kleineres und Unbedeutenderes anzubieten, nämlich allerlei Spielereien für junge Herzen' (HKG, II, 2, 9). However, the adoption of what Wordsworth called 'plainer and more emphatic language' and Stifter saw as 'den reinen naiven Ton' only superficially disguises the complexity of the creative imagination at work. Alone the memorable objects introduced by the poet ('a straggling heap of unhewn stones' in 'Michael' or 'Two springs which bubbled side by side' in 'The Brothers') are used as highly expressive deliberated symbols which concentrate meaning and comment on the central figures. In comparable fashion, and with calculated effect, Stifter uses symbolic things to shed light on the human condition. The clothing of the 'Karpfarrer' on his deathbed and the symbolism of the limestone are examples which can stand for many. He is dressed first in his pure white linen, then in his threadbare habit and finally in a priest's cassock: these three layers symbolize both the Evangelical Counsels of chastity, poverty and obedience and serve as a summarizing statement on the quality of the life he had led.[20] The first impression of the stony waste of the Kar valley is wholly alienating. The narrator is repelled by the lack of visual charm 'in dieser abscheulichen Gegend' but the priest counters with a mild reproof that it is as God made it, 'aber manches Mal ist sie auch schön, und zuweilen ist sie schöner als alle andern in der Welt' (HKG, II, 2, 69). Just as the priest's rare personal endowments — utter self-denial, charity and purity of heart — are concealed from and misread by the world, so too it is with the unusual charm of a landscape which hides its beauty within its naked austerity. The narrator's response to the 'Steinkar' on his very last visit shows how profound a change this unchanging landscape has brought about in him: 'Es war alles unverändert, als ob diese Gegend zu ihrem Merkmale der Einfachheit auch das der Unveränderlichkeit erhalten hätte' (HKG, II, 2, 130).

The gradual conversion of the mind from alienation to profound appreciation (a process of discovery which has many variants in Stifter's work), brings into play those allied powers of observation and contemplation which have been identified as fundamental to Stifter's creative design. The priest says of the 'Steinkar': 'Sie sagen, die Gegend sei häßlich, aber auch das ist nicht wahr, man muß sie nur gehörig anschauen' (HKG, II, 2, 118). The last ingenuous phrase may read either as a naive expostulation or as a deliberate understatement. What is meant by 'gehörig anschauen'? Stifter and Wordsworth have in their separate yet congenial ways offered an answer.

Notes

[1] M. Enzinger, *Adalbert Stifter im Urteil seiner Zeit* (Wien, 1968), p. 178.

[2] One has only to scrutinize the indexes of E. Eisenmeier's *Stifter-Bibliographie* (1964 ff.) to establish the absence of Wordsworth's name. The English monographs by E. Blackall and M. Gump likewise omit reference to Wordsworth. Interestingly, in the late Humphrey Trevelyan's copy of Blackall's book, which has come into my possession, on page 119 beside the well-known quotation from *Der Hochwald* ('Es liegt ein Anstand, ich möchte sagen ein Ausdruck von Tugend in dem von Menschenhänden noch nicht berührten Antlitze der Natur . . .') Trevelyan has boldly written in the margin: 'Wordsworth'. I take it as particularly encouraging that H. R. Klieneberger's paper in the present volume makes scholarly reference to a further dimension in the affinity of these two minds, namely their pedagogical concern with the development of the child. Finally, in his recent contribution to René Wellek's Festschrift, *Literary Theory and Criticsm,* ed. J. Strelka (New York, 1984), vol. II, p. 769, Peter Demetz confidently calls Stifter 'the German Wordsworth in Prose'.

[3] Wordsworth was all too clearly aware of the 'prosaisms' that occurred in his poetry and himself argued that 'some of the most interesting parts of the best poems will be found to be strictly the language of prose when prose is well written' (W. J. B. Owen, ed., *Wordsworth's Literary Criticism,* London and Boston, 1974, p. 75). Coleridge also records in his *Biographia Literaria,* Everyman (London, n. d.) p. 41: 'I admitted that there were some few of the tales and incidents, in which I could not myself find a sufficient cause

for their having been recorded in metre.' By way of parallel, it might be adduced that Stifter viewed the formal design of his novel *Witiko* as a heroic epic which aspired to the Homeric model.

4 M. Arnold, *Essays in Criticism,* Second Series (London, 1895), p. 135. W. Pater, *Appreciations. With an Essay on Style* (London, 1895), p. 38.

5 Cf. Enzinger, op. cit., the reviews by Hieronymus Lorm, Friedrich Hebbel or Julian Schmidt.

6 Quoted from F. W. Bateson, *Wordsworth. A Re-Interpretation* (London, 1954), p. 164.

7 A. C. Bradley, 'The Long Poem in Wordsworth's Age' in: *Oxford Lectures in Poetry* (London, 1959[2]), p. 196. Stifter's letter to J. Ranzoni of 20. 3. 1850 shows a kindred zeal to reform man: 'Ich für meinen Teil habe ein fast fieberhaftes Verlangen, die Menschen besser und verständiger machen zu helfen, darum greife ich im Erziehungswege an.'

8 *Über Stand und Würde des Schriftstellers,* SW XVI, 10. Letter to J. Türck, 22. 2. 1850.

9 *The Poetical Works of William Wordsworth* ed. by T. Hutchinson, O. U. P. (Oxford, 1923), abbreviated as: PW.

10 Cf. Barker Fairley who, in a most illuminating essay comparing and contrasting Goethe with Wordsworth, calls the latter 'a most unphilosophical poet' in contradistinction to Goethe and points rather to 'a philosophical texture' in Wordsworth's poetry ('Goethe and Wordsworth. A Point of Contrast', PEGS, N. S. 10 [1934] 23—42).

11 Cf. *Wordsworth's Lit. Crit.* op. cit. p. 96, p. 179, p. 185.

12 References to *The Prelude* are to the 1805 text ed. E. de Selincourt, O. U. P. (Oxford, 1979); abbreviated to *Pr.*

13 'The Sublime and the Beautiful' in: W. W., *The Prose Works* ed. W. J. B. Owen and J. W. Smyser (Oxford, 1974) vol. II, p. 353 f. abbreviated to *Prose* II.

14 A. King, *Wordsworth and the Artist's Vision,* The Athlone Press (London, 1966), pp. 1—10.

15 W. W. *Prose* II, 170.

16 SW XV, 12.

17 SW XV, 11.

18 Schopenhauer, *Sämtliche Werke in fünf Bänden,* Großherzog Wilhelm Ernst Ausgabe, Insel (Leipzig n. d.), p. 279.

19 Schopenhauer op. cit. p. 279.

20 Clear and intentional as this symbolism appears to be, it is strange that it has not been remarked upon by any literature on the work known to me. Evidence for the general familiarity and availability of the ideas of the Evangelical Counsels as part of common catechetical instruction within southern German culture may be seen in devotional books of the period. Cf. *Evangelien sammt den Episteln oder Lectionen auf alle Sonn- und Feyertag des ganzen Jahrs,* verlegt von den Gebrüdern Veith (Augsburg, 1780), which appends a 'Kleiner Catechismus' containing on p. 16 an examination on the three Counsels. It seems to me indisputable that Stifter, who had after all passed through Kremsmünster, was no stranger to these ideas and did not view them as reserved for the monastic orders.

Zusammenfassung

Eine vergleichende Studie über Stifter und Wordsworth auf wissenschaftlicher Basis wurde noch nicht versucht, obwohl die beiden Autoren ganz offenkundig durch etliche auffällige Affinitäten miteinander verbunden sind, wie z. B. durch ihre Wahl der Gegenstände, durch ihren Sinn für Form, durch ihr poetisches Empfinden und ihre schöpferische Einbildungskraft. Außer gewissen verwandten Zügen von moralischem Idealismus und ästhetischer Überzeugung, haben sie die genaue penible Arbeitsweise und die Wertschätzung ausdrucksstarker Sprache gemeinsam. Beide werden im Bereich ihrer Nationalliteraturen vornehmlich als Dichter der Natur angesehen, die ländliche Einsamkeit dem Leben der Hauptstadt vorziehen. So unterschiedlich auch ihre kulturelle Provenienz ist, sie ähneln einander in der Verfechtung ihrer Kunstauffassung wie in ihren strittigen und unzeitgemäßen Ideen, die sie im Hinblick auf die pädagogische und ethische Zielrichtung ihrer Schriften vertreten. Beide neigten auf ihre Weise dazu, durch Literatur Gesinnung zu verbreiten.

Ihre Dichtungen zeigen aufgrund ihrer starken ethischen Akzentsetzung Verwandtschaft, vor allem aber durch die engen von ihnen betonten Verbindungen zwischen moralischen und ästhetischen Ideen. Obwohl keiner von beiden ein zusammenhängendes Ideensystem entwickelte, sind ihre ästhetischen und moralischen Überzeugungen in verschieden bedeutsamer Weise aufeinander bezogen, ebenso offenbart ihre Neubewertung der relativen Bedeutung von „groß" und „klein" als qualitative Begriffe verwandte Denkweisen. Allerdings bietet sich nicht nur der Bereich der grundsätzlichen Ideen als eine fruchtbare Vergleichsbasis an, Vergleichsmöglichkeiten gibt es auch hinsichtlich der Weite und Tiefe ihrer kreativen Einbildungskraft.

Bei beiden Dichtern ist die Lebendigkeit der Imagination in hohem Maße mit dem Kontemplativen verbunden. Das Visuelle und das Visionäre sind in dieser „art of impassioned contemplation" (Pater) ineinander verwoben, worin ihre besondere Stärke liegt. Intensive Augenblicke der Einsicht in das „Leben der Dinge" bedeuteten für beide die Begegnung mit dem Erhabenen und dem Schönen. Beide entdeckten das Erhabene sowohl in der Großartigkeit der Natur als auch in der Ruhe und erfahren dies als gesteigerte Form des Schönen. Beide pflegen diese zwei Begriffe als sinnverwandt zu gebrauchen und sie erschließen sie mittels der Beschreibung, wobei die Größe der Natur mit einer „moralischen Macht" zu einer Einheit verbunden wird, und diese wird wiederum mit der Idee des Göttlichen in Zusammenhang gesehen.

Beispiele für das Erhabene sind jedoch nicht nur in der Thematisierung des Außerordentlichen in der Natur zu finden. Beide Autoren wurden mächtig angezogen von öden Szenerien oder leeren Räumen in der Natur als Manifestationen des Erhabenen. Eine gemeinsame Eigenart der Phantasie ist auch erkennbar in jener insistierenden Wiederkehr von öden Landschaften, ein Phänomen, das Schopenhauer beleuchtet hat und das er mit der Formulierung „Zustand der reinen Kontemplation" bezeichnet hat. Eine Reihe erzählender Gedichte von Wordsworth („The Thorn", „Resolution and Independence", „Michael") können mit Stifters Novellen *(Das Heidedorf, Abdias, Brigitta, Zwei Schwestern, Kalkstein)* im Hinblick auf die ähnliche Behandlung von Landschaften als Produkte einer Einbildungskraft, die zu Kargheit und Einfachheit tendiert, in Parallele gebracht werden. *Zwei Schwestern* bietet ein besonders charakteristisches Beispiel für die Fähigkeit des Autors, Dürftigkeit in Schönheit übergehen zu lassen — „die düstere Schönheit solcher Öden". Stifters häufiger Gebrauch des Wortes „Einfachheit" (zumeist mit moralischer Tönung) für solche Landschaften kann die Spannungen, die auf der ästhetischen Ebene mitschwingen, nicht verbergen, ebensowenig wie er die Komplexität der kreativen Imagination, die hier am Werk ist, verschleiern kann. Das Paradoxon von dürftiger Einfachheit und Größe, das Alltägliches als Erhabenes betrachtet, ist beiden Autoren gemeinsame Voraussetzung.

Die menschlichen Figuren, die von Stifter und Wordsworth gezeichnet werden, sind nicht zu trennen von spezifischen Naturräumen. Jeder der beiden wendet suggestive Formen der Symbolik an, um eindringliche Assoziationen zu evozieren und beide vermeiden offene psychologische Analyse.

Ein feines Wechselspiel von außen und innen, von wahrnehmbarem Gewicht und geheimer Bedeutung ist signifikant für die zurückhaltende, sparsame und suggestive Art des Schreibens (gut zu vergleichen anhand von Werken wie „Michael", „The Brothers", *Das Heidedorf, Kalkstein*), die jene miteinander korrespondierenden Fähigkeiten der Beobachtung und der Kontemplation ins Spiel bringt, die beiden Dichtern grundlegend eigentümlich sind.

The Doubly Woven Text: Reflections on Stifter's Narrative Mode

Erika Swales

Looking back on his life, Stifter writes in 1867 to Leo Tepe that even as a child he was obsessed by the desire to learn about 'den Grund aller Dinge, die uns umgaben'.[1] Indeed, this quest is central to his discursive and creative writings: time and again, his texts revolve around the question of what constitutes and determines the world. Such expressions as 'ergründen', 'erforschen', 'Wesenheit', 'Eigenheit' are strikingly recurrent. Thus the above quotation touches on the very core of Stifter's being as thinker and writer. But it is important that we note how indeterminate the actual vocabulary of the phrase — and of many similar examples — is. Is 'Grund' to be understood as a scientific category or as a religious-philosophical category — or both? Does the term itself presuppose and vouchsafe the principle of supreme Sufficient Reason? Does 'Dinge' also include human beings? And what is the specific gravity of 'umgeben'? Is it mere contingency or does it suggest a firm framework, a solid housing of individuated man? The answer surely is that we must contend with the multivalency of this terminology. Indeed, so many of Stifter's texts enact precisely the uncertainties, if not antinomies, inherent in this one brief phrase.

True: We know that Stifter is very much embedded in the values of the Catholic, Baroque tradition of Austria and the legacies of both the eighteenth and early nineteenth centuries, and thus the scientific inquiry into the human and nun-human spheres of nature largely coincides with a philosophical quest, even an act of Christian worship. To discover the laws of material processes, of physical 'Grund', is to discover step by step the divine design, the *Ordo,* the metaphysical 'Grund' of supreme Reason. And yet: In the act of reading, so many Stifter texts tell another story, one that does not convey the sense of man being embedded in a metaphysically underwritten set of circumstances, but, on the contrary, sees man as merely surrounded by contingencies. On this level, the phrase 'Grund aller Dinge, die uns umgaben' signals no more than the sheer givenness of facts, both human and non-human, which do not vouchsafe any inherent meaning.

It is this tension which generates the fascination of Stifter's oeuvre, a fascination to which the extensive contradictions in the secondary literature devoted to him bear witness. And one suspects that Thomas Mann had this knife-edged quality of Stifter's prose in mind when, in that famous passage, he described him as 'einer der merkwürdigsten, hintergründigsten, heimlich kühnsten und wunderlich packendsten Erzähler der Weltliteratur.'[2]

The 'secret boldness' of which Mann speaks derives from a philosophical irresolution which precipitates itself as a stylistic and narrative ambivalence in a large number of his works. The irresolution does, of course, pose a considerable problem for the critic, because, judged by certain criteria of artistic achievement, it would seem to constitute a recipe for aesthetic disaster. I have no wish simply to override such criteria of textual wholeness and integrity by asserting that the fragmentary and dislocated are an automatic proof of literary value. But I would argue that the irresolution in Stifter's creative personality makes possible a range of theme and stylistic register which one would be loath to exchange for that artistic perfection which stems from a refusal to take risks. Let me recall a comment which Raymond Williams makes about George Eliot. In his analysis of her novels he draws attention to the contradiction that occurs when a particular kind of discursive moralizing clashes with the sympathetic imaginative comprehension of a social world which refuses simply to function as illustrative material for the discursive voice.

In these areas of friction, Williams discerns the vital 'creative disturbance'[3] of George Eliot's art, a disturbance which, he insists, is infinitely richer and more challenging than is the seamless competence of Trollope's novels. If we apply Williams's terms to Stifter's work, we may argue that here, too, the imaginative impulse frequently reaches out to comprehend that which the discursive voice seeks to repudiate. And these moments of disturbance seem a small price to pay for the illumination vouchsafed.

In this paper, I want to look in some detail at *Bergkristall*. But before doing so, I feel I should sketch in the ways in which the tensions I have been discussing inform the whole range of Stifter's creative endeavour. In *Der Hochwald* the prevailing irresolution operates in respect of nature. At one — thematic and stylistic — level, nature is perceived as a reflection and agent of a divine order — but at another level, nature is seen as a self-regulating system of material organisation to which notions of religious, and in particular moral, values of right and wrong are quite simply inapplicable. This irresolution manifests itself perhaps most clearly in the figure of Gregor and in the presentation of the relationship between Clarissa and Ronald. To take Gregor first: On the one hand he appears as a rather priestly spokesman of harmonious nature, ordered by God, the 'großer Gärtner' — on the other hand, Gregor appears as a hunter, who at one point is sorely tempted to shoot down the vulture, and this hunter highlights much more the Darwinian concept of nature, a self-regulating totality of organic matter, a realm marked by the strife for survival. In close correlation, Clarissa's and Ronald's love comes partly across as a sinful act of self-assertion, the Fall of Man — and partly as a totally natural phenomenon, in the words of Gregor 'es ist schon so Natur' (HKG I, 4, 290).

This oscillation between on the one hand a religiously-cum-morally grounded perspective and on the other an amoral, vitalistic perspective also affects the narration's attitude toward domestic order. I cannot go into any details here — suffice it to say that, narratively, stable domesticity is as much underwritten as it is called into question and seen as a restrictive framework — there is, for example, considerable material for a Freudian reading.

In my view, *Der Hochwald* does not resolve these uncertainties into a sustained dialectic, but remains locked in irresolution. In other works, which are informed by an unmistakable didactic intention, such irresolution is all the more striking. In two particularly important examples, Stifter's didacticism is muffled by a narrative undertow which establishes a contrastive interpretative possibility. In *Das alte Siegel* we find a strange collision between on the one hand a thematic and discursive design which denounces Hugo for his blighted emotional life and on the other a narrative voice that partakes of the repressions of the protagonist's consciousness and conscience. In *Der Hagestolz* a number of elements — the plot-line, the education of the boy Viktor, the importance assigned to the figure of Ludmilla — conspire to uphold the continuity and rightness of the living process in answer to the uncle's despair: Yet, the story reaches out to comprehend — even to validate — the very experiences which it is intent upon denouncing. The uncle's anguish at the curse and grip of individuation is invested with an authority and sympathy which the conclusion can neither exorcise nor diminish. And even in those of Stifter's works where the strenuously educative purpose does, in the last analysis, carry all before it, there is more often than not an intimation of a different order of experience and feeling. I am thinking of such works as *Der Nachsommer* and *Die Mappe meines Urgroßvaters*. I will quote that extraordinary sentence in the 'Rückblick' chapter when Risach recalls his joyless existence circumscribed by a loveless marriage and a bureaucratic career:

So lange alle die Verhältnisse, welche in meinen Amtsgeschäften vorkamen, in meinem Haupte waren, war nichts anderes darin. Schmerzvoll waren nur die Zwischenräume. (SW VIII, 160)

Only the gaps hurt. And perhaps this is true of Stifter's prose. The gaps between the lines, the 'Leerstellen', in the midst of the seamlessly formulaic intimation, set up that current of disturbance of which I have spoken.

Of course, there still remains the evaluative problem which I raised at the beginning. Is there not something uncontrolled, indeed inadvertent, about such narrative ambivalence? We may want to uphold the traditional aesthetic concept of wholeness — and we would find every encouragement from the computer industry. In a computer magazine the other day, I came across an article on labyrinthine games. On the problem of interpretation, it advised the addicts: 'pick up everything that you can — for the first Golden Rule is: Nothing exists without a purpose.' Thus, if we stick to such rules of the narrative game, we may well have to dismiss some of Stifter's works as inherently flawed and instead turn our attention to those texts where elements of uncertainty and irresolution coalesce into a sustained dialectic which furnishes the texts with an organizing centre. *Abdias* is one example. The title of my paper is borrowed and adapted from a phrase that occurs in the first version of that story: It describes Abdias' life as 'doppelt geschlungenes Leben' (HKG I, 2, 145). *Abdias,* in terms of one strand of narrative intimation, is a Schopenhauerian story of blind will, the 'letzte Unvernunft des Seins' (SW III, 6). Yet beyond its mere facticity, the poetic design and organization of the tale, the web of images and metaphors, holds out the possibility of meaning, of a quasi-Hegelian progression from East to West, from brutal physicality to material being suffused with spirituality. The narration controls and sustains this 'doppelt geschlungen'; in this sense, the story is, if the pun can be forgiven, a two-ply yarn.

And precisely that double texture to the narrative statement is at work in *Kalkstein.* In an article devoted to this story,[4] John Reddick has very acutely shown how beneath the surface statement which validates the 'sanftes Gesetz', there is a metaphorical intimation of the cost exacted by the Pfarrer's life of ascetic sublimation. The superb counterpoint of the tale, its symbolical statement pitted against the willed innocence of the narrative perspective, gives weight to that seemingly arid opening in which a number of figures debate the nature and motivation of man. They ask whether the primitive levels in man are ultimately sanctified by the overriding arbiter of Reason — or whether man is determined by these primitive levels, in which case all his higher aspirations are subordinated to the prompting of those baser needs. In this context the opening of the *Journalfassung* is illuminating. There we are told that the surveyor's account explained not only why the Pfarrer *had* to achieve his aim, but also why he *could.* The *Buchfassung* omits this passage, but we can still argue that the category of *müssen,* of determined, even compulsive, behaviour patterns is pitted against the *können* of ethical freedom and choice. The doubly woven tale of *Kalkstein* is the expression and stylistic correlative of this existential issue.

I want now to turn to *Bergkristall.* The events are too well known to need rehearsing here. The movement from security into threat and back to security would seem to yield a tale close to the ethos of *Heimatliteratur,* one which upholds sturdy peasant life and equally sturdy moral values. Yet this is by no means all there is to the story. We would do well to take note of the discursive introduction which celebrates the magic of Christmas Eve. That magic is described as:

Ein heiteres glänzendes feierliches Ding . . ., das durch das ganze Leben fortwirkt, und manchmal noch spät im Alter bei trüben, schwermüthigen oder rührenden Erinnerungen gleichsam als Rükblick in die einstige Zeit mit den bunten schimmernden Fittigen durch den öden, traurigen und ausgeleerten Nachthimmel fliegt. (HKG II, 2, 183-4)

In the telling of his tale, Stifter draws on both these perspectives: He celebrates the poetic principle, the 'bunten schimmernden Fittigen', yet also gives full weight to the prosaic principle, the 'ausgeleerten Nachthimmel'. The conclusion of the discursive introduction is particularly important:

Weil dieses Fest so lange nachhält, weil sein Abglanz so hoch in das Alter hinauf reicht, so stehen wir so gerne dabei, wenn Kinder dasselbe begehen, und sich darüber freuen. (HKG II, 2, 185)

The second half of this passage is not there in the *Journalfassung;* the addition of 'so stehen wir so gerne dabei' poignantly summarizes the narrative self-consciousness, the controlled dialectic of poetic and prosaic within *Bergkristall.*

Let me begin with the poetic perspective. Under this aspect, the leisurely description of the village of Gschaid vibrates with conciliatory humour and affirmation. Shortcomings — materialism, narrow-mindedness — are noted, but they do not have the last word. The crisis brings about a change of attitude — this is crystallized in the motif of the 'Wandlungsglöcklein' — and with the final integration of the children and their mother, dividedness is transformed into harmony and cohesion. This vision is heightened into a metaphysical dimension by the events on the mountain. In this crucial night of the Christian calendar, the forces of death do not prevail. At the crisis point the cracking of the ice — 'dreimal' is the mystic number — keeps the children awake. They would have frozen to death 'wenn nicht die Natur in ihrer Größe ihnen beigestanden wäre' (HKG II, 2, 227). The religious import of this phrase is reinforced insofar as the subsequent description of the movements of light is shot through with images that evoke the biblical promise of salvation — one thinks of 'Bogen, Garben . . . wie Zaken einer Krone' (HKG II, 2, 228). This narrative stance makes us bear witness to the wonder of naive faith — Sanna sees the Christ in the heavens, and the narration enacts and makes the reader enact that phrase from the introduction 'so stehen wir so gerne dabei'.

At the prosaic level, however, different implications inform the text. Here we notice that the values of the community are heavily shot through with the motif of property. The father, for example, is a self-made man who, vying with his father-in-law, buys 'immer mehr Grundstüke so ein, daß er einen tüchtigen Besiz beisammen hatte' (HKG II, 2, 198). Interestingly, the property motif sounds at the end of the story: the children, we read, become 'das Eigentum des Dorfes' (HKG II, 2, 239). In the critical light of such passages, the values of stability and constancy as represented by both villages strike one as problematic. Do these people experience a real 'Wandlung' — or will the narrator's initial diagnosis prevail: 'Sie sind sehr stettig und es bleibt immer beim Alten' (HKG II, 2, 187)?

Furthermore, such key concepts as trust, loyalty, obedience are made to ring hollow: Sanna trusts her brother, his 'Leitung, gerade so wie die Mutter sich unbedingt unter die Leitung des Vaters gab' (HKG II, 2, 201). Yet that faith takes the children to the very brink of disaster for in the blizzard the boy's authority is without foundation. The textual layering here is quite superb. Page after page is shot through with the word 'Weg' — but that path has, of course, been lost. The insistent linguistic presence highlights the absence of substantiation. Take, in extracts, Konrad's words of assurance: '. . . ich kann heute die Bäume nicht sehen, und den Weg nicht erkennen . . . Aber es macht nichts. Wir gehen immer auf dem Wege fort, der Weg geht zwischen den Bäumen' (HKG II, 2, 211-2). In view of such staggering reasoning, Sanna's refrain of trust — 'ja, Konrad' — is blatantly misplaced. Whereas in *Granit,* the boy's litanesque responses to his grandfather are ultimately vindicated as speech acts of faith, Sanna's responses emerge far more critically as potential speech acts of bad faith.

Lastly, on the prosaic level of 'ausgeleerter Nachthimmel', the description of the landscape focusses on the sheer otherness of nature. One thinks of the almost scientific dispassion with which the mountain is described. And as the children move into the snow and ice, the style increasingly refuses to poeticize — the principle of abstraction leaves the reader as unaccommodated as the two children, totally exposed to the undomesticated scale of natural phenomena. For example: 'Jenseits wollten sie wieder hinabklettern. Aber es gab kein Jenseits' (HKG II, 2, 220). Or: '. . . alles war, wenn man so sagen darf, in eine einzige weiße Finsterniß gehüllt, und weil kein Schatten war, so war kein Urtheil über die Größe der Dinge' (HKG II, 2, 216). The oxymoron 'weiße Finsternis', of which Stifter is so apologetically aware, challenges all traditional categories and distinctions enshrined in human speech.

And yet, of course, the overall plot-line overrides such a radical disjunction of the human sphere and inanimate nature. The children would freeze to death 'wenn nicht die Natur in ihrer Größe ihnen beigestanden wäre' (HKG II, 2, 227). Here, in my view, the two perspectives I have spoken of intersect. If we stress the anthropomorphizing metaphor in the verb 'beistehen', then the 'Größe' of nature emerges as an agency of divine intervention. But this metaphor cannot banish the other interpretative possibility which takes 'Größe' in the non-figurative sense of sheer vastness. Under this aspect, nature simply *is,* a material totality, neither hostile nor friendly to man, but radically other. In this sense, we may argue that the description of the movements of light, the configuration of biblically anchored metaphors and sober scientific inquiry ('Hatte sich nun der Gewitterstoff . . . so gespannt' [HKG II, 2, 228]), — that this configuration enacts both Heaven and pure sky and thus is of a piece with the interaction of the two principles, the poetic and the prosaic, as signalled in the discursive prelude to the story.

Of course, the story has a happy ending and the final note is one of an idyllic vision. The narrator envisages the children sitting in their garden, 'wenn wie in der Vergangenheit die Sonne sehr schön scheint, der Lindenbaum duftet, die Bienen summen . . .' (HKG II, 2, 240). The idyllic aim is overt, but the *willed* naivety of these lines emerges once we realize that the narrator here echoes almost literally the words spoken by Konrad on the mountain when he strives to comfort his sister: 'Erinnerst du dich noch, wie wir oft nachmittags in dem Garten saßen, wie es recht schön war, wie die Bienen um uns summten, die Linden dufteten, und die Sonne von dem Himmel schien?' (HKG II, 2, 218). We know how problematic Konrad's voice of reassurance is, and this lends a precariousness to these closing lines.

In so far as *Bergkristall* embodies the threat of the 'weiße Finsternis', which cancels out all human notions and images of an ultimate accommodation, the story anticipates the horrific vision of that late piece *Aus dem bayrischen Wald* (1867). Here, too, a whole landscape, all the familiar landmarks are buried in snow. For Stifter, the experience of lost orientation, of lost meaning, was totally traumatic. For months, he was haunted by the vision of the monstrous, 'das Bild des weißen Ungeheuers' (SW XV, 353). But *Aus dem bayrischen Wald* — like *Bergkristall* — ends with Stifter finding his way back to a contained, meaningful world which his bourgeois poetic imagination so cherished. The notion of 'eingebürgert' is crucial in the following passage:

Jedoch Monate lang, wenn ich an die prachtvolle Waldgegend dachte, hatte ich statt des grün und rötlich und violett und blau und grau schimmernden Bandes, nur das Bild des weißen Ungeheuers vor mir. Endlich entfernte sich auch das, und das lange eingebürgerte edle Bild trat wieder an seine Stelle. (SW XV, 353)

The dialectic of the monstrous and the reassuring, this 'doppelt geschlungenes Leben', gives us the essential signature of Stifter's art. One thinks of the early piece 'Ein Gang durch die Katakomben.' Stifter's confrontation with brutal, anonymous death leads to reflections in an almost Schopenhauerian mode:

Welch eine furchtbare, eine ungeheure Gewalt muß es sein, der wir dahin gegeben sind, daß sie über uns verfüge — und wie riesenhaft, all unser Denken vernichtend, muß Plan und Zweck dieser Gewalt sein, daß vor ihr millionenfach ein Kunstwerk zu Grunde geht, das sie selber mit solcher Liebe baute, und zwar gleichgültig zu Grunde geht, als wäre es eben nichts! — oder gefällt sich jene Macht darin, im öden Kreislaufe immer dasselbe zu erzeugen, und zu zerstören? — es wäre gräßlich absurd! (SW XV, 60—61)

In this piece, Stifter pits against the category of 'ungeheuer' and 'absurd' a determined act of faith — in the face of the mindless, ever-regenerative cycle of nature, he leaps into an assertion of meaning: 'Mitten im Reiche der üppigsten Zerstörung durchflog mich ein Funke der innigsten Unsterblichkeitsüberzeugung' (SW XV, 61). Stifter's faith is nowhere more moving than when it is callenged to the very quick. And *Bergkristall* is a poignant example. In its counter-point, it creates transcendence, the poetic vision of a metaphysically underwritten humanity — and at the same time it acknowledges the full weight of prosaic factuality. In this sense, it prefigures the snow chapter in *Der Zauberberg*. Hans Castorp gets lost in the 'Chaos von weißer Finsternis'[5] — yet he is allowed to dream his dream of perfect humanity although the world in which he finds himself may hold no such promise. Both texts emerge with a conclusion that affirms the worth of men — the critically poised dignity of those constructs, metaphors and values by which he seeks to live.

In conclusion, I should like to suggest that such irresolutions as we find in *Der Hochwald,* and such narrative balancing acts as we discern in *Abdias, Kalkstein, Bergkristall,* may help us to perceive and appreciate recurrent issues in Stifter's works. I am thinking, for example, of *Die Mappe meines Urgroßvaters,* its central gamble which, in terms of the *Studienmappe,* is to create 'Dichtung des Plunders' (HKG I, 2). The *Mappe* strives to redeem the clutter and junk, the mere facticity of a life, to redeem 'die heilloseste Geschichte' (SW XII, 86) — a phrase used by the Doktor and echoed by Stifter himself. And yet, not only the fact that the novel remained a fragment, but inherent elements highlight the possibility that the gap between fact and meaning may not close. The death of the Obrist's wife, the Doktor's agonizing about the purpose of his life — these are just two examples. And in formal-stylistic terms, the problem is perhaps crystallized in what J P Stern has called Stifter's ontic style.[6] True, the use of the verb 'sein' as a full verb can stand in the service of celebrating plenitude — and yet, so often, the same device is critically close to turning in on itself, to a stark cataloguing of inert facts. The range of interpretative possibilities which this one device yields brings home to us the knife-edged undertaking of 'Dichtung des Plunders', the problematic enterprise of perceiving transcendence in, and creating transcendence from, matter. The thematic and formal frictions in Stifter's works bear witness to the difficulties of this task. Viewed historically, these frictions distinguish Stifter's oeuvre, even at its most conciliatory, from nineteenth-century 'Heimatliteratur' — and they challenge us, as modern readers, to question the mechanically pre-stabilized harmony and teleology of the computer narration, with its assertion that 'Nothing exists without a purpose'.

Notes

1 Stifter to Leo Tepe 26 December 1867, SW XXII, 175—182.
2 Thomas Mann, *Die Entstehung des Doktor Faustus,* in Mann, *Das essayistische Werk,* edited by Hans Bürgin (Fischer Bücherei, Frankfurt am Main and Hamburg, 1968), p. 157.

3 Raymond Williams, *The English Novel from Dickens to D H Lawrence* (St Albans, 1974), p. 70.
4 John Reddick, 'Tiger und Tugend in Stifters *Kalkstein:* Eine Polemik', *ZfdP*, 95 (1976), 235—255.
5 Thomas Mann, *Der Zauberberg* (Fischer Bücherei, Frankfurt am Main and Hamburg, 1975), p. 501.
6 J P Stern, *Idylls and Realities* (London, 1971), pp. 109 ff.

Zusammenfassung

In einem Brief Stifters aus seiner letzten Lebenszeit bemerkt der Dichter, daß er von früh an vom Drang beseelt war, „den Grund aller Dinge, die uns umgaben", zu verstehen. Diese Feststellung rührt an den Wesenskern seines Daseins, sie klingt in der Tat wie ein künstlerisches und menschliches Credo. Auffällig erscheint jedoch, wie merkwürdig unbestimmt das Vokabular ist: Ist „Grund" als eine metaphysische oder als eine naturwissenschaftliche Kategorie zu verstehen? Auf einer Ebene schließt Stifter tatsächlich die Möglichkeit transzendenter Sinngebung ein; aber auf einer anderen Ebene kommt er der nüchternen Anerkennung der baren Gegebenheit der Tatsachen und Verhältnisse sehr nahe, ohne irgendeine Dimension inhärenter Bedeutung. Diese Unsicherheit ist im Innersten seines schöpferischen Werkes angelegt.

In der vorliegenden Untersuchung werden eine Reihe von Texten besprochen — *Der Hochwald, Das alte Siegel, Der Hagestolz* — in denen sich diese Unsicherheit als eine Art erzählerische Unentschiedenheit manifestiert. In anderen Werken jedoch entwickelt Stifter diese Unentschiedenheit zu einer durchgehenden Dialektik, die sich geradezu als ein zentrales Organisationsprinzip des Erzählens erweist: *Abdias* und *Kalkstein* sind solche Texte. *Bergkristall* gehört ebenfalls dazu, und dieser Erzählung ist der Hauptteil der Untersuchung gewidmet: In *Bergkristall* wird mit einer doppelten Sehweise des Erzählens operiert. Auf der einen Seite die poetische Perspektive: In der Christnacht vollzieht die Natur die Wohltätigkeit des göttlichen Schöpfers und beschützt die schutzlosen Kinder, die sich ins Eis verirren. Andererseits legt die Erzählung eine prosaische Perspektive nahe, eine, die die schieren Größenverhältnisse, das radikal Andere der Natur, registriert. Die beiden Perspektiven treffen und überkreuzen sich in der entscheidenden Formulierung: „wenn nicht die Natur in ihrer Größe ihnen beigestanden wäre". Wenn wir den Hauptakzent auf die anthropomorphisierende Metapher von „beigestanden" legen, dann wird „Größe" als göttliches Eingreifen interpretierbar. Aber diese Metapher kann die andere Interpretationsmöglichkeit nicht ausschließen, die „Größe" im nicht-bildlichen Sinne von barer Unermeßlichkeit versteht. Unter diesem Aspekt existiert Natur einfach an sich, als stoffliche Einheit und Ganzheit, dem Menschen weder feindlich noch freundlich, jedoch als ein radikal Anderes.

In dieser merkwürdigen Kontrapunktik erscheint *Bergkristall* als ein Beispiel für jene „heimliche Kühnheit", die Thomas Mann als die essentielle Signatur von Stifters Kunst erkannt hat.

Mystification, Perspectivism and Symbolism in *Der Hochwald*

John Reddick

On the face of it, Stifter's novella *Der Hochwald* might well appear to be a plain tale upon which the sun shines warm and clear. That is certainly the view that the author himself so typically peddles when he writes of his new work in March 1841: 'Es dünkt mich, der *Hochwald* . . . gehe im milden Redeflusse fort, ein einfach schön Ergießen . . . Ich bin so kindisch, daß mich der Hochwald selber stellenweise rührt und freut.'[1] And why not? After all, the general setting — the mountain forest of the title — is a sanctuary of sovereign, immutable beauty; the apparent protagonists, Johanna and Clarissa, seem to glow with radiant clarity; and as for the plot, it is of such utter simplicity that it scarcely seems to exist. But not for nothing is Adalbert Stifter the greatest exponent of the *trompe-l'oeil* in German literature. The reader has only to move a little closer, to change his angle of vision, and the picture alters abruptly. The foreground that seemed so clear and benign is suddenly heavy with shadows, and these shadows merge into a background full of menace and foreboding. Go closer still, and we catch a glimpse of figures lurking darkly in the undergrowth. Move back to where we started from, and the original vista reappears at once, intact and blissful.

Far-fetched and extravagant? On the contrary, it is if anything an understatement. Let me offer two piquant samples from the text itself. One is the emphatically magical and sacral picture of the two young virgins that Stifter positions with care at the close of chapter three and virtually at the mid-point of the narrative. Here is just part of that radiant evocation, which is not for nothing by far the longest sentence in the story, continuing almost for a full page:

Aber vielmehr s i e [the two girls] waren ein Märchen für die ringsum staunende Wildniß. Wenn sie zum Beispiele an dem See saßen . . . — — oder wenn sie an heißen Nachmittagen zwischen den Stämmen wandelten . . . — — oder wenn sie in der bereits milder werdenden Herbstsonne auf ihrer Wiese am Rande des Gerölles saßen, auf irgend einem grauen Felsblocke ausruhend, Johanna das kinderlockige Haupt auf den Schooß ihrer Schwester gelegt, und diese mit klarem, liebreichem Mutterauge übergeneigt, in einem Gespräche des sichersten Vertrauens versunken — und wenn dem Siegel des Mundes das Herz nachfloß, und sie schweigend saßen, die schönen Hände ineinander gelegt, wie zwei Liebende, bewußtvoll ruhend in der gränzenlosen Neigung des Andern, und wenn Johanna meinte, nichts auf Erden sei so schön, als ihre Schwester, und Clarissa, nichts sei so schuldlos, als Johanna: so ist es, als schweige die prangende Wüste um sie aus Ehrfurcht, und die tausend kleinen Glimmertäfelchen der Steinwand glänzen und blitzen nur so emsig, um einen Sternenbogen um die geliebten Häupter zu spannen. (259—60)[2]

It seems a picture of paradise with its halo'ed icons of immaculate beauty and innocence in the blessed haven of nature. But no one versed in Stifter's work can fail to sense the menace in the very perfection and sustained elaborateness of this depiction. And sure enough, there are stirrings of lightning, storm and violence in the final sentence of the chapter that follows soon after, and within a few paragraphs the crisis begins to break at last with the appearance of the vulture, a predator majestic but doomed. Quite apart from what *follows* upon this all too perfect picture, however, it also turns out to be gravely blemished within itself. We might notice at the time, amongst other dark spots, the paradox of the 'prangende Wüste'[3], or the slight but peculiar shadow cast by the depiction of these saint-like sisters as a pair of lovers, a woman and a man ('wie zwei *Liebende*, bewußtvoll ruhend in der gränzenlosen Neigung *des* Andern'). But what Stifter, in his characteristically oblique and suppressive manner, reveals only much later in the narrative (in the middle of chapter five), is that these two virgins in their innocent abandon were far from alone in paradise, for there was a serpent hidden in the bushes, the furtive Ronald gazing intently at their every move, and poised to quite literally trigger the catastrophe with his killing of the vulture!

The second of the two examples demonstrates Stifter's mastery of shifting perspective with particular clarity, and here it is the very characters themselves who are faced with contrary pictures of a single reality. I am thinking of the sisters' fateful journey to the look-out with Gregor towards the close of chapter six. First a vast blanket of cloud, and then the strange single little cloud, have long made their far-distant home invisible. Now, as they reach their vantage-point, there is 'láutes Jubeln' as the cosy and familiar picture of their beloved castle presents itself to the naked eye: 'denn in der glasklaren Luft, so rein, als wäre sie gar nicht da, stand der geliebte Würfel . . ., so deutlich stand er da, als müßte sie mit freiem Auge seine Theile unterscheiden' (305). When they look through the telescope, on the other hand, what they see is a picture of terrifying devastation! Stifter plays here on the word 'Bild': Johanna keeps turning away and then looking again, in the hope that what she sees is 'ein lächerlich Luft*bild*' that will melt away — 'jedoch in derselben milden Luft stand dasselbe *Bild,* angeleuchtet von der sanften Sonne . . ., zum Entsetzen deutlich' (305). A little later, the contradictory perspectives — and also the dilemma that they entail both for the characters and for the reader — are precisely and provocatively highlighted:

Sobald [Johanna] das Auge wegwendete, und den schönen blauen Waldduft sah, wie sonst, und den lieblich blauen Würfel, wie sonst, und den lachenden blauen Himmel gar so prangend, so war es ihr, als könne es ja ganz und gar nicht möglich sein — und wenn sie wieder in das Glas sah, so war's, als sei selbst das heitre Firmament düster und schreckhaft, und das Walddunkel ein riesig hinausgehendes schwarzes Bahrtuch. (307–8)[4]

This one sentence, so perfect in its equilibrium, epitomises the essential problem and the essential fascination of the entire text: 'Now you see it, now you don't!' Look at the overall view, so smiling and gentle, and the individual dark spots shrink so much that they scarcely seem to exist; focus on the dark spots, and the overall beauty acquires a menacing and deathly air. Given such insistent perspectivism, no single, unified truth can emerge — especially since the author systematically intensifies the ambiguity. Not content with offering us contradictory pictures, Stifter makes every image within every picture heavy with meaning — but carefully omits any explanation of that meaning, or else deliberately confuses and even misleads the reader. We are thrown back continually on the interpretation of *signs* — as also are the very characters themselves. And whereas at first we might share the confidence of the girls' father in the 'Untrüglichkeit [der] Symptome' (231), we soon find ourselves in a predicament that is, again, precisely echoed within the text: 'Wir begriffen nicht, was er wollte' (314); 'wir verstanden die Zeichen . . . nicht' (314); 'Alle Zeichen . . . trogen' (317). The world of *Der Hochwald* thus threatens to become like the eponymous 'Hochwald' itself: 'unermeßlich und undurchdringlich' (222), 'unermeßlich' and 'schweigen[d]' (318), 'eine unermess'ne Aussicht, strömend in deine Augen und sie fast mit Glanz erdrückend' (216; a sentence that Kafka could have written!) Faced with a vista so complex and multiple, we might almost be tempted to follow the advice of Bruno the 'Ritter', and give up: 'Forschet nicht . . .; wer enträtselt das Wirrsal' (316).[5]

*

One of Stifter's main techniques for preventing both reader and characters from gaining a full or accurate view of things, is simply to withhold information, either by delaying it so that the 'truth' can only be reconstructed retrospectively (as in the case of Ronald's secret presence in the undergrowth), or even by suppressing information partially and sometimes entirely. Certainly the reader could fairly say to Stifter what his Johanna says to Gregor: 'O Gott! ihr wißt mehr, als ihr uns sagen wollet' (271).

It would have been instructive indeed if Stifter's original draft of the story, entitled 'Der Wildschütz' and completed in mid-January 1841, had survived. For we can be fairly sure that it contained much that was later excised. But we do have the first-published *Iris* version to compare with the *Studien* versions, and although Stifter made relatively few material changes, there are nevertheless some notable cases of suppression. The only major one in terms of length occurs at the end of chapter one: the *Iris* version included a whole two-page description of the girls' father berating the 'Jägerbursche' and one of his servants for their tittle-tattle about the alleged 'Wildschütze' in the forest — but this is almost entirely cut, leaving just a scant few lines (232; cf. I, 1, 214—6). One reason, perhaps, was that the original passage cast too cold and clear a light on the rumours as being just a silly pack of lies, whereas Stifter needed them to remain shadowy and mysterious. But surely the main reason for the cut was that he wanted no spotlight of *any* kind to shine on the 'Wildschütze', who was to be put over as neither more nor less than a vague background presence: by this means — and in particular by suppressing his original story-title ('Der Wildschütz') — Stifter is able to deceive his 'geneigten Leser' and prevent him from realising for a very long time that the 'Wildschütze' *alias* Ronald is in fact the true hero or un-hero of the story, and its essential driving force from start to finish. Even at the very end of the story, with Ronald now dead, Stifter not only carefully re-consigns him to the realm of the unknown from whence he came — it is Clarissa's question as to his burial place that provokes the comment quoted earlier: 'Forschet nicht, Clarissa, wer enträthselt das Wirrsal . . .?' — but he also further obscures his shadowy background by suppressing the *Iris* version's sole explicit reference to his parentage, which originally followed the description of his death: ' — man sagt, er sei der Sohn ihres Königs gewesen aus einer sehr frühen unglücklichen Jugendliebe — ' (I, 1, 296). We may *deduce* as much from the later version — but deduction it must be, for Stifter will tell us nothing in so many words. His practice is precisely that which he ascribes to Clarissa towards the beginning of the story when, instead of playing the full melody of her beloved song, she tries to conceal it, sounding only occasional, disconnected notes on her harp — 'einzelne Töne . . ., die nicht zusammenhängen' — so that the truth is deliberately submerged, leaving nothing visible but 'Inselspitzen einer untergesunkenen Melodie' (219). The reader must hope that he can share Johanna's confidence in the face of these scattered clues: '"Siehe, Clarissa, wenn du auch die Melodie verbergen willst, ich kenne doch das Lied, das du schon wieder singen möchtest. — "' (219)![6]

This strategy of suppression, of allowing nothing of the essential landscape to appear save scattered islets, is at work throughout the entire novella, but nowhere more acutely and cryptically than in the very context of the 'Inselspitzen' image. We are told the barest details of Clarissa's song-fragment and its background: just enough to tickle our curiosity. The attentive reader might just notice that the 'weiße Gebeine' and the 'gold'ne Kron'' of the song-fragment (219) recall the 'Goldkörner' and the 'weiße Gerippe' and 'bleiche Schädel' so curiously evoked in the earlier depiction of the secret pool (212—3). But what then is the connection? Why Clarissa's compulsion to play the song at all? Who is this man — 'sehr sanft und gut', so Clarissa avers — who composed it? Why does the father dislike her singing this particular song? Why does the song lead to Clarissa's outburst about torrid passion, suffering and heart-rending joy?

The particular type of mystification involved in this case is directed solely at the reader, who is patently prevented from knowing what the characters in the story know. This same pattern applies with regard to the 'Ritter'. Only at the very end do we know for sure what the girls and their father had known throughout, namely that the 'Ritter' was Clarissa's would-be lover. Typically, Stifter does not even reveal his name until the final pages — whereas he readily gives names to characters so peripheral that they never even appear in the story! After first sporadically mentioning him as a figure apparently devoid of significance, Stifter scatters a few judicious hints: slowly the nameless, adjectiveless 'Ritter' and 'Reiter' is brought into focus as 'der nachdenkliche Reiter' (237), 'der fremde Ritter' (239), 'de[r] fremd[e] Reiter, den der Freiherr immer bloß mit dem Namen "Ritter" anredete' (240) and then, above all, as 'der räthselhafte Begleiter ihrer Reise, der Ritter, der Clarissa düster anstarrte' (253) — 'räthselhaft' yes, but only for us, not for the characters, who are privy to the mystery, as we begin to realise here when we read of Johanna's 'höchste Spannung' as she awaits the man's reaction to Clarissa at the leavetaking. Stifter's suppressive urge can be precisely documented at this point — for the laconic description just quoted is all he retains of a distinctly discursive portrayal in the earlier *Iris* version:

Der räthselhafte Begleiter ihrer Reise, der Ritter, von dem wir erst jetzt, wie er Clarissen dunkel und düster anstarrt, bemerken, daß er eigentlich ein sehr bedeutungsvoller Mann sein müsse, nicht mehr ganz jung, doch liegen unter der gedankenvollen Stirne zwei Flammen von Augen brennend und geistvoll, und von jener tiefen Schwärze, die Männern so gut steht, wenn es drinnen ungewiß lodert, halb Kühnheit und halb Schwermuth. (I, 1, 235—6)

This comparison incidentally also demonstrates how very much Stifter's writing gains by its losses: the *Iris* passage was flat and platitudinous in its prolixity — the *Studien* one by its very brevity is pregnant with mystery and far more telling.

In these two cases of the fragmentary song and the shadowy 'Ritter', only the reader is kept in ignorance, while the characters are in the know. But this is by no means typical: in the main, as I implied earlier on, the key victims of mystification are the characters themselves. Indeed there is an almost Kleistian logic whereby each successive stage of the disaster appears to be precipitated by the characters' own ignorance and by their consequent misjudgements, their reliance on the 'Untrüglichkeit [der] Symptome' when in fact 'Alle Zeichen . . . trogen'!

This fatal mystification of the characters takes two distinct forms: to some extent the characters are deceived by the sheer opacity of existence; but above all they are deceived by each other.

The first category is poignantly demonstrated in the opening chapter, when Stifter deliberately runs the film backwards, as it were. We see the two virgins in their bloom of youth and their resplendent, happy dwelling — but not until we have already seen that same dwelling in ruins, and have also seen the deathly disarray of the other key locale, the forest pool. This yields a perfect balance of imperfect knowledge: the reader does not know about the song which the characters know; but the characters do not know about their own future what the reader knows. But then later on, when the girls completely change the subject and talk of the fabled 'Wildschütze' instead of the song and its shadowy originator, neither the reader nor the girls themselves can begin to suspect that in truth they have not changed the subject at all, the 'good and gentle' song-writer of the past and the diabolical murderer in the present being of course one and the same person, namely Ronald! As for the girls' father, he is the most deeply deceived of all by the opacity of existence. He 'knows' with absolute certainty that there is no 'Mörder und Wildschütze' in the forest: '[Er] sagte . . . sehr gelassen und fest: "Es ist keiner dort. . . . Es ist keiner dort, glaubt es mir . . . kein Gedanke irgend eines solchen Mannes ist dort, selbst nicht die Sage von ihm . . ."' (229—30). And he should know: he has had the whole forest scoured for months by the 'Ritter' and by his son Felix, and can tell the girls as a definite fact: 'Menschen werdet ihr die ganze Zeit eures Aufenthaltes daselbst nicht sehen, außer die zu euch gehören.' (229). The forest refuge is thus utterly safe of itself; but to make it safer than safe, the father has taken multiple precautions of extraordinary, even comical elaborateness, epitomised by such details as the access-path blocked off by rock-blasting, or the extraordinary fortified rafts. No wonder he can be so thoroughly confident that the girls will return safe and sound once the danger is past — and return to a castle rebuilt and refurbished ('wieder neu und blank herausgeputzt', 230). But of course he is fatally wrong in every respect. There *is* a 'Wildschütze'; it is precisely he who will invade the uninvadable sanctuary — thanks to knowledge gained from the very person entrusted with the girls' protection; and it is he who will precipitate the father's own death, as well as his own and others', and the ruination of the castle and all who are associated with it. This is a poignant irony in itself. But it takes on a further dimension again when Ronald, the confounder of all the father's wise precautions and certain knowledge, himself falls prey to the same fatal confidence based on the misinterpretation of existence — 'gewiß bringe ich es dahin, daß man euer harmlos Haus ganz unangetastet läßt, und daß auf dem hochverehrten Haupte [of the girls' father] . . . kein einzig Härchen gelüftet werde.' (294). Ronald's confident prognostications here even include a specific allusion to the deceptiveness of signs: '*Wenn nicht alle Zeichen trügen,* so naht dieser Krieg schnell seinem Ende' — and the narrative pointedly refers back to this later on: 'Alle Zeichen Ronald's trogen, und der Krieg, statt ein Ende zu nehmen, dauerte noch in die Jahre und Jahre' (317).

That other category of mystification, whereby the characters are deceived by other characters, is also plainly evident in the opening chapter. With perfect irony once again, it is the girls' father, so deceived himself, who is the would-be deceiver. When he first comes into their bedroom he so blatantly avoids his true concern that they themselves begin to smell a rat: 'so ahnete es ihnen wohl, daß er etwas auf dem Herzen trage, was er sich scheue, ihnen zu eröffnen' (226). In due course he manages to broach the subject, but at first he comes out with a pack of lies — small and white, may be, but lies all the same: he talks of the 'Ritter' enjoying the delights of a hunting trip ('Jagdausflug', 226; 'Jagdvergnügen', 227) that has lasted some four weeks; of the secure beauty of the forest fastness; of the 'Ritter' allegedly happening upon a rock-outcrop from which the castle can be seen; of a possible 'Spaziergang in jene anmuthigen Wildnisse' (227). It is only when he sees Johanna's response of mortal terror ('Ein zu Tode erschrockener Blick', 227) that he is driven to reveal the truth: the war threat, the ready-built refuge, the fact that the 'Ritter' was not on a four-week pleasure trip but a three-month remorseless hunt for the rumoured 'Wildschütze'. There is no malice here, indeed there are arguably no malicious deceptions at any stage in the story. And the father's deceptions are instantly rumbled and thoroughly harmless. But they are significant all the same inasmuch as they reflect Stifter's own extreme unwillingness to deal openly with sordid reality — and this unwillingness is explicitly voiced here through the medium of the father: he has always spared his daughters from news of the war, so he tells them, in order that 'euer Herz nicht mit Dingen beleidiget werde, die ihr lieber nicht wisset' (228); and if he is now telling the truth, it is only because he is forced to by necessity ('Not'). Stifter, too, felt driven to deal with the darker depths of reality — not for nothing is the black, black pool the central image of the story. But while his creature the father slithers naively from patent lie to naked truth, he himself incessantly disports his illusionist mastery and his cunning *trompe-l'oeil* effects.

The father's lies, then, are ineffectual and fool no one, except perhaps briefly the reader. But though the characters may not actively deceive each other by lying, they certainly do so passively by withholding the truth. Indeed Stifter makes this a key factor in the catastrophe: if those concerned had been open instead of secretive, the outcome would have been utterly different. (Though we should note that in due course we will encounter a fundamental ambiguity in the text over this question of what really determines the outcome: see below, page 50 f.).

The focal point of all the passive deceptions in the story is of course Ronald, and they begin to surface only when he does. As soon as Gregor extracts the tiny bullet from the dead vulture he understands its message, namely that Ronald is at hand. But although he admits that he knows who the hidden marksman is, and speaks of him in general terms, he fails to identify him or to explain how he knows him — thus provoking the frightened comment of Johanna's quoted earlier: 'O Gott! Ihr wißt mehr, als Ihr uns sagen wollet.' And just as he refuses to reveal Ronald's identity to the girls, so he refuses on his secret nocturnal visits to his old friend to convey any message from him to Clarissa; as Stifter has Ronald remark later on: 'Keine Macht der Ueberredung konnte [Gregor] dahin bringen, daß er euch von mir eine Botschaft brächte —' (282—3). Ronald overcomes this barrier by singing his song and thus procuring his fateful meeting with Clarissa — but Gregor then carefully conceals this meeting from the servants by the simple expedient of imprisoning them in the palisaded house.

In Gregor's case, the withholding of the truth is as inconsequential as it is dutiful and proper: Gregor is merely fulfilling his obligation of isolating his two charges from every conceivable external danger. Paradoxically, it is only when he gives in and permits direct and open communication between the two lovers that he blunders and contributes his bit to the tragic imbroglio. But this blunder of excessive openness is only possible because of a momentous *lack* of openness on the part of Ronald during his intimate relationship with Gregor years before. Stifter carefully highlights this through both of them in turn. First Ronald tells how, in his wild roamings aimed at shaking off his passion for Clarissa, he had met Gregor and loved him as a son — but with his passion still lodged unshakeably 'im *verschwiegenen* Herzen' (285). Then Gregor in his account of their friendship remarks:

— du hast mir nie von [Clarissa] gesagt, daß du ihr so in Liebe zugethan bist, es war auch keine Ursache dazu. Jeder Mensch hat sein Herz, wie jedes Kraut seine Blume, er mag es geheim halten, die Blume thut es nicht — (290)

Though they are gone almost before the reader notices them, these are memorable words, for they coincidentally constitute a classic proof of something that remains unrecognised by most commentators on Stifter, and indeed by a part of Stifter himself, namely that fundamental ambivalence whereby he sees the worlds of men and of nature as operating according to entirely different sets of laws. I shall return to the cardinal issue of such antinomies in due course. Let it simply be noted here that while the flower of nature entirely and unfailingly reveals itself, the human-being may conceal his essential truth — and with complete propriety. It is indeed important that Gregor, and Stifter with him, does not regard Ronald's concealment of his private acts and obsessions as wrong. For Stifter, as I shall show, the bitter wrong lies, if it lies anywhere, in the acts and obsessions themselves; their concealment is quite proper and decent — albeit in practical terms a fatal mistake that conduces to Ronald's own death and that of many others. The same applies in full measure to Clarissa. She too has persistently concealed her consuming passion, letting it show only obliquely and occasionally, as in those 'Inselspitzen einer untergesunkenen Melodie' mentioned earlier. Hence the Kleistian rebuke voiced at the end through the 'Ritter':

— wie hätte ich auch ahnen können. — — Wäret ihr von jeher vertrauender gegen Alle gewesen, so hätte ich euch nie mit Werbung gequält, und wahrscheinlich wäre das Letzte auch nicht geschehen — —. (312)

It is true that these words could perhaps be construed as implying a moral fault in Clarissa in her concealment of her passion. But the issue loses all significance if we accept that, with her as with Ronald, the essential question as to wrong and culpability attaches only to the *thing concealed,* the absolute and unconditional passion by which both are ruled.

It is here, perhaps, that we begin to sight the central problems of the text, the problems that lie behind the entire apparatus of multiple perspectives and layers of mystification that Stifter exploits with such inexhaustible skill. And the sheer complexity of his apparatus seems all the more judicious when we realise that Stifter is venturing into a labyrinthine realm of ultimate, and ultimately intractable, questions — questions like: Where does truth lie? What is Good and what is Evil? Where, if anywhere, is God? And if he exists, can his works be justified? Such questions arise acutely at that precise moment when the frenzy of death and destruction is finally unleashed, the moment, that is, when Ronald approaches the castle wall and provokes the father's fatal response. This momentary but critical episode parades almost all those features of perspectivism, partial knowledge, false assumptions, passive deception etc. that we have identified: Ronald had arrived among the Swedish besiegers the day before, but without any of the besieged either recognizing him or understanding his intentions ('Wir begriffen nicht, was er wollte', 314). He now approaches close to the walls, and is mistakenly assumed to be spying out the land (' — ach, wie wir glaubten, um zu kundschaften', 314). His helmet comes off, and with him being at last recognisable we might assume that his true intentions of total friendliness could now be perceived. Ronald presumably makes the same assumption, for he gives no special signal of his role as would-be saviour. But the assumption is utterly wrong: far from saving the situation, the revelation of his identity is what triggers the disaster. At this point Stifter shifts with great felicity to a perspectivist device that has already played a major part throughout the story: instead of allowing us to experience the decisive events empathetically, as it were from within the characters — something that Stifter in fact never allows his readers to do in any of his works — he puts us at not just one but two removes from the action. Whereas in Keller we might have seen Ronald through the father's own eyes and directly felt his reactions, Stifter has us see the 'Ritter' seeing the father seeing:

euer Vater [sah] mit allen Merkmalen höchster Ueberraschung . . . lange und unverwandt auf ihn hin; — da sah ich nach und nach ein Roth in seine Wangen steigen, bis sie dunkel, wie in Zornesglut brannten. Ohne eine Silbe zu sagen, schleuderte er mit einem Male seine Lanze gegen den Reiter. (314)

What a classic piece of Stifter this is! What *does* go on here in the father's mind and emotions? The only evidence consists of outward signs, reported by a third party. We can suppose that he recognises Ronald; he displays the signs of extreme surprise; his cheeks take on a deep red hue so that they burn '*wie* in Zornesglut'; he throws his lance at his erstwhile house-guest — in irrational disregard of the fact 'daß sie auf diese Entfernung gar nicht treffen könne'; and Stifter so typically has him enact this symbolic gesture 'ohne eine Silbe zu sagen'! Assuming that he was indeed first surprised and then enraged, the immediate inference we might draw is that, being anyway temperamentally inclined to rely too readily on the 'Untrüglichkeit [der] Symptome' (231), he simply misinterpreted the evidence, and mistakenly saw an old friend as a traitor when in truth he was approaching as his saviour. But there is another possibility, equally valid but far more sombre and profound. Perhaps the father was not mistaken at all. Perhaps he saw something quite inaccessible to all others present except Ronald himself: did he perhaps recognise in the beautiful young man below him the devilish seducer and corrupter of his own child? We are never told how much the father knew about Ronald's original illicit involvement with his child, or indeed whether he knew anything at all. The single scrap of evidence is Johanna's remark that he disliked Clarissa playing or singing Ronald's song. But it is perfectly possible that he knew a great deal about the liaison, just as Ronald's father did; that he suspected the true identity of the fabled 'Wildschütze' from the outset, and set Bruno to scouring the forest for this very reason; that his excessive but still inadequate precautions for protecting the two girls were to shield them, not from Swedish forces in general, but from Ronald and his like in particular.

Stifter does not begin to tell us which of these drastically different alternatives comes closer to the fictive truth, which is scarcely surprising since truth itself is a problematic quantity in the novella. What is certain is that he does confront us with the two alternatives, much as the girls were confronted with two contrary views from their rocky vantage point: what we see at first sight is a terrible but apparently adventitious disaster, the result of an unfortunate coincidence of sundry misreadings of reality; but once looked at through a close-up lens the disaster appears not coincidental but inexorable — a remorseless enactment of Fate, even Nemesis. On the face of it this may seem a fanciful interpretation. But in fact this essential dilemma is clearly defined in the text itself, in the very sentence that describes the father's response:

War es nun *Verblendung,* war es *Verhängniß, das sich erfüllen mußte,* wir verstanden die Zeichen des Jünglings nicht, wie er so zuversichtlich vorritt, ja euer Vater (etc.; 314) .

'Verblendung' and/or 'Verhängniß' as the true logic behind events: at no other point in the novella is this stark antinomy formulated at all, let alone with such concision. But of course this is no last-minute development, no sudden new twist: it is precisely one of those scattered 'Töne oder Inselspitzen' by which alone the 'untergesunkene Melodie' of Stifter's tale may be apprehended — and in its very dualism it is a mark of the extraordinary wealth of ambiguity that lies beneath the story's surface. We need now to turn our attention to the symbolic 'Inselspitzen' themselves — in order to try to gauge the shape of that submerged, ambiguous landscape of which they are the sole visible portents.[7]

*

Among the key 'signifiers' in the narrative are the personae.[8] Stifter's figures are always symbolic rather than 'realistic', and this is enhanced here by the remote seventeenth century setting. It is typical that he even encourages us to see the personae iconologically, by depicting them in terms of a known context of *painted* images: the very first sentence about Johanna says that she is dressed 'nach der so malerischen Art, wie wir sie noch hie und da auf Gemälden aus der Zeit des dreißigjährigen Krieges sehen' (217); on the journey to the forest refuge the girls peer from their sedan-chair 'wie zwei Engelsbilder aus einem Rahmen' (242); and on the first appearance of the girl's father, he is represented as 'eine Gestalt, als träte sie aus einem Rahmen Van Dyk's' (224).

This first representation of the father (224—5) is in fact a perfect vignette of Stifter's highly oblique mode of symbolic character-portrayal, whereby he creates one image only through the agency of other images, so that what appears at first sight to be a single coherent picture soon dissolves on closer inspection into a kind of collage of dissociated, even contradictory fragments, expressed through a syntax so elliptical that the relation of the parts can only be conjectured. The father is like a figure from Van Dyck — but he is also reminiscent of the (implicitly Biblical) 'Zeit der Seher und Propheten', and on top of that he is a rare representative of bygone chivalry ('eine der wenigen damals noch sichtbaren Figuren des abgeblühten Ritterthums'). He is 'wie eine Zeitlose auf der . . . Herbstwiese', but almost in the same breath he is described — with his 'arched' eye and his 'rock-like', 'furrowed' brow — as a 'Ruine', which in turn rapidly metamorphoses first into 'ein stummer Nachsommer' and then (apparently) into sheaves of corn on a harvest field. The whole passage of some sixteen lines is too long to quote here, but the 'Ruine' — 'Nachsommer' segment is particularly striking in 'Inselspitzen' terms:

Er war damals schon hoch in den Jahren, aber ein wunderschöner Greis . . ., eine Ruine gewaltiger Männerkraft und Männergröße, eine Ruine, jetzt nur noch beschienen von der milden Abendsonne der Güte, wie ein stummer Nachsommer nach schweren lärmenden Gewittern — wie der müde Vollmond auf den Garben des Erntefeldes — — die stille, milde, tiefe Güte.

We may instantly recognise a Stifter archetype here: the elderly man who has passed through extreme turmoil but now stands serene and safe from the inner forces that devastated him in the years of his manly vigour. The 'Nachsommer' image might remind us of Risach; but there are many others, like the grandfather in 'Granit' or the Kar priest in 'Kalkstein'. Within the specific context of *Der Hochwald,* the reader is also struck by the 'ruin' image, which strongly echoes the earlier and equally symbolic depiction of the devastated castle. The image of the 'storm' is also resonant. We recognise it of course from a hundred other contexts in Stifter's work. How fitting, for instance, that Risach's first statement in *Der Nachsommer* should be the words '"Das Gewitter wird nicht zum Ausbruche kommen"';[9] while the priest's involvement with the narrator in *Kalkstein* begins when he tells him that he will not get back to the high-road in time '"Weil das Gewitter ausbrechen wird"' (II,2 73). But even within *Der Hochwald* we have already encountered it by this stage: we have heard that the castle has an allegedly 'sturmgerechtes Dach' (217); and we have heard Clarissa speak of 'die heißen Blitze' of passion (220). A few pages later there is the father's prediction of a storm: 'trügen nicht alle Zeichen, so käme gewiß heute noch ein Gewitter' (231). On the face of it, this is just a little joke to cheer Johanna up: the sky is 'spiegelrein', he makes his prediction with a teasing glance, and he brings a smile to Johanna's face. The irony is that, while his storm forecasts are mistaken nine times out of ten, he is absolutely right in this case: a storm *is* indeed gathering over the family that will devastate it utterly. At the end of chapter three, the critical mid-point of the story, the first signs appear: the moon's rays by the black pool are 'stumme Blitze', while planet earth rushes 'stürmend' on its course (261). Ronald is 'stürmisch' and 'stürmend' in his attempts to procure a meeting with Clarissa (291, 294), and he tells how he had thrown himself 'im Sturme' upon the child Clarissa (287). Finally, there is 'Sturm hier, dort, überall' when the father aims his lance at Ronald (314) — the father who is safe from violent tempests in his own soul, is ironically destroyed by the tempestuous passion of other people's. And it is this nexus of passion and destruction that is expressed in the novella's most graphic and ominous example of storm symbolism: Ronald's story of the lightning-shattered remnant of a tree, a blasted stump that in the light of day is 'ein mißfärbiges Grau', but at night, with Clarissa's music in the air, 'beginnt . . . zu leuchten, blau und grün und weiß' — and holds him spellbound for hours at a time (284). What a cruel but magnificent image of their love: stricken and barren through fieriness of passion, and squalid to the normal waking eye — and yet, in the special realm of night, magically radiant and alive (a Stifterian double perspective of particular force!)[10]

Much the most intensively figured characters in the narrative are of course the two sisters — but, as we might expect, Stifter offers no clear and constant image of them. Sometimes we are invited to see them as symbolic 'twins', as two manifestations of the same thing. At an early stage they are projected as little children (complete with Biblical reference) who jointly make their bedroom seem 'geweiht und rein, wie eine Kirche' (224); again, a little later, their room appears 'geweiht durch die Anwesenheit zweier Engel' (230); on the journey through the forest both are clad in white dresses and veils, their faces 'doppelt rein und zart' (236), and they are 'wie zwei Engelsbilder' (242); as we have seen, they jointly give an impression of paradisal peace with Ronald hidden in the undergrowth. This apparent equivalence is deceptive, however, for the two girls are fundamentally different in terms both of their symbolic significance and of their role within the story. Indeed, so far as their role is concerned one might well ask what Johanna is doing in the story at all, since at the surface level of the plot she is entirely superfluous! And yet Stifter repeatedly shines the limelight more strongly on her — nowhere more strikingly than in his first depiction of the two sisters, where he first creates Johanna, and devotes twenty lines to her, and only then creates Clarissa, giving her a mere nine lines.

However much the girls may subsequently be assimilated to each other, or, to be more precise, however much Clarissa may be assimilated to Johanna, the symbolic images that are painted in this first portrayal (217—8) are in fact starkly, remarkably different, even antithetical. Johanna has a mass of blond curls and eyes that are dark but not black ('dunkelbraun, fast schwarz'); Clarissa has deep black eyes in a pale face, and hair that is 'äußerst schwarz' and tumbles down in torrents ('in breitem niedergehendem Strome'). Johanna is fully dressed, and in clothes that are 'malerisch' and 'altväterisch'; Clarissa is clad only in the 'faltenreichen Schnee' of a night-dress. Johanna is demurely engaged on the suitably girlish pursuit of embroidery; Clarissa is perched on a divan rummaging for some unexplained reason through papers and parchments.

The most remarkable difference, though, lies not in the images themselves, but in the manner in which they are presented. Not only is Clarissa depicted second, and in less than half the space, but the paragraph on her is as laconic, even reticent in style as the previous paragraph on Johanna is fulsome, even garrulous. Clarissa is shaped with sparse, bold strokes, without a word of com-mentary: we are told nothing whatever about either her thoughts and feelings, or the narrator's thoughts and feelings about her:

Die Aeltere ist noch nicht angezogen. Sie sitzt in einem weißen Nachtkleide auf einer Art von Ruhebett, auf dem sie viele Papiere und Pergamentrollen ausgebreitet hat, in denen sie herumsucht. Eine Fülle äußerst schwarzer Haare ist aufgelöst und schneidet in breitem niedergehendem Strome den faltenreichen Schnee des Nachtgewandes. Das Gesicht ist fein und geistreich, nur etwas blaß, daher die Augen desto dunkler dar-aus vorleuchten, da sie den Haaren entsprechend sind, tief schwarz, und fast noch größer, als die braunen der Schwester. (218)

The Johanna paragraph, on the other hand, almost seems to be written by a different author, with its baroque piling-up of comparison, interpretation and commentary. The description of her physical features makes her an early Miss Pears: she does not have a 'schönen Kopf' but a 'schönes Köpfchen'; she is not merely blond and curly but 'über und über blondlockig'; she is not plainly and straightforwardly young, but instead 'schaut fast wunderselig jung aus der alt-väterischen Kleiderwolke'. As for her clothes, the narrator not only depicts her as 'altväterisch' and 'malerisch' as in contemporary paintings, but also indulges in an extraordinary cannonade of sentences whose predicates mostly defy logic, and which, while purporting to describe out-ward appearance, in fact convey an emblematic picture of inner integrity, perfection and purity: 'Alles ist *nett.* Aermel und Mieder schließen *reinlich,* jede Falte der Schleppe liegt *bewußtvoll,* jede Schleife sitzt *wohlberechtigt,* und jede Buffe *gilt*'![11] There is a powerful sense of the steady and stable, even of the statuesque, in this whole picture-frame depiction — and the narrator inten-sifies this with a boldly, almost extravagantly architectural image: Johanna's clothes are suddenly transmuted into an edifice with her head for a gable! — 'über dem Ganzen des Trachtenbaues schwebt als Giebel ein schönes Köpfchen'; how different this is from the flowing torrent of hair that is ascribed to Clarissa! How different, too, is the narrator's willingness to *interpret* what he sees! He will betray nothing of Clarissa's inner self, but Johanna's seems to lie open like a book. There is his remark: 'Man sieht es offenbar, sie hat hohe Freude an ihrem Anzuge'; but above all there is his lavish evocation of what *his* eyes perceive through the 'frame' and 'window' of *her* eyes:

[sie] liegen . . . so rein und rund in ihrem Rahmen, daß man sieht, wie die junge Seele, unberührt von Schmerz und Leidenschaft, noch so arglos zutäppisch durch ihre Fensterlein herausschaut, weil die Welt gar so groß und prächtig ist. (218)

After these patently unequal depictions of the two sisters, the innocent reader would be justified in assuming that Johanna is much the more important character, indeed that she is the central figure of the whole story. And this impression is strongly reinforced a little later when it comes to the journey through the forest: 'Johanna blieb fast immer an der Spitze', the narrator remarks — and nowhere is this more blatant than in the first depiction of the group as it rides into view: the father, the brother and the mysterious 'fünfter Reiter' (i.e. Bruno) are all grouped into one sentence, and come last; before that, Clarissa has a sentence to herself, but only of three lines; Johanna, however, is described first, and in a sentence of no less than fourteen lines — and how radiantly emblematic she seems, replete with fairy-tale and legendary associations:

— Plötzlich sprang eine Gestalt vor — elfig, wie einst Libussa's Mutter in schneeweißem Kleide saß sie auf schneeweißem Pferdlein, das so zartfüßig wie ein Reh kaum den Rasen eindrückend, halb hüpfend, halb spielend seine Last wie eine schwebende Feder zwischen den Stämmen hervortrug (234)

In one sense Johanna is indeed the key figure of the work — but only as the essentially passive and static centrepiece of its symbolic apparatus. So far as the narrative action is concerned, the rich 'foregrounding' of Johanna is a grand deception that prevents the unsuspecting reader from realising for a very long time who the true protagonists are. Nevertheless, there are clues enough for the Stifterian sleuth to trace the connections carefully concealed beneath the surface; in particular, to recognise the secret kinship between the initial laconic picture of Clarissa — and the earlier powerful depiction of the main locale, the forest pool (212—4).

The chief clue here is Stifter's pointed use of black and white. It will be recalled that Clarissa sits in a night-dress of snowy white cut by a torrent of 'äußerst schwarzer Haare', and that her face is 'etwas blaß, daher die Augen desto dunkler daraus vorleuchten, da sie den Haaren entsprechend sind, tief schwarz'; in fact blackness and whiteness are the only emphatic element in the first brief depiction of her. The innocent reader might register the 'faltenreichen Schnee' of her night-dress as a traditional image of 'unblemished purity' — and he might feel encouraged in this view when he finds Stifter using the image later on in precisely this sense in his fairytale picture of Johanna riding through the forest 'in schneeweißem Kleide . . . auf schneeweißem Pferdlein'. But in Clarissa's case the snowy white is linked indissolubly with black, and has a quite different symbolic value, as becomes clear when we realise that the black-white in the Clarissa picture echoes a powerful element in the presentation of the pool and its surroundings — black and white being in that case unambiguous tokens of death, disorder, disintegration, infinite melancholy! The terrain, 'wild' and 'zerrissen', consists of nothing but 'tief schwarzer Erde, dem dunklen Todtenbette tausendjähriger Vegetation', and randomly scattered upon this blackness are granite fragments 'wie bleiche Schädel', and occasionally 'das weiße Geripppe eines gestürzten Baumes'. Nearer to the pool are stands of spruce with their 'schwarzen Samt', and other spruce border the water 'dunkel und ernst'. On the looming cliffs are scattered 'Schwarzföhren', but many of these have tumbled down, too rootless, and their 'ausgebleichten

Stämme' have formed a 'traurige[n] weiß leuchtende[n] Verhack' lying 'in gräßlicher Verwirrung' around the edge of 'die dunklen Wasser'. (Later, this particular place of chaos and decay will come fully into its own: it is from this 'Gewirre der bleichen herabgestürzten Bäume, [deren] Aeste lange weiße Scheine in den dunklen Wasserspiegel sandten', from this 'Gewirre der Baumstämme' with its 'sumpfigen Ufer' (270), that Ronald will initiate the catastrophe by destroying the vulture — occasioning in the process yet another study in black and white: the dead bird: 'wie ein weißer Punkt'; the pool: 'glatt und schwarz'!)

Above all, of course, there is the pool itself: it is 'noch schwärzer' than the spruce; it is 'schwarz', and then 'tief schwarz'. Clarissa's eyes will also be called 'tief schwarz'; but the comparison is not restricted to colour terms. In a remarkable switch of metaphor, Stifter abruptly confronts us with the most daring perspectivist image in all this richly perspectivist work: as the narrator looks at the pool with his own eye, the pool becomes an eye that looks at him (and an eye, like Clarissa's and *un*like Johanna's, that reveals nothing of its inner secrets). Already in the previous paragraph, he had prepared the way by saying that forest, rock and sky gazed up out of the deep 'wie aus einem ungeheuern schwarzen Glasspiegel'. Now he brings the whole pool-depiction to its final climax with a perfectly sustained conceit culminating in a paradox of shocking force, when he imagines the pool

als sei es ein unheimlich Naturauge, das mich hier ansehe — tief schwarz — überragt von der Stirne und Braue der Felsen, gesäumt von der Wimper dunkler Tannen — drinn das Wasser regungslos, wie eine versteinerte Thräne. (214)

That grief, through the metonymy of the tear, should be the last word of the passage, is striking. That the whole mass of black water should be imaged as a single tear, is arresting. But that this huge black tear should seem as though turned to stone, is almost frightening. Especially when we realise that 'fluidity' and 'rigor' are central images for the lovers' passion and its grievous outcome (see below, page 66).

The deathly connotations of the black-white imagery are echoed and strengthened by other related 'Inselspitzen' in the text. The most obvious instance is the final grief-stricken sequence in chapter seven, when Bruno returns at last to the devastated castle and finds Clarissa, still 'blaß' in her features but clad in a 'schwarze[s] Trauerkleid', while Johanna's face, 'weiß wie Alabaster', peers out from her 'schwarzen Florhülle' (311). Another case in point is the touching episode with the butterflies that Stifter includes in chapter six (299—300). Once again, sorrow is the keynote: the butterflies with their 'dunklen, beinahe schwarzen Flügeln mit den gelben Randbändern' that the girls see silhouetted against a white tree-trunk, bear the name 'Trauermantel'; and the brief episode ends with Johanna in tears. This is an especially interesting passage because the image is symbolic not only to us, the readers, but also the characters within the fiction: Johanna sees the butterflies as deceived young girls — 'ihr armen betrognen Dinger' — tricked by unusual circumstances (the unusually warm autumn) into leaving their secure 'Kinderstube' and having to eke out a brief existence as 'unheimliche Fremdlinge'. This vision clearly reflects Johanna's sense of her and Clarissa's own misfortune, and so there is real poignancy in her lament that the 'betrognen Dinger' will never know the joys they dreamed of:

wo sind die Blumen und die Lüfte und die summende Gesellschaft, die euch das Herz eures Raupenlebens versprach und von denen euer Puppenschlaf träumte. — Sie werden alle kommen, aber dann seid ihr längst erfroren. (299)

The symbolism is then given further point through their guardian Gregor, who tells them that if these creatures mate ('sich vermählen'), they die soon after; if they do not mate, they survive the winter in suspended animation and live to see their 'versprochenen Frühling' — but in a parlous state, 'mit ausgebleichten zerfetzten Flügeln, wie ein vorjährig verwittert Blatt'.[12] If the reader is slow to relate this to Clarissa, and to recognise in her just such an 'Ueberwinterer', then he is instantly prompted by Johanna's response: 'die Rede des Alten fiel ihr wie ein Stein auf das Herz; es wurde ihr fast so weh, daß sie nichts redete, und der armen Schwester nachsah, die vorausging'.

One further important link in the novella's pattern of black-white imagery remains to be noted, indeed it is the most important of all, for it signals more clearly than anything else both the fact and the nature of the secret connection between Clarissa and the ominous setting of the pool. I mean the song that serves so to speak as the theme-music of the Ronald-Clarissa relationship. All we have at first is a brief fragment: 'Da lagen weiße Gebeine / Die gold'ne Kron' dabei' (219) — but of course this fragmentary image of 'weiße Gebeine' echoes the forceful death imagery in the earlier pool-depiction: the 'bleiche Schädel' and the 'weiße Gerippe' that lie strewn over their 'dunklen Todtenbette'. Only much later do these scattered clues begin to make some kind of coherent sense, most notably in chapter five, when we hear the whole song as sung by Ronald as a message to his beloved (277). Other, associated connections make themselves felt here too: the song-elements of 'Grab', 'grau[e] Felsen' and 'gold'ne Kron' clearly echo the pool-elements of 'Todtenbette', 'graue Felsen' (also 'graue Mauer') and 'Goldkörner'.[13] But it is the *content* of the theme-song that gives real point to these various connections, for it offers us a kind of refracting lens through which we may obliquely perceive their burden: the story of the king who murders his beloved in the forest and then leaps to his own death, leaving no trace but 'weiße Gebeine' and a 'gold'ne Kron'', expresses perhaps the essential truth of what Ronald, the prince, does to *his* beloved in the charnel-house setting of the forest pool; and it helps to explain why the narrator sees the pool itself as a 'versteinerte Thräne'.

At this juncture we might heave a sigh of relief at having at least begun to piece together the novella's 'untergesunkene Melodie', its submerged symbolic structure. But in fact we need to be doubly careful not to let ourselves be deceived after all by Stifter's radical perspectivism. It is undeniably the case that, by his manner of presentation, Stifter links up the separate 'Inselspitzen' of protagonist (Clarissa), place (the pool) and plot (the song), and links them in such a way that together they acquire a symbolic weight far greater than the sum of the parts. It would be a serious mistake, however, to assume that the various 'Inselspitzen' belong only within a single set of relationships with others, and have only a single, fixed meaning: in truth, any given signifier can bear quite different meanings in different contexts and combinations. It depends on the point of view from which it is being depicted; for different points of view yield different perspectives. We thus find ourselves back in the murk of ambiguity just at the point where the pattern seemed to be taking shape. But this should not surprise us: we are arriving by another route at a recognition that has confronted us before. In Stifter, not only has the clear, objective 'thing-in-itself' disappeared — as it might be the self-sufficient, self-explaining flower or fruit of the still-life painting; so too has the clear sign or symbol disappeared, at least as a stable entity in a fixed firmament — though Stifter's nostalgia for this lost world of the unambiguous emblem and icon is repeatedly evident, not least in the whole conception of Johanna, for instance, or in such vignettes as that description of the two white-clad virgins peering out of the sedan-chair window 'wie zwei Engelsbilder aus einem Rahmen'. But lost it is. And instead of 'things-in-themselves' and orderly signs and symbols, Stifter to his infinite chagrin can offer us only the remorseless ambiguity of views, perspectives, interpretations — his own, his narrator's, his characters'.

This may be readily exemplified if we take another look at the narrator's initial presentation of the pool-setting, the novella's first piece of concentrated symbolism, and one of its most resonant. What we seem to behold is a kind of natural Golgotha, an inherently malign place conducive from the beginning of time to destruction, decay, disintegration. Only a few pages later, a contrary, quite incompatible picture is briefly sketched in through the medium of Johanna: 'Ein schöner schwarzer Zaubersee soll in ihrer Mitte ruhen, und wunderbare Felsen und wunderbare Bäume um ihn stehen' (222). But the earlier, intensely negative depiction of the place, delivered with all the authority of author/narrator, is so powerful that we inevitably regard Johanna's second-hand view as a complete and terrible misconception. A little later, we react in just the same way when confronted by the father's description: knowing — as we think — the grim reality, we can only find it an ominous travesty when he tells his daughters that the secret place in the forest is 'wundersam lieblich und anmuthsreich, gleichsam ein freundliches Lächeln der Wildniß, ein beruhigender Schutz- und Willkommensbrief' (228). As the story develops, and the little troupe journeys to the pool and the girls begin to settle in their would-be refuge, both antithetical views are supported by sundry narrative details. But the original doom-laden portrayal continues to cast its spell, and the warm and positive vision increasingly seems a kind of mirage that the imminent storm will sweep away, revealing the place in all the chilling reality of its skulls and skeletons and its giant stony tear. In one sense we are of course entirely right to view things in such a way: far from ensuring the girls' salvation, their secret haven proves to be the focal point of their own devastation and the deaths of many others. But we are also entirely wrong; wrong, that is, in taking the initial grim portrayal at its face-value and regarding it as a description of the actual locale as such, as a true reflection and image of the 'thing in itself' — whereas in fact it is a *vision,* or more specifically, an act of poetic transference in which a harmless, innocent, blessed piece of nature is used as a screen upon which to project the image of a violent and sordid *human* reality. Far from being some natural Golgotha, the pool and its surroundings are in themselves exactly what Johanna and her father say they are: a wondrous place of beauty, grace and peace; in Gregor's phrase: 'der Herzschlag des Waldes' (284). Though we should bear in mind that essentially this, too, is a vision, a projection onto nature of *human* concepts. It cannot be stressed enough that in Stifter the 'thing in itself' is no longer there, or at any rate never with its own clear voice, and that we apprehend it only through the visions and interpretations of others.[14]

Interestingly enough, this key symbolic process whereby positive and/or negative visions are projected onto nature is not only continually enacted in *Der Hochwald,* it is also explicitly described. Thus at one point in the journey through the forest the little group of travellers pause on account of the 'wundervollen Umsicht', and we are offered first of all a classic example of the process of vision and projection taking place, with not only the characters reading meaning into nature, but also the narrator:

der Blick [ging] wohl noch mehr ins Weite und Breite, aber kein Streifchen nur linienbreit wurde draußen sichtbar, das nicht dieselbe Jungfräulichkeit des Waldes trug. — Ein Unmaß von Lieblichkeit und Ernst schwebte und webte über den ruhenden dämmerblauen Massen. — Man stand einen Augenblick stumm, die Herzen der Menschen schienen die Feier und Ruhe mitzufühlen; denn es liegt ein Anstand, ich möchte sagen ein Ausdruck von Tugend in dem von Menschenhänden noch nicht berührten Antlitze der Natur, dem sich die Seele beugen muß, als etwas Keuschem und Göttlichem . . . (241)

The passage could easily have ended there, and could have stood as a typical piece of heady Stifterian prose seeming to invite mankind to bow to that special divinity in nature which is its purity and its peace and its virtue and the rest. But the passage does *not* stop there: Stifter rounds it off with a brief aside that for all its brevity is, I think, one of the most revealing remarks to be found anywhere in his works: '— — und doch ist es zuletzt wieder die Seele allein, die all ihre innere Größe hinaus in das Gleichniß der Natur legt' — or in the words of the earlier *Iris* version: 'das *Symbol* der Natur' (I, 1, 224). What the human soul admires and bows to in nature is not in nature at all: it is the image of the soul's own true grandeur that is simply reflected back by nature. Nature as a mirror, as a 'Gleichnis' or 'Symbol': it is remarkable indeed, and deeply uncharacteristic, that Stifter should show his hand so clearly.

This is not the only such case, however, for as well as this gloss on positive projection, Stifter also includes a commentary on negative projection, this time through the medium of Gregor, and with specific reference to the pool. In a lengthy discussion of the topic between Gregor and his two charges, Stifter has the old man tell how people wrongly suppose the pool to be a bleak, satanic, accursed place — 'ein Zauberwasser . . ., das Gott mit schwarzer Höllenfarbe gezeichnet und in die Einöde gelegt hat' (262—6); and then we hear the corresponding dark legends: the pagan king who buries his treasure (265); the greedy treasure-hunter who is buried alive (265—6); the men who try to eat the magic fish but flee in terror (266—7). The young Gregor, we learn, did not believe these tales: the more he knew of the forest, the more he realised 'wie wunderbar [der Wald] sei, ohne daß die Menschen erst nöthig hätten, *ihre Fabeln hinein zu weben*' (267). But others do not grasp the language of the forest, and so they do impose their alien 'Fabeln' upon it; more specifically: because men cannot understand its quietly miraculous workings, they read into it their own sordid doings: 'die Menschen . . . [dichten] ihm deßhalb ihre ungeschlachten an' (268). We could scarcely wish for a clearer definition of negative projection. And we recognise at once that negative projection is essentially identical to positive projection: whether nature is being registered as virtuous or vicious, divine or devilish, what is actually being perceived in both cases is a transferred image of the human self. We see, not nature as such, but nature as 'Gleichnis' and 'Symbol'.

This last phase of the argument might have seemed a relapse into the earlier concerns of perspectivism and mystification, and an interruption of our efforts to decode the story and piece together its 'untergesunkene Melodie'. But in fact it has brought us to the very heart of that melody or, rather, threnody. For the alienation of man from the natural world that is expressed in his inability to see in it anything but his own reflected image, is by no means simply an incidental feature of the narrative that happens to affect the mode of narration or the choice of perspective: it is the novella's single, all-pervasive theme, as it is arguably the paramount theme in all Stifter's writing. The tale of the two young virgins and the disaster that befalls them is no more nor less than a symbolic enactment of that alienation. In its most drastic essence, it is a story of rape: a demonstration of how man compulsively violates, desecrates and corrupts all natural purity.

Now Stifter has traditionally been perceived as an apostle of perfect harmony between man and nature — and as such has been revered as a beacon of humanity, or reviled as an insufferable toad (in the cruel words of Arno Schmidt, 'der sanfte Unmensch'). Stifter himself did much to encourage this view, for instance with his classic dictum in the *Bunte Steine* 'Vorrede': 'So wie es in der äußeren Natur ist, so ist es auch in der inneren, in der des menschlichen Geschlechtes' (II,2 12) — a dictum quietly but completely belied by the explanations that follow it. In particular, he encouraged it by his ever more insistent narrative practice of disguising all dark, discordant elements behind a front of radiant harmony. One related tactic is especially conspicuous in *Der*

Hochwald: Stifter repeatedly implies a mutuality, an identity even, of man and nature by depicting the one in terms of the other: nature is humanised, humans are so to speak 'naturised'. The early description of the Moldau river is typical: it is 'weithin sichtbar, erst ein Lichtfaden, dann ein flatternd Band, und endlich ein breiter Silbergürtel um die Wölbung dunkler Waldesbusen geschlungen' (214). Forest streams '[erzählen] mit kindlichem . . . Schwätzen von ihrem Vater' (267). Grasses and flowers can see and hear (234); and maple trees are 'die lauschenden Ahornen' (289). There is the important 'Gleichnis der Natur' passage with its talk of nature's 'Anstand' and Tugend' etc. (241). Not least, there is the depiction of the pool (212—4). On the one hand the place is said to bear no trace of human doings ('Keine Spur von Menschenhand'). And yet its symbolic impact is developed almost wholly through imagery from the human sphere: deathbed, skull and skeleton; 'alterthümliche Säulen' (treetrunks) and a 'Felsentheater'; rock in the form of a 'Giebel' and 'Dach'; moss as a 'green cloth'; above all, of course, the pool itself: 'ein gespanntes Tuch ohne eine einzige Falte', 'ein ungeheu[rer] schwarze[r] Glasspiegel', 'ein unheimlich Naturauge . . . überragt von der Stirne und Braue der Felsen, gesäumt von der Wimper dunkler Tannen' — and replete, of course, with its 'versteinerte Thräne'.[15]

As for the reverse process, the representation of humans in terms of nature, it is even more widely applied. A variety of instances could be cited, particularly with reference to the two old men, Gregor and the girls' father. But it is the girls themselves who are chiefly and most strikingly depicted in this manner. They are 'zwei schöne Waldblumen' (239); their eyes are 'die Blumen ihrer Herzen' (242); their hearts are 'wie zwei Sterne des Waldhimmels' (259); they are 'ein Märchen für die ringsum staunende Wildniß' (259); Johanna is a 'liebes furchtsames Reh' (227); she is — in a particularly emphatic phrase — 'das neue Wunderwerk der Wildniß' (254). Clarissa is 'dies[e] Blume' (294), a 'süße Blume' (292), a 'warme dunkle Blume' (292), she is 'wie eine erglühende Blume' (293); and when she plays her harp in the night

so war es nicht anders, als ginge sachte ein neues Fühlen durch den ganzen Wald, und die Töne waren, als rühre er hie und da ein klingend Glied, — das Reh trat heraus, die schlummernden Vögel nickten auf ihren Zweigen und träumten von neuen Himmelsmelodieen, die sie morgen nicht werden singen können. (261)

In this insistent vision of the girls as part of nature, they no longer seem — if ever they did — to be social beings, but acquire instead the aura of ethereal sprites or dryads. And lo and behold, the narrative itself makes this explicit (and in the highly charged context of that sustained one-sentence tableau of apparent paradise that I mentioned at the outset):

Wenn sie zum Beispiele . . . an heißen Nachmittagen zwischen den Stämmen wandelten, angeschaut von den langstieligen Schattenblumen des Waldes, leise umsummt von seltsamen Fliegen und Bienen, umwallt von den stummen Harzdüften der Fichten . . . — so hätte [man] sie für Elfen der Einöde gehalten . . . (259—60)

On the face of it, all this would seem to point strongly to a perfect harmony, even a one-ness of being, as between man and nature. But as we already know, this impression is entirely false, and at the very moment of the girls' apotheosis in the 'paradise' sequence disaster has already arrived in the person of Ronald skulking in the undergrowth, and it is soon to take palpable shape in the corpse of the vulture floating on the blackness of the pool 'wie ein weißer Punkt' (270), and — as the *Iris* version also had it — 'wie ein gemordeter König' (I, 1 252).[16] What we need to do now is to see exactly what is destroyed, and to ask why, for Stifter, it has to be so. If we ask first what precisely it is that the girls have so deeply in common with nature that each can become the perfect image and symbol of the other, there can be only one answer: their unblemished purity and innocence; in a word, their *virginity*. Virginity is in fact the most frequent motif of the work, recurring over and over again under four distinct designations — but each of them applied to nature just as much as to the two girls. 'Jungfrau' — 'jungfräulich' is the most direct of the terms. It is used of the girls no less than sixteen times during the course of the story, with Johanna getting a significantly greater number of mentions. But of course it is the infinite 'Jungfräulichkeit des Waldes' that the travellers behold in the 'Gleichniß der Natur' passage (241). Elsewhere, too, we are told that one part of the forest was in olden days 'noch jungfräulicher, als jetzt' (233). Above all there is the pool: the initial description has the strikingly verbless sentence, in dominant end-of-paragraph position: 'Keine Spur von Menschenhand, jungfräuliches Schweigen.' (213). Then what do we find in the very last few lines of the story: Gregor destroys all signs of human habitation by the pool and re-plants the area 'so daß wieder die tiefe jungfräuliche Wildniß entstand, wie sonst, und wie sie noch heute ist' (318)! Another of the virginity terms is 'Unschuld' (— 'unschuldig' — 'schuldlos'). Again it is used repeatedly of the girls, and again the main emphasis is on Johanna; indeed the term is never used at all of Clarissa on her own, but only when she is grouped with Johanna. As for nature, we hear of the 'Unschuld des Waldes' (292) and of 'unschuldige[r] Kräuter und Blumen' (264), and we are told that the vulture is 'so unschuldig, wie das Lamm' (264). A third, somewhat more marginal form is 'Reinheit' (— 'rein' — 'reinlich'). It is not frequently used of the girls — the other, more specific words are preferred. But it is often used of nature and especially the sky, with a particularly marked incidence when it comes to the ravages endured by the castle, as for instance in the opening paragraph of the final chapter: 'Die größte Stille und ein reiner Himmel mit freundlicher Novembersonne schaute auf diese Todesstelle nieder.' (310). Lastly there is the term 'unberührt', together with various analogues. Johanna's soul is 'unberührt von Schmerz und Leidenschaft' (218), and by implication it is likewise Johanna's soul that is 'unbefleckt und ahnungslos des Argen' (224). By the same token, the greensward of the forest has never previously been 'berührt' by a human foot (233), while the 'Gleichniß der Natur' passage (241) not only speaks of 'Jungfräulichkeit' but also refers to 'dem von Menschenhänden noch nicht berührten Antlitze der Natur' (which it then further defines as 'etwas *Keuschem* und Göttlichem'!) It is surely in the same spirit that we must understand the various descriptions of the castle as the girls perceive it through the telescope, symbolising for them, as for the reader, their integrated and inviolate family-life. On their first visit to the lookout the house stands 'unversehrt' and 'unverletzt' (257); on subsequent visits they see 'immer dasselbe schöne, reine, unverletzte Bild des väterlichen Hauses' (258); and on their final visit before the catastrophe they see the same image 'rein und klar, wie immer' (276).

The virginity of the girls and the virginity of the forest, then, are conveyed with remarkable intensity. But virginity is a vulnerable condition, as much of the traditional vocabulary makes ominously clear: 'innocent' and 'intact', 'unschuldig', 'unberührt' and 'unbefleckt' — all such words are negatives that define the condition in terms of its opposite, and imply that the opposite state is the norm, and will sooner or later prevail. The 'chaste' and 'virginal' forest has a countenance that is *'noch nicht* berührt': but by implication this will not last. Indeed by a subtle but mordant irony, the very people who stand gazing in awe at the 'von Menschenhänden noch nicht berührten Antlitze der Natur', have themselves already defiled it, have already violated the forest's virginity!

One image that reflects this is recurrent in the story: the image of 'penetration'. The untouched forest is 'undurchdringlich' (222); 'kein Hauch, keine Ahnung von der Welt draußen dringt hinein' (227); the huntsman that Johanna speaks of towards the beginning has not 'hineingedrungen' as far as the fabled pool (223); pagan treasure is supposedly concealed in the secret passages of the cliffside, but since the swallowing-up of the solitary invader, no one has managed to 'in den Berg [dringen]' (266). But of course the little band of travellers themselves penetrate the impenetrable on their journey to the would-be refuge; they 'drangen [vor]' (235); they enter 'tiefer und tiefer in das Thal hinein' (237 — the very same valley that was 'Damals . . . noch jungfräulicher, als jetzt'!); they carry on even though 'das Weiterdringen immer beschwerlicher ward' (237); and we hear the father speak of how Johanna, once (justifiably) terrified of the prospect, 'in den Wald . . . begierig . . . eindringe' (240)!

The cardinal image, however, is that of *physical* violation and defilement, the physical sullying and spoliation of what was previously pure and intact. A small but powerful symbolic portent of this is offered towards the beginning. So embroiled do the two young virgins become in their bedroom discussion of the fabled 'Wildschütze' and his deadly deeds, that Johanna's flower is spoiled — at this stage simply an embroidered flower. As Stifter has Clarissa put it: '"über dem Gewimmel deiner Wälder, Seeen und Knochen und Jäger hat dir diese Rose ein häßlich Eck bekommen."' (223).[17] This demonstrates the symbolic truth of one element in the 'Wildschütze' story that especially terrifies Johanna: the notion that the man can destroy from afar whatever he fixes his mental eye upon (222) — just to talk about him is enough to bring harm to the flower. The same basic imagery is reintroduced later on, but with a much more distinct and ominous dimension, when Gregor greets them with the comment: '"Sie sind zwei schöne Waldblumen; es wäre Schade, wenn sie verkämen."' (239)! The girls themselves are of course never bodily harmed; their 'flower' is never physically threatened. But this is not surprising, for it is not Stifter's way to show naked human violence being enacted at the centre of his narrative; that would be too crude by far. Instead he makes use of two distinct tactics. One is to include overt physical violence, but only at the very edge of his narrative, visible only indirectly and retrospectively, for instance through the reports of observers. The other, much more subtle process is to create the most graphic images of human violence and violation — but images transferred *away* from humans and projected onto nature or other objects within the physical world. We have already seen the most important of these: the pool and its surroundings, in themselves 'jungfräulich' and uncontaminated by human hand, and yet simultaneously bristling with tokens of human destruction and disarray; and later, on the surface of the pool, is the corpse of the majestic bird destroyed by Ronald. Again we find the same process at work when the travellers first enter the virgin forest. They pass through a glade and disappear amongst the trees on the other side, and the ancient peace — 'die alte Stille' — returns once more; but it is no longer quite intact: 'die zerquetschten Kräutlein suchten sich aufzurichten und der Rasen zeigte seine zarte Verwundung. . . . unser lieblich Waldplätzchen hatte die ersten Menschen gesehen.' (235). In Johanna's case, however, if not in Clarissa's, it is a matter here of the virginal penetrating the virginal; in a sense, in her role as an elf of natural innocence, Johanna is 'coming home' in entering the forest. And this is signified not least by the fact that the 'Zerquetschung' and 'Verwundung' are not caused by her, for her magical passage leaves no mark, riding as she does on her 'schneeweißem Pferdlein, das so zartfüßig wie ein Reh kaum den Rasen eindrückend, . . . seine Last wie eine schwebende Feder zwischen den Stämmen hervortrug' (234). In due course, the catastrophe descends upon all of them. And this time it is the family castle that is used to convey what is for Stifter the essential nature of the disaster: not loss of life, not destruction of property, but the corruption of innocence, the violation and besmirching of the pure and virginal. What the girls see through the telescope is no longer 'das . . . reine, unverletzte Bild', standing there 'rein und klar wie immer', but a ruin identified chiefly by its 'fremde schwarze Flecken' (305), its 'schwarze[n] Brandflecken' (306), its whitewashed walls 'deren Reinheit beschmutzt [war] mit häßlichen Brandflecken' (309), and festooned with molten glass 'wie schmutziges Eis' (310).

I have already argued that this whole insistent parable of virginity and its violation symbolically enacts man's alienation from the natural order. And the radical extent of that alienation is evident when we consider how monstrous the central irony of the story is. The father's loving concern for his daughters, his careful choice of the safest imaginable haven, his extraordinary, almost manic precautions: all this should have ensured the girls' safety beyond all question. But so insidious and powerful is the negative force that it can turn an impregnable bastion — allegedly 'fester als die Burg eines Königs' (284) — into its own perfect hunting ground. What, then, does this alienated and massively destructive condition consist in? Happily we are not left in *Der Hochwald* — as we are in most of Stifter's work — to deduce it for ourselves: he gives us, through Gregor, a programmatic statement. The context is the discussion of the aspen tree and the trembling leaves. Gregor first recounts the traditional explanation — which, as we instantly recognise, constitutes a typical 'negative projection' of the human onto the natural:

Meine Großmutter . . . erzählte mir, daß, als noch der Herr auf Erden wandelte, sich alle Bäume vor ihm beugten, nur die Espe nicht, darum wurde sie gestraft mit ewiger Unruhe, daß sie bei jedem Windhauche erschrickt und zittert, wie jener ewige Jude, der nie rasten kann . . . (245)

As a child Gregor believed this story. But later he realised that it could not be right:

wenn alle Bäume, dacht' ich, sich vor dem Herrn geneigt haben, so that es gewiß auch dieser . . .; denn alle sind seine Geschöpfe, und in den Gewächsen der Erde ist kein Trotz und Laster, wie in dem Menschen, sondern sie folgen einfältig den Gesetzen des Herrn, und gedeihen nach ihnen zu Blüthe und Frucht — darum ist nicht Strafe und Lohn für sie, sondern sie sind von ihm alle geliebt. (246)

This passage documents the gulf between man and nature with signal clarity. Though man himself is inherently a part of nature — a 'Gewächs', as we are told elsewhere, indeed 'das kostbarste und kunstreichste Gewächs' (227) — he has lost the one fundamental attribute of all fully and truly natural things: their spontaneous, automatic obedience to the natural law. Like the little stream that is 'von seinem Gesetze gezwungen' (234), all plants 'folgen einfältig den Gesetzen des Herrn'. Mankind alone is given to 'Trotz und Laster', and thus mankind alone is subject to 'Strafe und Lohn'. Crime and punishment, wanton disobedience and its just deserts: it is this uniquely human nexus that marks out mankind as an exile from nature, 'der ewige Jude', bereft of its peace and love. And it has a concomitant equally foreign to nature: *evil* — 'Böses' (224), 'Arges' (224), 'das . . . Böse' (258). The penalty for this evil, for this defiance, disobedience and vice, is plain to see: instead of coming to full fruition, to that 'Blüthe und Frucht' enjoyed by the humblest plant, mankind is blighted and destroys himself. This contrast between full development and self-destruction is sharply pointed up through the father earlier in the story as he tells his daughters about the forest:

Kein Hauch, keine Ahnung von der Welt draußen dringt hinein, und wenn man sieht, wie die prachtvolle Ruhe Tagereisen weit immer dieselbe, immer ununterbrochen, immer freundlich in Laub und Zweigen hängt, daß das schwächste Gräschen ungestört gedeihen mag, so hat man schwere Mühe, daran zu glauben, daß in der Welt der Menschen schon die vielen Jahre her der Lärm des Krieges und der Zerstörung tobe, wo das kostbarste und kunstreichste Gewächs, das Menschenleben, mit eben solcher Eil' und Leichtfertigkeit zerstört wird, mit welcher Müh' und Sorgfalt der Wald die kleinste seiner Blumen hegt und auferziehet. (227)

However, it is crucial to Stifter's vision that this alienation, though profound and apparently irreversible, does not apply across the entire spectrum: mankind *can* still be fully and wholly 'of' nature, that is to say, living easily and automatically according to its laws; but this natural state can exist for humans only in their childhood and in their old age — never in the period in between. This pattern is repeatedly manifest in Stifter's work, most insistently perhaps in the *Bunte Steine* stories, where almost all the protagonists are drawn either from the young or from the old. In *Der Hochwald,* too, we find this pattern reflected. The child Johanna, as we have seen, is perfectly at one with nature: innocent and unsullied, she melts into the forest as 'das neue Wunderwerk der Wildniß' (254). Then there are the two old men, Gregor and the father, who, though they have suffered many a violent storm during their manhood, have found their way back to innocence — the 'Unschuld des Alters' (239). The problems all arise out of that in-between period of 'schweren lärmenden Gewittern' (225), the period of alienation in which humans no longer spontaneously accord with the blessed and fruitful pattern of nature, but manifest those 'Einzelkräfte', as the *Bunte Steine* 'Vorrede' will call them, which constantly threaten the balance of the whole. Obedience to the law *is* still possible during this phase, but only through *force,* through 'Gewalt', force that is preferably self-imposed through '*Bezwingung* seiner selbst' and '*Unterdrükung* seiner Empfindungen und Leidenschaften', but must otherwise be imposed from outside through the constraints and compulsions of society, the almighty 'Gewalt des Rechts- und Sittengesetzes' (II,2 12—15). What Stifter depicts in *Der Hochwald* is a situation in which these positive forces of individual self-suppression, and society's codes of law and morality, no longer prevail, routed as they are by 'Trotz und Laster' and a generalised unleashing of 'das Böse'. By way of a background he shows a whole society that has given itself over to 'Krieg und Zerstörung'. And in the foreground he shows us — be it ever so surreptitiously — the doubly destructive deeds of individuals: doubly destructive because they ravage the sanctity, purity and integrity of nature as well as of humans. This brings us back to the cardinal motif of virginity and its violation. For in Stifter's view, reflected time and time again in his writing, it is human passion and sexuality that constitutes by far the most powerful, insidious and dangerous 'Einzelkraft' of all. Not for nothing is an individual's phase of alienation from the natural law and of vulnerability to 'das Böse' exactly coincident with his or her phase of potency and fertility. This, then, is the secret core of *Der Hochwald:* a sensual passion so wild and tempestuous that it physically or metaphorically destroys the lives of all whom it touches, bringing disaster equally upon the innocent and the guilty. [18]

The first pointers to this occur in the loaded context of the song fragment in the first chapter. Johanna, still 'unberührt von Schmerz und Leidenschaft' (218), prefers songs that are pure and unclouded: 'kein Wölkchen, . . . lauter Blau und lauter Blau, das reinste und freundlichste Blau' (220). Clarissa on the other hand revels in seething clouds — and tells Johanna that even the perfect, cloudless heaven of her, Johanna's existence will one day fill with the rich vapours of passion: 'O Johanna, . . . wie bist du noch dein eigner Himmel, tief und schön und kühl! Aber es werden in ihm Düfte emporsteigen, — der Mensch gibt ihnen den Mißnamen Leidenschaft [etc.]' (220). A further, much more coded clue is given a little later in the same episode when the narrator intrudes with what appears at first to be a gratuitous and sanctimonious outburst, idolising the human soul that is still untainted and innocent of evil — and setting it far above those who have been contaminated, no matter how strenuously and successfully they have battled against the encroaching evil:

So über alle Maßen kostbar ist das reine Werk des Schöpfers, die Menschenseele, daß sie, noch unbefleckt und ahnungslos des Argen, das es umschwebt, uns unsäglich heiliger ist, als jede mit größter Kraft sich abgezwungene Besserung; denn nimmermehr tilgt ein solcher aus seinem Antlitz unsern Schmerz über die einstige Zerstörung — und die Kraft, die er anwendet, sein Böses zu besiegen, zeigt uns fast drohend, wie gern er es beginge; wir bewundern ihn, aber mit der natürlichen Liebe quillt das Herz nur Dem entgegen, in dem kein Arges existirt. Daher sagte vor zweitausend Jahren jener E i n e : „Wehe dem, der eines dieser Kleinen ärgert!" (223—4)

This apparent flight of priggery seems to set the two girls jointly on a pedestal of ideal perfection, especially as it is instantly followed by the apotheosis of their bedroom as being 'geweiht und rein, wie eine Kirche'. Only much later do we realise that this is one of the most cunning examples of *trompe-l'oeil* in the story: its contrasting of the pure and the contaminated is in fact a covert and fundamental differentiation of the very two people whom it simultaneously purports to equate! Johanna is indeed unblemished and pure. But Clarissa has long since been corrupted by passion, her virgin soul irrevocably tainted by Ronald in their wild and secret love-affair. This is made plain out of her own mouth when she faces her lover again in chapter five:

— — wie ihr damals in unser Schloß kamet, wie der Vater euch lieb gewann; — — ihr waret so schön, mein Auge konnte fast nicht ablassen von dem euren, ein ganzes Meer von Seele und Gemüth gosset ihr in mein dunkel bewußtes Herz, meine hülflose Kinderseele zwanget ihr an eure Lippen zu fliegen — ich fragte nicht, woher ihr kamet, wer ihr seid — ich hing an euch — im Wahnsinne von Seligkeit hing ich an euch, sündhaft vergessend meinen Vater, meine Mutter, meinen Gott — — (286)

It is clear from these lines alone that their passion was boundless and all-engulfing ('ein ganzes Meer'), and even involved coercion, the forcible seduction and corruption of a *child* — but a child who responded with wild enthusiasm! The fervour in Ronald's recital of this ferocious love-affair with a child makes the flesh creep, coming as it does from a writer who professed to despise and eschew all that was tempestuous, turbid and violent:

— Es ist wahr, anfangs reizte mich bloß die ungewohnte Fülle und Macht, aufsprossend in dem Kinderherzen, daß ich prüfend und probend an sie trat, daß ich die Kinderlippen an mich riß — aber eine Seele, tief, wild, groß und dichterisch wie meine, wuchs aus dem Kinde an mich, daß ich erschrack, aber nun auch m i c h im Sturme an sie warf, namenlos, untrennbar Glut um Glut tauschend, Seligkeit um Seligkeit. — — Weib! du warst damals ein Kind, aber die Kinderlippen entzückten mich mehr, als später jede Freude der Welt, sie glühten sich in mein Wesen unauslöschlich — ein Königreich warf ich weg um diese Kinderlippen . . . — und nun bin ich hier . . . um nichts auf der ganzen Erde mehr bittend, als wieder um diese Kinderlippen. (287)

Clarissa imagines that she has long since defeated the evil force within her:

— — — nun, es ist Alles überstanden — ich erkannte die Sünde . . . Die Seele wandte sich wieder ihrer reinen Liebe zu. Seht, dieß unschuldige Mädchen hier, meine Schwester, dann mein Vater und der Bruder Felix zu Hause — d i e s e sind meine Geliebten — und der Herr im Himmel, der ist mein Gott — — es ist überstanden. (286)

The whole assumption behind her willingness to meet Ronald again is that she is now mature, in control of her emotions, and securely armed with virtue regained. As Stifter had her triumphantly declare to Johanna after hearing the message of Ronald's song:

jetzt ist es kein Kind mehr, hilflos gegeben in die Allgewalt der eignen Empfindung: eine Jungfrau, stark und selbstbewußt — sie wird kommen, statt der Lilie das Schwert des Herrn in ihrer Rechten — ja sie wird kommen!! (279)

But this is a fatal illusion, and that seemingly priggish and gratuitous passage about the pure and the tainted comes into its own. Not only can the 'einstige Zerstörung' never be eradicated, no matter how hard the corrupted individual tries, but what is worse: 'die Kraft, die er anwendet, sein Böses zu besiegen, zeigt uns fast drohend, wie gern er es beginge'! Ronald beseeches her to throw off her womanly grandeur and become his child-lover again: 'sei wieder das Kind, das mich einst so selig machte — nicht wahr, Clarissa, du liebst mich noch? . . . du mein schüchtern, mein glühend Kind!' And all her carefully re-constructed virtue and resolve disintegrate, and reveal the uncontrollable reality beneath:

o Ronald, ich liebe dich ja, ich kann mir nicht helfen, und hättest du tausend Fehler, ich liebte dich doch — ich lieb' dich unermeßlich, mehr als Vater und Geschwister, mehr als mich selbst und Alles, mehr als ich es begreifen kann . . . (289)

She is 'machtlos' in the face of the 'Uebermacht des Gefühles' (289), and the whole scene, indeed the whole novella, reaches its climax and its crisis-point with the two lovers renewing their illicit love in a tight and oblivious embrace. In due course they ritually celebrate their 'seltsame Verlobung' in the 'Verlobungssaal' of nature (296, 293), and Ronald leaves on his mission as would-be saviour of family and castle, having confidently predicted imminent peace and blissful harmony on all sides.

As we well know, he is catastrophically mistaken. The idyllic outcome that he envisages could never be, for in human society — as distinct from nature — a system of punishment and reward, 'Strafe und Lohn' is ordained to deal with the unique proclivity of humans towards 'Trotz und Laster', and Ronald must accordingly pay the penalty for his gross offence of violating a child's purity and innocence emotionally, spiritually and even physically ('ich [riß] die Kinderlippen an mich'); as the novella's quotation from St. Mark's gospel has it: '"Wehe dem, der eines dieser Kleinen ärgert!"' Clarissa, too, must pay the price for her wild and willing connivance, even though, in the first instance, she was more a victim than a sinner. We need to realize here that Johanna, too, the radiant emblem of natural purity, is likewise a victim of Ronald's depredations! For it is one of the subtlest and most insidious elements of the novella that Johanna in her turn is defiled by Ronald as it were by proxy. Immediately upon the strange 'betrothal', Clarissa goes to take her sister's hand, 'wohl fühlend, was das unschuldige Herz neben ihr in diesem Augenblicke verlor' (293—4). Johanna herself is darkly aware of her loss: 'Johanna . . . fühlte recht gut, daß sie etwas verloren . . . — was denn nun? Sie wußte es nicht; aber es war da, jenes Fremde und Unzuständige, das sich wie ein Todtes in ihrem Herzen fortschleppte' (298). It is not just that she has lost something extrinsic to her — namely her sister as she thought she knew her —: she herself is contaminated by association. For Stifter, love must be utterly private — 'scheu' (226) and 'verschämt' (218) — and it is not the least part of Ronald's and Clarissa's offence that in their overwhelming access of passion they parade it in full view of the others. Clarissa does tell her lover at one point: 'Ronald, schone Johannen.' (292). But it is far too late: the damage has been done. Indeed the damage was arguably done the moment Johanna set eyes on the seductive Swede. It was his sheer beauty that had originally captivated Clarissa ('— Ihr waret so schön, mein Auge konnte fast nicht ablassen von dem Euren') — and it is perhaps in the light of this that we must understand Johanna's reaction when she first beholds him: '— Johanna hätte fast einen Schrei gethan — so schön war er' (281)! It is striking, too, that Stifter puts Johanna's reaction first, and not Clarissa's; Johanna, of whom Ronald remarks only a little later: 'Sie ist aus einem Kinde nun eine schöne Jungfrau geworden' (282)!

We have seen before how the two girls are symbolically portrayed at one and the same time as a single entity, and as two opposites — and this is nowhere more uncannily the case than here. Both girls are enthralled in turn by Ronald's beauty. But while Clarissa exemplifies willing captivation, Johanna exemplifies resistance and rejection: she is horrified by the tone of Clarissa's admission of love (289); she is filled with 'steigender Angst', and at their feverish embrace she jumps up and intervenes with anger in her eyes: 'Clarissa, was thust du denn!?' (290); it is she who displays that deeply Stifterian flush of shame that ought to be Clarissa's, as she stands there 'nicht mehr das Kind, sondern die Jungfrau mit der Purpurglut der Scham im Gesichte' (290); and it is she who recognises that Clarissa's all-engulfing passion cannot be right: 'o, es ist nicht gut so — mir ahnt, es ist nicht gut so . . .' (302).[19]

But Johanna's anger, sense of shame and portentous insight cannot help her: she, too, is swept into a frozen, barren wasteland of ruin and isolation by the violent flood of passion. This imagery is not mine, of course, but Stifter's own: he repeatedly highlights the image of passionate fluidity, but in the novella's most sombre paradox he couples or complements it with the image of deathly rigor — a paradox inaugurated in that chilling vision of the pool as a 'versteinerte Thräne'. Clarissa's hair, we recall, falls down 'in breitem niedergehendem Strome' (218 — and we also hear tell of her 'dunklen strömenden Augen', 289); 'ein ganzer Wall von blonden Locken' identifies Ronald (314), a 'Flut von Haaren' that cascades onto his shoulders 'wie ein goldener Strom' (281), and his face, we are told, is 'umwallt von dem flüssigen Gold der Haare' (292). As for their passion, it is repeatedly evoked through water imagery, most notably in the lovers' own figurations: 'ein ganzes Meer von Seele und Gemüth', 'ein Meer von Gemüth und Seele' (286, 287); and by comparison — so Ronald is given to assert — the rest of the world is a parched and barren place: 'Draußen ist es dürre, wie Sand, und unersprießlich alle Welt gegen dein schlagendes Herz . . . und gegen deine Liebe' (288).[20] This wild, surging passion is clearly figured within the symbolic landscape in the 'wild einherstürzender schäumender Bergbach' that tumbles down from the pool (244). But not only does this wild stream flow through a deathbed scattered with skeletons and skulls (212): its source *is* the fathomless, funereal pool whose water is so monstrously still — 'unbeweglich', 'regungslos' (213, 214) — that it seems, grotesquely, to be of stone. Later in the narrative, Stifter paints another symbolic tableau in which the water of the pool again becomes the repository of deathly stillness and petrifaction: 'Der See lag zu ihren Füßen, Stücke schwarzer Schatten und glänzenden Himmels unbeweglich haltend, wie erstarrte Schlacken —' (250). And how apt that Stifter should here compound his fluidum/rigor paradox with the directly analogous image of once-fiery lava, reduced to cold fragments of scoria ('Schlacken')! Later again, the grim symbolism of the pool is perfectly actualised in the episode of the vulture: the flood of Ronald's passion is manifested here, but manifested in an image, as it were, of frozen death:

In der Todtenstille der Wälder war die Lufterschütterung fast grauenhaft gewesen — — und wieder war es nun todtenstille und reglos, wie vorher; selbst die Leiche des Geiers lag ruhig auf ein und derselben Stelle des Wassers. (269)

Such is the fearsome logic of the story: the more the floodgates of passion are opened, the worse the rigor that then sets in. Ronald sings his (deathly) song: 'und die Stille des Todes war wieder in Luft und Wald, und in den Herzen der Mädchen' (277). After he has gone, an alien presence is lodged in Johanna's heart 'wie ein Todtes' (298). And their prospects as symbolised in the 'Trauermantel' butterflies, are bleak indeed: death — or the death-like freezing of life ('so erstarren sie, . . . oft in Eis und Schnee gefroren', 300). When at last they see their ruined home through the telescope, its image is 'ruhig starr' (305); and again: 'Mit derselben *starren* Einfachheit stand die Ruine am Waldrande' (309). When Bruno returns to see them, he rides to the ruin across ground that is 'fest gefroren' (310), and later, we are told, he rides away 'über den grauen gefrornen Boden' (317).

Unlike their father and brother and Ronald, and many others besides, the two tattered virgins do not physically perish. But in his remorseless way, Stifter has them suffer as it were a symbolic death: not content with transmuting them into black-clad, white-faced spectres in a besmirched ruin within a frozen, barren landscape, Stifter further intensifies the picture by describing them as metaphorically dead: the happy and radiant girls were once 'wie zwei Engelsbilder', but by the end Johanna has become 'wie ein *gestorbner* Engel'; and their tears flow down their cheeks 'wie das letzte Blut eines getödteten Geschöpfes' (315) — a drastic image suggestive of ritual sacrifice, and reminiscent of an ominous and ironical promise of Ronald's: 'siehe, tropfenweise will ich dieses Blut für dich vergießen' (289)!

Stifter applies the final turn of the screw in his almost unbearably harsh *envoi*, with its radical contrast between the human outcome and the outcome in nature. In the third-last paragraph he encapsulates the human catastrophe: the death of Bruno, the rejected lover; the death of the spinsters and their disappearance in unmarked graves; the ruin of the church; the ruin of the castle, and the absence of any further inhabitants. Then in the next paragraph, of almost identical length, Stifter sets against this accursed destruction the blessed and fertile recovery of nature. The purity of nature can be grievously defiled by the corrupting hand of man, but being itself incapable of 'Trotz und Laster', of self-inflicted stain, nature can regain its perfection if given the chance. Gregor had already warned Ronald in chapter five that, far from building a stronger house by the pool — 'du thätest dem Walde in seinem Herzen damit wehe, und tödtetest sein Leben ab' (295) —, he should in fact destroy the wooden house and replant the area. Now, in the second-last paragraph, this prescription is enacted by Gregor himself. And what makes this passage especially unnerving is that the recovery of nature is expressed in *human* terms — in terms, that is, of an inhumanly human *sexuality*. In the previous paragraphs, human virgins died in barrenness and their line was extinguished; in this paragraph it is the 'virginity' of nature that is restored — but restored through procreation: 'Samen' are liberally scattered by a man, and out of this exuberant fecundity is born the new virginity:

Westlich liegen und schweigen die unermeßlichen Wälder, lieblich wild wie ehedem. Gregor hatte das Waldhaus angezündet, und Waldsamen auf die Stelle gestreut; die Ahornen, die Buchen, die Fichten und andere, die auf der Waldwiese standen, hatten zahlreiche Nachkommenschaft und überwuchsen die ganze Stelle, so daß wieder die tiefe jungfräuliche Wildniß entstand, wie sonst, und wie sie noch heute ist. (318)[21]

*

The outcome, then, would seem to be clear. Nature and mankind both get their just but very different deserts. And so the problem of 'Verblendung'/'Verhängniß' would seem not to be a problem after all: the fate that descends upon the human beings of the story is indeed their 'Verhängniß' — not an unfortunate case of mistaken identity, but the enactment of divine judgement. But is the position really so very clear-cut? Do we battle our way through Stifter's extraordinary perspectivism, through the multiple layers that mask his deepest meanings, only to find an 'untergesunkene Melodie' that tells of nothing but a remorseless but prim and simple morality? I think not. The voice of Stifter the avenging moralist can indeed be clearly heard. But it does not entirely drown another voice that expresses a radically different view. And so we find in *Der Hochwald* — as, I believe, in all of Stifter's work — a profound ambiguity, perhaps even a contradiction, that is as disturbing as it is indissoluble.

What this second, even more secret voice suggests is that the love between Clarissa and Ronald may after all, and at the same time, be something deeply beautiful and positive! There are pointers in this direction even on the surface of the narrative. It is very striking for instance that Gregor, the same person who will eradicate the blemish of human habitation and restore virginity to nature, comforts Johanna after the shock of the lovers' embrace in these terms:

Beruhigt euch nur, liebe Jungfrau, es ist in dem Ganzen kein Arg; denn es ist so der Wille Gottes — darum wird der Mensch Vater und Mutter verlassen, und dem Weibe anhängen — es ist schon so Natur — (290)

Or there is the narrator's comment on Clarissa during the lull between crisis and catastrophe, when he says that her heart was full of a 'Schauer von Wonne . . ., ausströmend von jenem unbegreiflichen Gefühle, wodurch der Schöpfer die zwei Geschlechter bindet, daß sie selig seinem Zwecke dienen' (298). Much more subtle and telling, however, are the numerous small touches that show Ronald, the wild and tempestuous child-seducer, in a warmly benign light. This indeed is how we first see him. At the original broaching of the 'Wildschütze' motif in chapter one, Johanna had fearfully imagined a set-piece villain, 'groß und stark wie ein Baum' and with a 'wilden Bart'. But the man she meets is very different. He is simply dressed; he stands up on her approach and lowers his hat 'ehrerbietig'. And as we have seen, he is so beautiful that Johanna nearly lets out a cry. The ensuing description is scarcely that of someone for whom it were better that a millstone were hanged about his neck, and that he were drowned in the depth of the sea (cf. 224): the golden torrent of his hair falls down around his face[22] — 'das lichte Antlitz, fast knabenhaft schön und fein, daraus die zwei großen dunkelblauen Augen hervorsahen, wie zwei Seelen, die auf Clarissen hafteten.' (281). A little later, a shaft of sunlight falls on his face, and his features are suddenly 'verklärt' (283). We hear that his 'Mienen doch so offen lagen, wie die eines Kindes' (285). He begs Clarissa to say she still loves him, and: ' — — Er sah so treuherzig zu ihr hinan, und eine so weiche unschuldige Seele lag in seinen Zügen' (289). In speech, too, he is 'sanft' (285) and 'unsäglich mild' (289). With his final decorous kiss on Clarissa's forehead he is 'ernst und ruhig' (293). And is it not just as deeply genuine as it is deeply ironic when Ronald tells his beloved how he feels transmuted:

— ich weiß nicht, geht von dir dieser Zauber der Verwandlung aus oder von dem Walde — mir ist, als wär' ich ein Anderer, als wäre draußen nicht der Sturm und die Verwüstung, sondern, wie hier, die stille warme Herbstsonne. . . . — — mir ist, als gäbe es gar kein Draußen, gar keine Menschen als die hier, die sich lieben, und Unschuld lernen von der Unschuld des Waldes . . . (292)

We well know that Ronald with his 'dunklen Schwingen' (301) is the very embodiment of 'Sturm und Verwüstung', and that the only real transformation is the disastrous one that he himself precipitates. But these lines, like so much else in the actual portrayal of Ronald, gainsay that otherwise insistent perspective. There are clear villains in all the secondary fictions that serve as the backdrop to the primary one: the royal murderer and suicide in Ronald's own song; the treasure-hunter responsible for 'viel Fluchens und arge Werke' (265) who penetrates the cliff for its hidden riches and is entombed alive; the men who think they can steal the fish from the pool; perhaps even the 'Wildschütze' of the folk imagination. But Ronald, though he unquestionably enacts their villain's role within the primary fiction, is never himself presented in a villainous light. On the contrary, he is often shown in radiantly positive terms — not least on his final lyrical appearance, when Stifter with a last perspectivist flourish shows him to us through the eyes of Clarissa:

in den goldenen Sternen sah sie seine Haare, in dem blauen Himmel sein Auge . . . Selbst, als sie schon achtzig Jahre alt geworden . . . konnte sie sich ihn nicht anders denken — selbst wenn sie ihn noch lebend träumte und einmal kommend — als daß er als schöner blondgelockter Jüngling hereintrete und sie liebevoll anblicke. (317)

Stifter the pitiless moralist is dedicatedly hostile to passion or to any other 'Einzelkraft' that tends to threaten the measured and vulnerable equilibrium of human society as a whole, and his management of the plot is governed at every turn by this hostility. But in his remarkably sympathetic portrayal of Ronald himself, and of his and Clarissa's overwhelming love, we see another, quite different Stifter. Occasionally we catch a glimpse of both Stifter's personae at once, for instance in the comment just before Clarissa's declaration of helpless, immeasurable love: 'Wie schwach und wie herrlich ist der Mensch, wenn ein allmächtig Gefühl seine Seele bewegt' (289). To Stifter the moralist, passionate enthralment is despicably weak; to the other Stifter, it is breathtakingly magnificent. Indeed passion and sensuality are so important to this other Stifter that he repeatedly depicts them, but under the disguise of 'legitimate' relationships between members of a family. Thus in chapter one of *Der Hochwald* Clarissa kisses her sister 'unsäglich zärtlich auf den Mund' (220), and we suddenly find her compared to a (male) lover: 'Clarissa küßte sie zweimal recht innig entgegen auf die Kinderlippen, an deren unbewußter schwellender Schönheit sie wie ein Liebender Freude hatte' (220—1) — she responds to her sister's 'Kinderlippen' as Ronald responded to her own! A little later we read: 'Nur ein einziges Mal hatten sich die Schwestern, als [der Vater] fort war, umarmt und zwei, drei heiße Küsse auf die Lippen gedrückt' (232). Even — or perhaps especially — in the 'paradise' tableau at the end of chapter three (with Ronald hidden in the undergrowth!) we are shown them sitting hand-in-hand 'wie zwei Liebende, bewußtvoll ruhend in der gränzenlosen Neigung des Andern' (260). But the *pièce de résistance* of such depictions occurs at the end of chapter two, when the two girls face their first night in the frightening new environment of the pool:

die Mädchen stürzten sich in die Arme, Herz an Herz verbergend, ja fast vergrabend in einander, und sich die zarten Siegel der Lippen anpressend, so heiß, so inbrünstig, so schmerzlich süß, wie zwei unglückselig Liebende und fast ebenso trennungslos. (249)

Implacable moralism and lyrical sensualism: they are certainly opposites. But are they remote from each other, an incomprehensible contradiction? Or are they not perhaps two contrary faces of the same phenomenon? Can we perhaps go even further and suggest that one is the essential reality and the other only its inverted image? Are not rampant passion and sensualism the real well-spring and driving force in all Stifter's writing, to which all the elaborate paraphernalia of his moralistic dams and dykes and defences bear constant witness? Indeed one could be forgiven for suspecting that Stifter's condemnatory obsession with passion and its suppression, is in truth a devious way of incessantly indulging it. It is after all Stifter himself who disparages 'jede mit größter Kraft sich abgezwungene Besserung; denn . . . die Kraft, die [ein solcher] anwendet, sein Böses zu besiegen, zeigt uns fast drohend, wie gern er es beginge' (224)!

We can only suppose and suspect and conjecture. That is the fascination and the greatness of Stifter's prose with its infinite perspectivism: that the truth will not stay fixed and still. Like the sisters on their last fateful visit to the lookout, we are indeed confronted with contrary visions, and we behold a world that is at one and the same time 'lachend', 'lieblich', 'prangend' — and 'drohend unheimlich', 'düster und schreckhaft' (307—8). A world, too, that is marked by the ultimate antinomy: two contrary visions of God. Are the forests 'wie ein schöner Gedanke Gottes' (237), or are they 'ein riesig hinausgehendes schwarzes Bahrtuch' (308)? Which of Clarissa's responses is nearer the truth? — Her exultation on realising Ronald is near: 'in der schönen Einöde hat mich Gott der Herr gefunden . . . auch mitten im Walde ist der Herr ob uns' (279)? Or her grief on learning that Ronald is dead, and her 'Grimm, als sie das Auge gegen das Fenster wandte, wie gegen einen blinden Himmel' (312)? As always in Stifter, there is no final answer. Indeed that seemingly casual and rhetorical question that is voiced near the beginning of the story through Clarissa, has by the end acquired a poignant and troubling urgency: 'Wie könnte denn Gott, der allmächtige Herr des Weltalls, solche böse Wunder zulassen, wenn er wollte, daß wir noch fürder seinen Einrichtungen trauen sollten' (222)! It is this poignancy and urgency that help to make *Der Hochwald* such a disturbingly magnificent text.

Notes

1 SW XVII², 74.

2 All page references given in brackets in the text relate to the new Doppler/Frühwald edition: Adalbert Stifter, *Werke und Briefe. Historisch-kritische Gesamtausgabe*, ed. Alfred Doppler and Wolfgang Frühwald (Stuttgart, Berlin, Köln, Mainz, 1978 ff.). Page references without a prefix relate to volume 1,4 of the edition: *Studien. Buchfassungen*, ed. Helmut Bergner and Ulrich Dittmann (1980). The prefix I,1 indicates volume 1,1: *Studien. Journalfassungen*, ed. Bergner and Dittmann (1978). The prefix II,2 indicates volume 2,2: *Bunte Steine. Buchfassungen*, ed. Bergner (1982). Italics are mine throughout; Stifter's own emphases are shown by spaced type.

3 Oxymorons are in fact a recurrent and disturbing perspectivist device throughout the novella. Thus for instance the forest is variously referred to as 'düster-prächtig' (211), 'schwermüthig schön' (211), 'wehmüthig feierlich' (241), 'lieblich wild' (318), full of 'unsäglich viel Liebes und Wehmüthiges' (217), a 'heilige Einöde der Wildniß' (225); the meadow by the pool is for Clarissa 'du schöne, du unglückliche Waldwiese!!' (316), and Stifter has her speak of the moonlight as 'schmerzlich schön' (273); the sky is 'wie eine glänzende Wüste' (256); on first seeing the girls, Gregor's eyes light up 'wie von einem melancholischen Strahl der Freude' (239); their father shows them their new abode 'mit schmerzlich freudigen Gefühlen', and their passionate kisses once they are alone are 'schmerzlich süß' (249); together with Ronald, Clarissa shows 'süße düstere Zärtlichkeit' (287); Bruno's eyes in the closing pages are 'trüb-funkelnd' (312) and his whole expression is 'düsterschön' (311), while Clarissa's own eyes are 'schmerzhaft freundlich' (312).

4 Stifter had used strikingly similar death/gaiety and black/blue contrasts in his very first — and remarkable — flight into perspectivism in *Der Condor*: 'Erschrocken wandte die Jungfrau ihr Auge zurück, als hätte sie ein Ungeheuer erblickt — aber auch um das Schiff herum wallten weithin weiße, dünne, sich dehnende und regende Leichentücher — von der Erde gesehen — Silberschäfchen des Himmels. Zu diesem Himmel floh nun ihr Blick — aber siehe, er war gar nicht mehr da: das ganze Himmelsgewölbe, die schöne blaue Glocke unserer Erde, war ein ganz schwarzer Abgrund geworden, ohne Maß und Grenze in die Tiefe gehend —' (27).

5 For seminal discussions of Stifter's perspectivism and habits of concealment, see especially Walter Höllerer, *Zwischen Klassik und Moderne. Lachen und Weinen in der Literatur einer Übergangszeit* (Stuttgart, 1958), pp. 357 ff.; Wolfgang Preisendanz, 'Die Erzählfunktion der Naturdarstellung bei Stifter', *Wirkendes Wort*, 16 (1966), pp. 407—18. For a review of the debate on this topic, with special reference to the telescope motif in *Der Hochwald*, see Martin Selge, *Adalbert Stifter. Poesie aus dem Geist der Naturwissenschaften* (Stuttgart, Berlin, Köln, Mainz, 1976), pp. 27, 22 ff.

6 Preisendanz has spoken aptly of Stifter's 'analytische Technik des Kriminalromans'. The characters *and* the readers are caught in a labyrinth of illusion, partial knowledge, false assumptions, etc., and find their way only slowly, if at all, to the ultimate 'truth'. 'Der — bewältigte oder verfehlte — Weg vom ersten Eindruck, von der bloßen Evidenz, vom zufälligen Aspekt, von einer schiefen Perspektive, von Vorurteil, Illusion, Mutmaßung zum Einblick, zur Erkenntnis, zur "Sachgemäßheit", wie Stifter einmal formuliert: dieser Weg ist es doch, der immer wieder die eigentliche Erzählspannung stiftet.' (Preisendanz, *loc. cit.*, pp. 417—8).

7 This critical episode of the father's violent and unexplained response to Ronald has proved a highly effective shibboleth for commentators on *Der Hochwald*. To ignore the antinomy of 'Verblendung'/'Verhängniß' is to betray a fundamental blindness to the rich and dark ambiguities of the text. And yet we repeatedly find critics brandishing the false because one-sided supposition that the father acts out of sheer misunderstanding: 'ein kriegerisches Mißverständnis' (Friedrich Gundolf, *Adalbert Stifter* [Halle, 1931], p. 28); 'ein ganz unnötiges Mißverständnis' amounting to a 'willkürlichen Spiel des Schick-

sals' (Werner Kohlschmidt, 'Leben und Tod in Stifters *Studien*, *Euphorion*, 36 [1935], pp. 218, 219); 'Durch ein Mißverständnis war Ronald . . . getötet worden' (Walter Höllerer, *op. cit.*, p. 362); 'das aus einem sinnlosen Mißverständnisse erfolgende Ende der Wittinghauser' (Roy Pascal, 'Die Landschaftsschilderung im *Hochwald*', in: *Adalbert Stifter. Studien und Interpretationen*, ed. Lothar Stiehm [Heidelberg, 1968], p. 68). Cf. also for example Hilde D. Cohn, 'Symbole in Adalbert Stifters *Studien* und *Bunten Steinen*, *Monatshefte für Deutschen Unterricht*, 33 (1941), p. 245.

8   The personae, too, afford a revealing test of the critic's eye for Stifter's complex perspectivism. It is all too easy to register them as clear and simple figurines. An early English reviewer sets the tone in 1852 when he speaks of the 'extreme insipidity of the *dramatis personae*', and remarks: 'A pair of young ladies, warranted first-rate in point of beauty, but otherwise nothing in particular, a venerable papa, a faithful old servant, a young gentleman in love to the required depth — such are the materials of this silly little story' (quoted in: Moriz Enziger, *Adalbert Stifter im Urteil seiner Zeit* (Wien, 1968), pp. 169 f.). Later commentaries are less scathing, but no less simplistic: 'Die Charaktere haften in der spätromantischen Schablone von herrlichen Jünglingen, wackern Greisen und ernsthaft schwarzen oder munter blonden Jungfrauen.' (Gundolf, *loc. cit.*, p. 29); 'diese bürgerlichen Lebensbilder . . . Wunschbilder des trauten menschlichen Miteinander' (Erik Lunding, *Adalbert Stifter. Mit einem Anhang über Kierkegaard und die existentielle Literaturwissenschaft* [Copenhagen, 1946], p. 41); 'unwirkliche Puppen' (Konrad Steffen, *Adalbert Stifter. Deutungen* [Basel, Stuttgart, 1955], p. 70); 'die Charaktere blaß, romantischsentimental stilisiert' (Pascal, *loc. cit.*, p. 66).

9   SW VI, 47.

10   There can be no real doubt that Stifter does intend us to see this episode as a symbol of Ronald's and Clarissa's passion: he has Ronald follow it instantly with the exclamation '— — Clarissa! und ihr fragt, w e ß h a l b   i c h   g e k o m m e n ??' It should be noted, too, that there are other symbolic analogues in the story: above all, the jumble of dead trees by the pool (see page 54 ff.); but it is also no coincidence that the sisters' view of their paternal home rests, in the shape of the telescope, on the 'Stumpfe einer verkrüppelten Birke' (256)!

11   C. O. Sjögren misses the symbolic thrust of this startling description when she says simply that 'Johanna's dress . . . shows her to be neat, energetic, purposeful and unaffected' (Christine Oertel Sjögren, '*Tuch* as a symbol for art in Stifter's *Der Hochwald*', *Journal of English and Germanic Philology*, 73 (1974), p. 380.

12   The 'catch 22' quality of this symbolism in its application to human life is neatly defined by J.-L. Bandet: 'L'existence est une impasse: ou l'on se compromet, l'on accepte l'impureté et l'on meurt, ou l'on conserve son innocence, et l'on vit une vie inutile.' (Jean-Louis Bandet, *Adalbert Stifter. Introduction à la lecture de ses nouvelles* (Rennes, 1974), p. 152.)

13   The elements of 'Goldkörner' and 'gold'ne Kron'' link up not only with each other: they are manifestations of a profoundly ambiguous symbolic motif that recurs throughout the novella: the colour motif of 'redness'. One set of references is closely associated with the pool, and seems to indicate 'lust', 'desire', 'passion': the riches hidden in the secret recesses of the cliffside include 'Gold' and 'rothe Karfunkel' (265); it is the intruder's absorption in these 'Karfunkeln' and 'glühenden Kohlen' that cause him to be entombed alive (265); the mysterious fish that become 'lustiger und lustiger' the hotter the pan becomes, are 'roth um den Mund [sic!] und gefleckt wie mit glühenden Funken' (266). The 'Goldkörner' image, and with it the 'gold'ne Kron'', also belongs within this context: the stream that tumbles down from the pool, and which is itself an image of the torrential passion of the two lovers (see page 66), appears to contain 'lauter röthlich heraufflimmernde Goldkörner' (213). But red, particularly in the form of blood, is also the colour of violence and death. Ronald literally has blood on his hands when he first arrives in the virgins' haven (284). At the end, the sisters' tears roll down their cheeks 'wie das letzte Blut eines getödteten Geschöpfes' (315). And in the meantime the development of the catastrophe is repeatedly symbolised through blood imagery: 'da geht der blutrothe Vollmond auf' (272, i. e. just after the killing of the vulture); 'ein oder zwei blutrothe Blätter . . . fielen zu ihren Füßen' (297); 'das Fahlroth und Gelb des Herbstes, wie schwache blutige Streifen' (303); 'rückgebliebene Blätter [hingen] rostbraun oder blutroth oder vergelbt' (305, immediately before the sighting of the ruined castle). Red as 'passion' and as

'death': there is ambiguity here, but certainly no contradiction: for Stifter, passion is indeed lethal. Thus passion *and* death seem to be suggested by many of the other instances of the motif, for instance the 'rothe Stube' in the castle (231, 232), the 'rothes Tuch' of raspberries near the pool (245), the spasms of 'rothen Blitze' in the blackness of the pool (258).

14 It is thus fundamentally mistaken to think of Stifter as merely *describing* something that is there. Blackall is surely wrong when he refers to the pool evocation as 'this celebrated piece of descriptive writing', and defines the opening section of the novella as 'admirably pictorial' (Eric A. Blackall, *Adalbert Stifter. A Critical Study* [Cambridge, 1948], p. 120). Preisendanz's comment (in the context of *Katzensilber*) offers a far more revealing perspective: 'Stifter thematisiert in seinen Schilderungen die Wahrnehmung als eine autonome Bewußtseinsart mit, seine Naturdarstellung impliziert stets die Subjektivität als die Perspektive, in der Natur als objektive Wirklichkeit erscheint. Seine Naturdarstellungen . . . [werden] immer wieder zum Index: zum Index der Problematik menschlicher Weltaneignung überhaupt.' (Preisendanz, *loc. cit.*, p. 410).

15 Again here, as with Stifter's presentation of the father (cf. pages 51—52), we are confronted with a kaleidoscope of strikingly disparate metaphors and symbols. There is no trace whatsoever here of any 'Kunst der seelischen Besänftigung' (Lunding, *op. cit.*, p. 42). The reader is disquieted, not comforted. Thus Sjögren is surely wrong when she claims that Stifter 'has turned natural objects into objects hand-crafted by man and has created a realm of the aesthetic', a realm, that is, that reflects his alleged 'faith in art as a means of establishing order and truth within a universe grounded on chaos and nothingness' (Sjögren, *loc. cit.*, pp. 385, 386). Pascal's view is different, but equally suspect. Being one of the many critics who see Stifter as essentially a Biedermeier writer trying to muffle the supposedly gross and destructive wildness of Nature ('die fortwährende Zerstörung und Gewaltsamkeit, die zum Leben der Natur gehören') beneath the cosy 'Traulichkeit' of human domesticity, he interprets the human imagery in the pool evocation accordingly: 'Diese Bilder drängen sich in der erschreckenden Einsamkeit und Wildheit der Berghöhe auf, sie balancieren sie, man möchte sagen, sie bezähmen sie . . . sie versöhnen uns mit der wilden Einsamkeit' (Pascal, *loc. cit.*, pp. 66, 64). — The danger, as Stifter sees it, lies not at all within Nature, but within *man himself;* cf. page 62.

16 Characteristically, Stifter's vulture is a profoundly ambiguous image. It has strongly negative connotations: vultures are predators with a predilection for carrion; they have traditionally been associated with the gallows and the devil, and used in 'verwünschungen' and in expressions describing 'die stärkste gier' (Grimm, *Deutsches Wörterbuch*, IV.1.2); and Ronald's killing of the vulture inaugurates the catastrophe. But the bird is also presented here in the most positive terms: it is 'schön', 'zierlich', 'sanft' full of 'zarte Majestät', etc. (263 ff.) The paradox is highlighted within the text itself (through Gregor): 'daß sie ihn draußen ein Raubthier heißen, daran ist er so unschuldig wie das Lamm; er ißt Fleisch, wie wir Alle auch, und er sucht sich seine Nahrung auf, wie das Lamm, das die unschuldigen Kräuter und Blumen ausrauft.' (264). Like so much else in Stifter's work, it is a matter of *perspective*. But the uncanny relevance of the ambiguous vulture is that it mimics — and hence reinforces — the author's deeply ambiguous presentation of Ronald (cf. especially pages 67 ff.): Ronald the evil predator with his 'dunklen Schwingen' (301); Ronald who can say with utter conviction to his beloved: 'ich will gut werden und sanft, wie das Lamm des Feldes' (289)!

17 It will be recalled that the rose was the heraldic emblem of the (doomed) Wittinghausen dynasty, and also one of the most pervasive symbols in all Stifter's work. Sjögren thus sorely misses the import of this particular symbolic incident when she claims that it merely exemplifies 'a moral lesson frequently demonstrated in Stifter's works, namely that man can function properly only when he is in control of himself and free from passion and self-interest, for only then can he give objects around him their proper due.' (Sjögren, *loc. cit.*, p. 381).

18 Cf. Bandet, *op. cit.*, p. 148: 'la faute est . . . placée d'emblée sur le plan du rapport entre les sexes . . .: c'est la passion qui rend l'homme criminel'. However, Bandet goes on to argue that Stifter demonstrates 'le thème de la *culpabilité sans faute*': for Bandet, Ronald and Clarissa are entirely without fault: '[ils] ne commettent aucune faute envers le monde, bien au contraire', but their love, and indeed *all* sexual love, is inherently and necessarily wrong, it is 'en soi une force dangereuse' and as such 'la marque même de

72

la misère de la vie'. Man is thus 'coupable par essence' and 'écrasé par sa culpabilité originelle'; he is willy-nilly a victim of the 'péché inéluctable' (Bandet, *op. cit.*, pp. 148 ff.). But Stifter is neither as nihilistic nor as indulgent as Bandet would have us believe: individuals can and *must* resist their 'tigerartige Anlage' if ever it shows itself, as Stifter's mouthpiece in 'Zuversicht' makes graphically clear. Clarissa and Ronald fail to put up the necessary resistance; and (in a sadomasochistic *Ersatzhandlung* born of his own private guilt?) Stifter visits upon his creatures a terrible ritual of vengeance and punishment culminating in total annihilation.

19 Bandet proffers an interesting if somewhat drastic view of the two sisters: for him, they represent 'les deux faces d'un personnage unique'; 'elles ne sont que les deux aspects complémentaires et antagonistes d'un seul et même personnage, celui de l'amoureuse, Johanna représentant l'attachement à l'enfance, l'angoisse devant la "passion", Clarissa au contraire l'entrée dans le domaine de l'amour.' (Jean-Louis Bandet, 'Variations sur un cadavre. Remarques sur le sentiment amoureux et l'éducation dans les *Studien* d'Adalbert Stifter', *Etudes Germaniques*, 33 [1978], pp. 136—7). Bandet indeed carries his interpretation to its logical conclusion: Gregor and the girls' father also constitute for him 'un double personnage', and so too do Ronald and Bruno (*ibid.*, pp. 137, 138).

20 It is notably in just such a barren environment — 'dort oben, wo der dürre Sandstrom . . . quillt' — that the storm-blasted tree-stump stands, the stump that holds Ronald spellbound with its nocturnal radiance, and seems to serve both for him and for us as the ambiguous symbol of his passion (284; see page 52).

21 The final paragraphs of the novella have proved a major crux. Just as many commentators have assumed that the father's catastrophic response to Ronald was a sheer mistake, so too there is a powerful interpretative tradition that sees no element of 'Strafe und Lohn' enacted in these drastically contrasted paragraphs. On this view, Stifter is not highlighting the grossness of aberrations by wanton individuals, but demonstrating the sheer mortality of mankind in general. Thus Kohlschmidt declares: 'Ist der Mensch grundsätzlich nicht herausgehoben aus der Ordnung der Natur und ihrer Kreaturen, so muß er wie Pflanze und Tier . . . der Gewalt der Notwendigkeit unterliegen.'; and he sees the close of *Der Hochwald* as expressing 'Empörung gegen den Tod' and a 'trostlos dunkle Trauer' (*loc. cit.*, pp. 218, 217). In the same vein, Herbert Seidler speaks of 'der den Menschen zermalmenden Naturgröße' and the 'Vergänglichkeit des Menschen gegenüber der Ewigkeit der Natur', and of the last three paragraphs of the story he remarks: 'Freilich hat Stifter sonst kaum jemals mit so rücksichtsloser Eindringlichkeit den schier unüberbrückbaren Unterschied zwischen der Hinfälligkeit des Menschen . . . und der Größe der ewigen Natur herausgetrieben wie hier.' (Herbert Seidler, *Studien zu Grillparzer und Stifter* [Wien, Köln, Graz, 1970], p. 173). — Both Kohlschmidt and Seidler seem here to be seriously missing the point.

22 The positive thrust of this particular symbolic detail may be confirmed if we recall that Witiko is revealed to Bertha in almost identical terms: 'die Fülle schöner blonder Haare rollte auf seinen Nacken herab' (SW IX, 24).

Zusammenfassung

Als Produkt des größten deutschen Meisters des literarischen Trompe-l'oeil wirkt die Erzählung *Der Hochwald* je nach Blickwinkel klar und sonnig oder düster und bedrohlich. Zur Exemplifizierung dienen zwei Episoden: 1. Die emblematische Ein-Satz-Darstellung der beiden Jungfrauen gegen Ende des dritten Kapitels: dieses scheinbar paradiesische Tableau weist bei näherer bzw. retrospektiver Betrachtung ominöse Dunkelstellen auf, zumal schon Ronald als unsichtbare „Schlange" im Gebüsch lauert; 2. Die Fernrohrepisode, welche Charaktere sowie Leser mit gegensätzlichen Visionen von ungetrübter Harmonie und greulicher Zerstörung konfrontiert. Mehrdeutigkeit wird immer intensiver vermittelt: dem Leser werden statt einer etwaigen Sinngebung lauter Bilder geboten.

Stifters Verdrängungsstrategie wird vornehmlich durch die Kunst des Schweigens verwirklicht und spiegelt sich präzise wider in Clarissas fragmentarischer Wiedergabe des Liedes: es klingen nur „einzelne Töne" an, „die nicht zusammenhängen"; die Wahrheit wird verschwiegen und höchstens durch vereinzelte „Inselspitzen einer untergesunkenen Melodie" angedeutet. Manchmal ist es der Leser, der in Unwissenheit gehalten wird, z. B. über Bruno. Meistens sind es aber die Charaktere, die Unwissenheit erleiden müssen, indem sie entweder durch die Undurchschaubarkeit der Existenz überhaupt getäuscht werden, oder aber durch ihre Mitmenschen, die zwar selten lügen, dafür aber die Wahrheit ungerne verraten. Eine Folge davon ist die Kleistsche Logik der Erzählung, deren Entwicklung durchweg auf Fehlurteilen basiert, die sich aus Unwissenheit ergeben. Ein Paradebeispiel dafür scheint die Katastrophe zu sein, die durch die fatale Reaktion des Freiherrn auf Ronald ausgelöst wird. Dieses Ereignis wird charakteristischerweise nur indirekt vermittelt, und zwar durch stumme Zeichen und Gebärden, die konträre Interpretationen zulassen: Heißt es hier „Verblendung"? Oder heißt es „Verhängniß"?

Sucht man nach dem „Sinn" der Erzählung, nach der „untergesunkenen Melodie", so sind die Personen die wichtigsten „Inselspitzen", insbesondere die Schwestern. Sie werden zwar gelegentlich wie heilige Zwillinge dargestellt, sind aber in Wahrheit grundverschieden, was durch die kontrastiven Bilder ihrer Haare, Augen, Kleidung und Tätigkeiten symbolisiert wird. Ein typisches Täuschungsmanöver: Johanna wird immer wieder in den Vordergrund gerückt, als handelnde Figur ist Clarissa jedoch weitaus wichtiger. Eine tiefe symbolische Verwandtschaft zeigt sich zwischen Clarissa und dem Hauptort, dem geheimnisvollen See — einer „versteinerten Thräne" umgeben von Tod und Unordnung. Hauptmerkmal dieser Verwandtschaft ist die wiederholte Schwarz-Weiß-Symbolik. Auch hier ergibt sich keine eindeutige Wahrheit: es bieten sich uns nur zweideutige Symbole und Perspektiven. Der See und seine Umgebung erscheinen als eine verwunschene Todesstelle — aber auch als ein seliger Ort des Friedens. Beide Anschauungen sind subjektive Sehweisen, wobei das Negativ- bzw. Positiv-Menschliche auf die schweigende Natur projiziert wird. Die kritische Entfremdung des Menschen von der Natur zeigt sich hier und erweist sich als Kern der Erzählung: *Der Hochwald* demonstriert die zwanghafte Schändung alles Natürlichen durch den Menschen. Zentralmotiv der Geschichte ist dementsprechend die Jungfräulichkeit — und deren Verletzung. Woher diese Entfremdung? Weil allein der Mensch zu „Trotz und Laster" fähig ist, während etwa Pflanze und Bach automatisch den „Gesetzen des Herrn" folgen. Alte und besonders junge Menschen verfallen dieser Entfremdung allerdings nicht: sie manifestiert sich in der Phase dazwischen — der Phase der vollen menschlichen Potenz. Somit bildet den glühenden Mittelpunkt der Erzählung eine sinnliche Leidenschaft von derart wilder Kraft, daß sie eine totale Katastrophe herbeiführt: „Strafe und Lohn" bilden das Pendant zu „Trotz und Laster", und der als Racheengel wütende Stifter inszeniert ein orgiastisches Strafgericht. Intakt bleibt allein die Natur, oder genauer: ihre Intaktheit, ihre „Jungfräulichkeit", wird auf eine eher groteske Weise wiederhergestellt.

So erschiene denn die Moral trotz aller Perspektivik deutlich genug: nicht „Verblendung", sondern „Verhängniß"; versündige dich, und du wirst grausam bestraft! Es bleibt aber doch eine letzte und tiefe Ambivalenz: vielleicht gar eine contradictio: die Leidenschaft, die Ronald und Clarissa über den Tod hinaus verbindet, ist nicht nur wild und destruktiv, sondern gleichzeitig auch strahlend schön und positiv! Leidenschaftliche Verstrickung ist für Stifter schwach und verwerflich — aber auch von überwältigender Herrlichkeit; er ist unerbittlicher Moralist und lyrischer Sensualist zugleich. Fragt man nach der treibenden Kraft seiner Kunst, so ist es wohl eher sein Sensualismus: seine besessene Anprangerung der Leidenschaft erlaubt es ihm vielleicht erst, sie voll zu genießen. Solche Fragen erhalten aber keine klare Antwort. Last not least bleiben im *Hochwald* auch die Vorstellungen von Gott zutiefst widersprüchlich. Welche Version haben wir hier zu glauben: Daß Gott gütig und allmächtig ist? Oder daß es einen Gott überhaupt nicht gibt?

Stifters *Bunte Steine*: Versuch einer Bestandsaufnahme

Eve Mason

Wenn hier in engem Rahmen der Versuch gemacht wird, wieder einmal festzustellen, was Stifter in seiner Sammlung von *Bunten Steinen* eigentlich dem Leser vorlegt, so soll vorerst einmal die Vorrede außer acht gelassen werden, damit die wehende Luft, das rieselnde Wasser und wachsende Getreide nicht sofort wieder ihren magischen Zauber ausüben können, und deshalb allzu ausschließlich nur nach dem Wirken des „sanften Gesetzes" gefragt wird. Denn daran kranken doch wohl die meisten Interpretationen auch neueren Datums, die sich die Sammlung als Ganzes zum Gegenstand genommen haben. Im Unterschied zu einigen Einzeluntersuchungen, die oft mehr die inneren Spannungen einer Erzählung betonen und deshalb vor einer automatischen Anwendung des Begriffes des „sanften Gesetzes" warnen, versuchen diese Gesamtinterpretationen ein allgemein gültiges Gestaltungsprinzip nachzuweisen. Man begegnet immer wieder den Begriffspaaren „Gefahr und Rettung", „soziale Desintegration und Integration", „Störung und Wiederherstellung der Ordnung", „verfehlte und richtige Erziehungsmethoden". Obwohl die Erarbeitung und Anwendung solcher Begriffspaare oft zu sehr wertvollen Einblicken in die Intentionen und die Erzählkunst Stifters geführt haben, sind sie doch auch verantwortlich zu machen für verallgemeinernde Verzeichnungen, die die spezifische Eigenart der einzelnen Erzählungen und ihre Stellung im Gesamtzyklus nicht erfassen. Weil der Großvater in *Granit* weise, gütig und umsichtig ist, werden alle Großeltern in diesem Lichte gesehen; weil Erziehung eine große, oft positive Rolle spielt, wird *Katzensilber* als mißlungener Erziehungs- und Integrationsversuch bezeichnet. Andererseits tragen solche Begriffspaare der eigentümlichen Kontrastierung von negativen und positiven Kräften, die sich in den Erzählungen auswirken, weitgehend Rechnung, allerdings oft in einer wenig differenzierten Weise, da sie vor allem als Beweise für das Wirken des „sanften Gesetzes" herbeigezogen werden.

Nun ist aber gerade das Verhältnis der positiven Kräfte, die nach dem Bestehen des Einzelnen streben, zu den negativen, die es gefährden, in den einzelnen Erzählungen durchaus nicht ausgewogen, noch von Erzählung zu Erzählung einheitlich gestaltet. Auch der Sieg des „sanften Gesetzes" steht nicht unbedingt fest. Stifter schränkt die eben hergestellte Ordnung oft wieder ein, indem er sie dem wenig dauerhaften Erinnerungsvermögen der Menschen oder den Veränderungen der rastlosen Zeit anheimgibt. Auch erweist sich die Ordnung oft als zerbrechlich oder trügerisch. Die idyllische Kindheitsszene in „Granit" wird von den Späßen des Wagenschmiermanns, dem Zornesausbruch der Mutter, den Erzählungen von Krieg und Seuche in Frage gestellt. Das geordnete Gemeindeleben in *Bergkristall* entpuppt sich als engherzig und allzu traditionsgebunden. Der Begriff der Rettung ist ebenso vieldeutig. Geht es in *Kalkstein*, zum Beispiel, um die Rettung der Schulkinder vor den Gefahren des Schulweges oder denkt Stifter an eine viel feinere, tiefgründigere Form der Befreiung von einer ganz anders gearteten Gefahr? Erschöpft sich der Sinn von *Katzensilber* wirklich in dem rettenden Eingreifen des Braunen Mädchens, so daß man sagen darf, nach Hagelschlag und Feuersbrunst bahne sich ein neuer Zustand an? Die Definition der negativen Kräfte ist ebenfalls nicht leicht. Sie werden in mannigfaltigen Bezügen abgewandelt, und es geht nicht an, sie einfach der physischen Bedrohung durch Schneefall, Hagelschlag, Feuer, Wassernot oder Krieg gleichzusetzen. Diese „kommen", um Stifters Worte zu gebrauchen, „auf einzelnen Stellen vor, und sind die Ergebnisse einseitiger Ursachen" (HKG II, 2, 10).

Nun besitzt Stifter aber nicht nur die Gabe, die zerstörerischen Möglichkeiten der Natur auf unerhört faszinierende Weise zu beschreiben, er versteht es auch, Worte von auffallender Prägnanz zu finden, die oft im Vergleich mit den eindrücklichen Naturschilderungen nüchtern, ja lakonisch wirken, aber gerade deshalb im Leser eine starke Reaktion hervorrufen und in seinem Gedächtnis haften. Da Stifter sie nur an ganz bestimmten Stellen einsetzt und ihnen einen eigentümlichen Aussagewert im Erzählganzen verleiht, weisen solche prägnanten Sätze oft deutlicher auf das Verhältnis der positiven und negativen Kräfte hin als dies die prächtig einherziehenden Gewitterstürme, das Gebrülle des Hagels oder das Glühen und Glänzen des Feuers zu tun vermögen. Wenn man solchen Formulierungen nachgeht, zeigt sich sofort, daß sie sich viel häufiger auf jene Kräfte beziehen, die die Daseinsbedingungen eines Menschen gefährden oder zerstören als auf jene, die auf das Bestehen des Menschen hinwirken. Sie vermögen den Leser in einen Zustand zu versetzen, der sich am ehesten mit den Angstträumen des kleinen Buben in *Granit* vergleichen ließe, der Tote, Sterbende, Pestkranke, Drillingsföhren und den alten Andreas, der ihm schon wieder die Füße anstrich, bei sich hatte. Die beklemmende Wirkung solcher Formulierungen ist nachhaltig und tief. Was sie aussagen, läßt sich nicht leicht auf den Nenner eines Gegensatzpaares bringen, das sich mit gleicher Gültigkeit auf alle Erzählungen anwenden ließe. In *Granit,* zum Beispiel, wird das „Ich war . . . über diese fürchterliche Wendung der Dinge, und weil ich mit meiner theuersten Verwandten dieser Erde in dieses Zerwürfniß gerathen war, gleichsam vernichtet" (HKG II, 2, 27), womit der kleine Ich-Erzähler das lähmende Entsetzen ausdrückt, das der jähe Zornesausbruch der Mutter in seiner Seele auslöste, am Schluß der Erzählung weitgehend aufgewogen durch den Satz, „ . . . ich erkannte, daß alles verziehen sei, und schlief nun plözlich mit Versöhnungsfreuden, ich kann sagen, beseligt ein." (HKG II, 2, 60). In *Bergkristall* setzt Stifter den freudigen Ausruf des Hirten Philipp „Das sind Weihnachten!", als er die Kinder findet (HKG II, 2, 234), gegen das monotone Rederitual des „Ja, Konrad", womit Sanna jedesmal wieder die irrigen Feststellungen ihres Bruders bejaht, wenn er sich selbst und der Schwester in dem ausweglosen Eisfeld Mut zusprechen will. Aber auch wenn man die heilende Wirkung eines solchen Ausgleichs voll anerkennt, bleibt in beiden Erzählungen viel Ungelöstes und Drohendes zurück. Das Grauen des Pechbrennerknaben in *Granit* etwa, der von der Hütte weglief, „weil er den todten Mann und das todte Weib entsezlich fürchtete" (HKG II, 2, 50), oder die Entmenschlichung, die sich in dem Satz ausspricht „ . . . das Mädchen . . . lag so ungefüg in dem Gestrippe, als wäre es hinein geworfen worden" (HKG II, 2, 51 f.). Auch in *Bergkristall* wird der Leser von dem wiederholten „Es war Eis — lauter Eis" und dem „Aber es gab kein Jenseits", womit Stifter die Hoffnung der Kinder, einen Weg ins Tal zu finden, unbarmherzig vernichtet, aufs tiefste erschreckt, und trotz der märchenhaften Harmonisierung des Schlusses dazu getrieben, nach Ursache und Wirkung zu forschen. Die Frage, weshalb sich kleine Kinder ganz allein in dem fürchterlich großen Wald befinden oder mitten im Winter auf einer Straße zwischen zwei Tälern der Gefahr des Verirrens und Erfrierens in Eis und Schnee ausgesetzt sind, drängt sich mächtig auf und führt zu einer Reihe grübelnder Überlegungen über das wahre Wesen des Menschen.

In *Kalkstein* ist es noch schwieriger, das Verhältnis von erhaltenden und vernichtenden Kräften eindeutig abzustecken, denn hier besteht ein mannigfacher Bezug zwischen der liebeleeren, erzieherisch verfehlten Kindheit des Pfarrers, seinem zweideutigen Versagen in Liebesdingen und dem Lebensinhalt, den er sich zuletzt selbst gibt: „ . . . die Gefahr der Kinder der Steinhäuser und Karhäuser" aufzuheben (HKG II, 2, 128). Auch hier reißt Stifter vielschichtige Tiefen auf. Mit zielsicherer Kunst, in schlichten, knappen Formulierungen charakterisiert er die Lernschwierigkeiten des Knaben: „ . . . da waren immer bei einem Worte mehrere Regeln, die sich widersprachen . . ." und „ . . . Die Regeln, die wir in unserer Sprachlehre lernten, waren in den griechischen und lateinischen Büchern nicht befolgt" (HKG II, 2, 104). Am ergreifendsten aber wirkt die verhaltene und doch so vielsagende Formulierung: „Wir fuhren oft mit unsern Schimmeln durch die Stadt, wir fuhren auch auf das Land, oder sonst irgend wo herum, und der Lehrer saß immer bei uns in dem Wagen" (HKG II, 2, 103). Ein eng geflochtener Kausalnexus führt von dieser überschatteten Kindheit zur Ratlosigkeit in sexuellen Dingen, zu der Scham und dem bitteren Kummer einer verspäteten Pubertätszeit. Mit Anlehnung an den Wortlaut des ersten Buches Mose, drittes Kapitel, läßt Stifter den Pfarrer gestehen: „Mir brannten die Wangen vor Scham, und ich wäre erschroken, wenn mir jemand im Garten begegnet wäre" (HKG II, 2, 115), ein inhaltsschwerer Satz, der nicht wenig zu dem Eindruck des Abgründigen und Rätselhaft-Ungelösten, den diese Erzählung im Leser wachruft, beiträgt. Nur die wiederholten Hinweise des Landvermessers auf die klaren blauen Augen des Pfarrers vermögen die zweifelnde Unruhe, die sich des Lesers bemächtigt, etwas zu bannen. Allerdings schränkt Stifter das Gefühl des Positiven sofort wieder ein, indem er den Erzähler zwar als tüchtigen Topographen hinstellt, zugleich aber sein Vermögen, die Höhen und Tiefen der menschlichen Seelenlandschaft richtig zu vermessen, ironisiert, so daß der Leser die befriedigten Worte des Landvermessers: „Ich wußte nun, weshalb er sich seiner herrlichen Wäsche schämte" (HKG II, 2, 120) nur mit größtem Vorbehalt entgegennimmt.

Turmalin ist von vornherein als Beispiel der zerstörerischen Kräfte konzipiert. In geradezu fanatisch zu nennenden Einzelheiten beschreibt Stifter ein zielloses, von allen natürlichen Kräften abgekapseltes Dilettantentum, das jeder Lebensmitte entbehrt. Er macht das Fehlverhalten des Vaters ausdrücklich verantwortlich für das körperliche und geistige Verkümmern des Mädchens, das einst „ . . . unter dem Gezelte geschlafen hatte, dessen Spize der vergoldete Engel mit seinen Fingern gehalten hatte, dessen Falten rings um das Bettchen auseinander gegangen waren" (HKG II, 2, 175). Nirgends in dieser Erzählung läßt sich eine wahrhaft positive Formulierung finden, welche die entsetzliche Kausalität zwischen der Schuld des Vaters und dem Leiden des Kindes aufwiegen könnte. Alle sorgfältigen Bemühungen der Erzählerin erreichen nur, daß das Mädchen „sich in den Lauf der Dinge schiken konnte" (HKG II, 2, 179), eine lakonische Wendung, die jegliche Hoffnung auf ein wahrhaft erfülltes Leben zunichtemacht.

Die durch ihre Endgültigkeit nachhallendsten Worte aber finden sich in *Katzensilber*. Sie zeigen den unheilbaren Riß auf, der die zivilisierte, im Materialismus befangene Welt des Guthofes von der geheimnisvollen Sphäre des Waldgeschöpfes trennt. Auch hier stellt Stifter einen vielfach verschlungenen Zusammenhang her zwischen dem selbstgefälligen Wohlleben der Gutsbewohner, die sich selbst als oberste Norm betrachten, das Erstaunen vor den Urphänomenen verlernt haben und ihnen gegenüber keinen Dank kennen, und dem endgültigen Verschwinden des Braunen Mädchens. Die Eltern „dachten, es werde sich geben. Aber es gab sich nicht. Sie sahen das Mädchen über die Sandlehne empor gehen, und sahen es seitdem nie wieder" (HKG II, 2, 314). Indem Stifter die Erzählung kunstvoll um die Sagenmotive von der braunlockigen Fenke, die die Gesellschaft der Menschen sucht, von dem verkannten Schatz des Lebenswassers und dem Tode Pans[1] aufbaut, spricht er über eine Zivilisiertheit, die ihren Wunderglauben verloren hat und sich ihrer inneren und äußeren Gefährdung überhaupt nicht bewußt ist, das Todesurteil aus. Hier erlaubt er dem Todesmotiv, das er in den anderen Erzählungen immer wieder zurückdrängt, breiten Raum als Symbol einer entzauberten Welt, in der sogar die Kinder sich nicht mehr unter dem magischen Zauber von Sage und Märchen gefangen geben, sondern sie mit wissenschaftlichem Eifer auf ihren faktischen Wahrheitsgehalt hin untersuchen. „Jochträger, Jochträger, sag' der Sture Mure, die Rauh-Rinde sei todt" (HKG II, 2, 248). „Sture Mure ist todt, und der hohe Felsen ist todt" (HKG II, 2, 313). Mit diesen, der Sage entlehnten Worten drückt Stifter seine Ernüchterung aus mit einem Zeitalter, das ihn durch „roh stoffliches Treiben und Genießen" anwidert (SW XX, 13).

Nur in *Bergmilch* gibt es keine solchen bedeutungsschweren Formulierungen, die sich unwiderruflich dem Gedächtnis einprägen. Dies ist nicht von ungefähr: alles Gefährdende und potentiell Tragische ist hier rational aufgelöst und sentimental verwässert.

Doch gerade im Vergleich mit dieser anekdotenhaften Erzählung zeigt sich, daß Stifter in den übrigen Erzählungen der Sammlung den prägnanten Formulierungen eine ganz besondere, tragende Funktion zuweist. Sie halten im Leser eine Unruhe wach, die sich von Erzählung zu Erzählung fortpflanzt und einen didaktischen Zweck erfüllt. Stifter nähert sich in solchen Formulierungen oft der wirklich hohen tragischen Kunst. Mit ihrer Hilfe leitet er den Leser auf versteckte Bezüge hin, die sich nicht unbedingt in der Erzählhandlung enthüllen. Vor allem bedient er sich ihrer, um den Leser immer wieder auf den erschreckenden Kausalzusammenhang hinzulenken, den er zwischen einem, im alltäglichen Verlauf der Dinge durchaus normalen Vergehen und der Schuldhaftigkeit des Menschen überhaupt herstellt. Ein plötzlicher Zornesausbruch, eine topographisch bedingte und durch Inzucht verstärkte Intoleranz, väterlicher Gelddünkel und Familienstolz, eine lieblose Erziehung oder eine wirr-verschrobene Haltung dem Leben gegenüber haben kaum mehr gutzumachende Folgen. Sie werden in analoge Beziehung gesetzt zu dem Ausbruch der Pest, der Grausamkeit der zu Tode geängstigten Menschen, dem Ausgesetztsein im Walde oder dem Tode in der eisigen Umarmung des Firngletschers, zu drohendem Wahnsinn und Erbsünde und erhalten dadurch eine auffallende Überdimensionierung.

Ein Blick auf die *Journalfassungen* zeigt, daß Stifter diese Überdimensionierung erst im Laufe der Umarbeitung vollzogen hat, wobei er den Text ganz bewußt und bis in die kleinsten Verästelungen des Wortlautes auf dieses Ziel hin umstilisierte. Der Umarbeitungsprozeß kann sehr tiefgreifend sein — der Charakter des Rentherrn, zum Beispiel, wird völlig umgeschrieben, die Liebesgeschichte des Pfarrers in ein zweideutiges Licht getaucht — oder es sind bloß kleine Streichungen und Additionen im Wortlaut, deren Bedeutung, vor allem für den didaktischen Gehalt, sich aber sofort als sehr groß erweist. In *Granit,* zum Beispiel, ersetzt Stifter das viel gebräuchlichere und deshalb nichtssagende „ . . . und das Herz war mir mit Schnüren zugezogen" in den *Pechbrennern*[2] mit dem schon erwähnten, absoluten „ . . . gleichsam vernichtet" (HKG II, 2, 27); in *Bergkristall* ändert er das weniger prägnante, weniger bedeutungsvolle „wenn ihnen nicht von Seite der Seele Hilfe gekommen wäre" (*Journalfassung, 169*) in das gewichtige „wenn nicht die Natur in ihrer Größe ihnen beigestanden wäre" (*Buchfassung, 227*) um. Sehr oft wird der faktische Realismus der Details verstärkt. Der Schauplatz einer Handlung, Dinge, die benützt oder im Erzählgefüge eine Rolle spielen, werden in wahrheitsgetreuen Einzelheiten geschildert und bürgen so für die Glaubhaftigkeit der Geschehnisse. Andererseits wird auch viel, das in den *Journalfassungen* in lockerem Plauderton vorgetragen wurde, ausgespart oder viel verhaltener gestaltet, so daß der Leser sich zum tätigen Nachvollzug aufgefordert sieht. Immer handelt es sich um eine Konzentrierung und Straffung des Erzählduktus, um eine Steigerung des Kausalnexus, was zu einer Verstärkung des moralischen Gehaltes überhaupt führt. Es kann deshalb nicht überraschen, daß es in den *Journalfassungen* noch keine oder nur sehr vereinzelt auftretende prägnante Formulierungen gibt, denn diese Formulierungen haben ja vor allem den Zweck, im Leser eine für moralische Bezüge empfängliche Stimmung zu schaffen und ihn auf die Kausalität der Dinge hinzuweisen. Stifter benötigt diese gesteigerte Empfänglichkeit seines Lesers, wenn er ihn glauben machen will, daß die negativen Kräfte wirklich die positiven im Menschen auslösen, daß tatsächlich etwas Höheres in uns ergrimmt und wir den Schwachen und

Unterdrückten helfen, wenn wir sehen, wie jemand die Bedingungen des Daseins eines anderen zerstört, indem er jedes Ding unbedingt an sich reißt, was sein Wesen braucht, denn nur so kann er das „sanfte Gesetz" postulieren.

Um das Wirken des „sanften Gesetzes" jedoch in seinen Erzählungen richtig veranschaulichen zu können, muß Stifter, paradoxerweise, zu krasser Willkür greifen und als *deus ex machina* der Kausalität des Bösen im entscheidenden Augenblick Einhalt gebieten, denn was er hier an schuldhafter Verkettung, an Bedrohung und Gefahr aufbaut, kann, rein erfahrungsgemäß gesehen, nicht harmonisiert werden, sondern nur zu Versinken, Wahnsinn und Tod führen. Um diese Schwierigkeit zu überspielen, zieht Stifter starke Mittel heran. Er steigert einerseits die Gefahr und Bedrohung. Der kleine Pechbrennerjunge findet sich plötzlich verwaist und allein in dem fürchterlich großen Walde, wohin sein Vater in anmaßender Hybris geflohen war, um sich und die seinen der Heimsuchung Gottes zu entziehen: „und da war jezt überall niemand, niemand als der Tod" (HKG II, 2, 50). Wenn der Junge auf einen Baum klettert, um einen Weg zu den Menschen zu finden, sieht er „nichts als Wald und lauter Wald" (HKG II, 2, 51). Stifter beschreibt diesen Wald, „wo nie ein Besuch von Menschen hinkömmt, wo nie eine Luft von Menschen hinkömmt" (HKG II, 2, 46), „. . . wo der Wald noch ist, wie er bei der Schöpfung gewesen war, wo noch keine Menschen gearbeitet haben, wo kein Baum umbricht, als wenn er vom Blize getroffen ist, oder von dem Winde umgestürzt wird" (HKG II, 2, 47). Da Stifter aber beweisen will, daß „das Gute größer ist als der Tod" (HKG II, 2, 14), führt er nun den, für das nüchterne Empfinden durchaus unglaubwürdigen Zufall ein, daß der Knabe eines Tages inmitten dieser Urwaldwildnis auf das kleine Mädchen mit den feinen Haaren stößt, auch es ein Opfer der von panischer Todesangst getriebenen, nur auf das eigene Überleben bedachten Menschen. Erst in der liebenden Fürsorge um das kranke Mädchen überwindet der Junge die lähmende Angst und vermag sich wieder daran zu erinnern, daß „alle Wässer abwärts rinnen", und „wenn man daher an einem rinnenden Wasser immer abwärts gehe, so müsse man aus dem Wald heraus zu den Menschen gelangen" (HKG II, 2, 55).

Wie vermag nun Stifter die Kluft, die zwischen einer mathematisch geradezu unendlichen Unwahrscheinlichkeit und einem Gesetz besteht, zu überbrücken? Nur indem er die im Leser aktivierte Erwartung auf die Kausalität alles Geschehens zum Glauben an eine Providenz steigert, so daß der aufs äußerste getriebene Zufall als Wunder erscheinen muß, und zwar nicht als ein phantastisch-magisches oder rein stoffliches Wunder, sondern als ein geistig und sittlich notwendiges.

Es geht Stifter darum, zu zeigen, daß im Pechbrennerknaben sittlich regenerierende Kräfte freigesetzt werden, als er das Mädchen findet und sich entscheidet, ihm trotz seiner Krankheit zu helfen. Alle Vorrichtungen, die der Junge trifft, sind von Vernunft und Sittlichkeit diktiert. Er kümmert sich nicht nur um die körperliche Gesundung des Kindes, sondern „wischte . . . die nassen Locken mit seinen Händen ab, daß sie wieder schönen feinen menschlichen Haaren glichen" (HKG II, 2, 52). Die fein detaillierte Schilderung demonstriert das Wirken des Sittengesetzes, von dem schon Augustinus darlegt, daß es den Menschen als *lex naturalis* ins Herz gepflanzt ist. Der märchenhafte Triumphzug der Kinder aus dem Walde zu den Menschen ist eine Bestätigung dieses Sieges über den Tod.

Auch in *Bergkristall, Kalkstein* und *Turmalin* verwandelt Stifter die aller Empirie widersprechende Unwahrscheinlichkeit der Errettung aus körperlicher und seelischer Gefahr in ein sittlich notwendiges Wunder, indem er das Unglaubhafte ethisch untermauert und der Kausalität von Verfehlung und Gefahr eine Verkettung der ethisch guten Tat und der Rettung folgen läßt, so daß der Leser ein Gefühl der poetischen Gerechtigkeit empfindet. Der Leser läßt sich deshalb willig überreden, daß die Rettung der „winzigkleine[n] wandelnde[n] Punkte" (HKG II, 2, 219) aus dem riesengroßen, zerklüfteten Eisfeld etwas mit des Bruders Sorge um das Schwesterlein und ihrer Folgsamkeit zu tun hatte, und die Natur ihnen wirklich zu Hilfe kam, oder daß der lebensuntüchtige Gerbersohn, durch Schicksalsschläge plötzlich allen äußeren Haltes beraubt, sich zu einem eigenen Entschluß durchringen konnte, um im einsamen Kartal eine Lebensaufgabe zu finden, „damit er alles thue, was er in seinem Leben zu thun hat" (HKG II, 2, 128) und so die Möglichkeit gewinnt, sein Schuldgefühl in einer positiven Handlung zu sublimieren. Sogar die rein zufällige Begegnung der Erzählerin mit dem Pförtner und seiner Tochter erscheint in einem wundersamen Licht, da sie zur wenigstens teilweisen Integration des Mädchens in die menschliche Gesellschaft führt, und deshalb zur Illustration der Leibnizschen Wendung in *Kalkstein:* „Aber wie das Böse stets in sich selber zweklos ist, und im Weltplane keine Wirkung hat, das Gute aber Früchte trägt" (HKG II, 2, 131) dienen kann. Indem Stifter so den Zufall und die Unwahrscheinlichkeit als geistig und sittlich notwendig darstellt, darf er behaupten:

So wie in der Natur die allgemeinen Geseze still und unaufhörlich wirken, und das Auffällige nur eine einzelne Äußerung dieser Geseze ist, so wirkt das Sittengesez still und seelenbelebend durch den unendlichen Verkehr der Menschen mit Menschen, und die Wunder des Augenblikes bei vorgefallenen Thaten sind nur kleine Merkmale dieser allgemeinen Kraft. So ist dieses Gesez, so wie das der Natur das welterhaltende ist, das menschenerhaltende. (HKG II, 2, 14 f.)

Die eigentümliche Widersprüchlichkeit in Stifters Reflexionen über die Frage nach dem Verhältnis von Mensch und Schicksal, die sein ganzes Werk durchzieht, findet hier eine allerdings bedingte und vorübergehende, teleologische Lösung, welche bei seinem vorsehungsgläubigen Publikum, das auch im Zufall eine Manifestation Gottes, der sich durch das Geringfügigste verherrlicht, erblickte, die berechnete Wirkung nicht verfehlen konnte.

Wenn Stifter den Versuch macht, das Unwahrscheinliche in ein Wunderbares zu verwandeln und in den Dienst des Sittlichen in seinen Erzählungen zu stellen, bewegt er sich durchaus im Rahmen der Theorie der Biedermeierzeit[3]. Die Ästhetiken nach 1800 beschäftigen sich eingehend mit der Theorie des Wunderbaren und den Fragen nach der Erscheinungsform des poetisch Wunderbaren und seiner Einbettung ins Werkganze. Jean Paul in der *Vorschule der Ästhetik* schreibt: „Alles wahre Wunderbare ist für sich poetisch" und ergeht sich dann über die verschiedenen wahren und falschen Mittel, „diesen Mondschein in ein Kunstgebäude fallen zu lassen."[4] Er empfiehlt dem Dichter, das Wunder in die Seele zu legen, „wo allein es neben Gott wohnen kann",[5] und betont den Vorzug des inneren Wunders. Für die Intentionen Stifters erweist sich eine Weiterentwicklung dieses Gedankens, eine Definition von Friedrich Theodor Vischer, besonders aufschlußreich. Vischer behauptet, ein im Dienst religiöser oder sittlicher Ideen von der Phantasie ersonnenes absolutes Wunder sei die überzeugendste Variante des Wunderbaren und hinterlasse einen ungemeinen und großartigen Eindruck.[6] Nach den Ausführungen der Ästhetiken darf das Wunderbare aber nicht etwa erzwungen oder nach regellosen Eingebungen der Phantasie hingeworfen sein, es muß sich vielmehr aus den angeregten Gedanken am rechten Ort entwickeln. Stifter weiß sich also im Einverständnis mit der Theorie seiner Zeit, wenn er das Wunderbare im Bereich des gerade noch Möglichen ansiedelt. Gerade in dieser Beziehung tilgt er alle Unstimmigkeiten in den *Journalfassungen* aufs sorgfältigste. So läßt er im *Heiligen Abend,* zum Beispiel, die Kinder auf die rote Fahne der Rettungsmannschaft zugehen, bringt sie in *Bergkristall* aber zum Stillstehen, um sie zwischen den verschneiten Felsen nicht wieder dem Gesichtskreis der Heraneilenden zu entziehen. Er betont auch stark das natürliche, aber außergewöhnliche Phänomen, daß während des Schneesturms kein Wind herrschte, und macht dadurch das Überleben der Kinder glaubhafter.

Vor allem kommt es den Ästhetiken bei der Darstellung des Wunderbaren auf die innere Übereinstimmung des Dargestellten an, darauf, daß das Wunderbare in Harmonie mit der Gesamtidee des Werkes steht. Wieder zeigen die Überarbeitungen der *Journalfassungen,* daß Stifter ganz bewußt auf dieses Ziel hinarbeitete. Die Streichung der sagenmäßig überhöhten Grausamkeit des Pechbrenners, der seinen kleinen Sohn zur Strafe auf einem hohen Felsen aussetzt, darf als Beispiel für Stifters Bemühen um einen solchen harmonischeren Gesamteindruck gelten.

Nun werden in der Stifterliteratur immer wieder *Granit* und *Bergkristall* als die schönsten Erzählungen bezeichnet, denen dann an dritter Stelle *Kalkstein* folgt, während die anderen Erzählungen nur zögernde Beachtung finden. Diese Wertung beruht wohl vor allem darauf, daß es Stifter in diesen Erzählungen am überzeugendsten gelungen ist, die ästhetische Forderung nach einer inneren Übereinstimmung des Wunderbaren mit dem Erzählganzen zu erfüllen. Zu diesem Zwecke arbeitete er die Erzählperspektive besonders klar heraus. Die Lehrhaltung des Großvaters in *Granit* zum Beispiel, der immer wieder die Aufmerksamkeit des Kindes auf den Wahrheitsgehalt seiner Aussagen lenkt, übt auch auf den Leser eine magische Wirkung aus, so daß er sich am Ende willig dem Eindruck hingibt, daß der Pechbrennerjunge das Mädchen finden mußte, damit sich wieder einmal die Zwecklosigkeit des Bösen erweise. Auch das bis ins kleinste Detail ausgearbeitete Zeitgerüst, das sich Stifter für diese Erzählung erdachte, wirkt sich für die Einbettung des Wunders ins Gesamtgefüge fruchtbar aus. Wenn er den Großvater die Pestgeschichte mit den Worten eröffnen läßt: „Mein Großvater, Dein Ururgroßvater, der zu damaliger Zeit gelebt hat, hat es uns oft erzählt" (HKG II, 2, 36), so wirkt das fast wie eine Illustration zu Goethes Erkenntnis: „Das Wunderbare, ja das Unmögliche, erzählt und wieder erzählt, nimmt endlich vollkommen die Stelle des Wirklichen, des Alltäglichen ein.[7] In allen drei Erzählungen zieht Stifter auch stark das Idyllische zu Hilfe, obwohl er nicht das Vollglück in der Beschränkung darstellen will, von dem Jean Paul spricht,[8] sondern im Gegenteil die innere und äußere Gefährdung der Idylle herausstellt. Aber in der Idylle ist der Ausgangspunkt des Gestaltens nicht die empirische Realität, sondern die religiöse oder sittliche Idee und wegen ihrer gemeinsamen Wurzel im Utopischen lassen sich leicht solche märchenhafte und legendäre Züge einbeziehen, wie sie *Granit* und *Bergkristall* ihre eigentümliche Verklärung verleihen. Stifter überspielt das Hauptproblem der Idylle, wie grundsätzlich das naive und Erhabene verbunden werden können, durch die kindliche Perspektive, die er in diesen beiden Erzählungen fruchtbar macht. Er verläßt sich dabei auch stark auf die Wirkung des ländlich Natürlichen, das auch der Geschichte des armen Pfarrers im Kartal ihren friedlichen Rahmen gibt. Auch in dieser Erzählung macht Stifter das ethische Wunder der inneren Erneuerung durch eine kunstvoll aufgebaute Erzählperspektive glaubwürdig. Die sorgsame Linienführung der theoretischen Diskussion verweist den Sonderfall des armen Pfarrers ins Beispielhafte für eine zwar geheimnisvoll wirkende, aber klar in Erscheinung tretende göttliche Ordnung. Auch das Zweideutige wird weitgehend harmonisiert, weil es über das bloß Normale, ganz im Gewöhnlichen Befangene, wie es sich in der Gestalt des Landvermessers verkörpert, erhöht wird.

Wenn man sich nun aber den anderen Erzählungen zuwendet und dort nach der Gestaltung des Wunderbaren fragt, so zeigt sich ein sehr sonderbarer Tatbestand. In *Turmalin* gibt sich Stifter kaum mehr Mühe, den Zufall, daß die Erzählerin in dem Augenblick ihr Staubtuch zum Fenster hinausschüttelte, als der Rentherr mit seiner Tochter vorbeiging, als Wirkung sittlicher Kräfte zu verbrämen. Die einschmeichelnde Frühlingsluft, die die Frau zum Öffnen des Fenster bewegt und das Läuten des Andachtsglöckleins vom Spital herüber, müssen ihr Möglichstes tun. Das weitere Handeln der Frau wird durch ihre Gutherzigkeit, aber auch durch ihre Neugier und ihren Wunsch, standesgemäß als Wohltäterin aufzutreten, völlig realistisch motiviert. Auch der nur teilweise Erfolg ihrer Bemühungen entspricht einer nüchternen und erbarmungslosen Wirklichkeit. Die Verlagerung des Schauplatzes in die Großstadt mit ihrer entsetzlichen Anonymität und kurzlebigen Sensationslust ist symptomatisch für eine pessimistischere Einstellung Stifters den Fragen des Schicksals und der menschlichen Verschuldung gegenüber.

Fast möchte man glauben, daß Stifter den eigenen, immer wieder fanatisch betonten Glauben an die wunderbare Verwandlungsfähigkeit des Sittlichen verloren hatte, als er *Katzensilber* schrieb. Für Jean Paul ist das große unzerstörbare Wunder der Menschen Glaube an Wunder,[9] und er weist in diesem Zusammenhang auf den herrlichen geistigen Abgrund Mignons und des Harfenspielers in Goethes *Wilhelm Meister* hin. Stifter hat viel von Goethes Mignon für die Gestalt des Braunen Mädchens in *Katzensilber* geborgt, aber niemand kann ihr im entferntesten einen geistigen Abgrund zusprechen. Doch Stifter konnte auch nicht das Wunderbare, Numinose einer wirklichen Sagengestalt für sie geltend machen. Sie ist weder ganz Jenseitige, noch ein in der Realität verwurzeltes Zigeunerkind. So irrlichtert sie traurig zwischen beiden Sphären, und gerade ihre Zwitterhaftigkeit deutet darauf hin, daß nicht nur die Bewohner des Gutshofes den Glauben an das Wunderbare, der allein das Wunderbare verbürgt, verloren hatten, sondern auch der Autor, der sich noch nicht vom Trauma der Revolution erholt hatte, und klagt: „Meine theure Freundin, die mich so oft erfreut getröstet geliebt hat, die Natur, auch diese hat ihr Antlitz geändert, seit man weiß, daß Menschen in ihr herum gehen, die so sind, wie sie eben sind." (SW XVIII, 93)

Wenn Stifter seinem „sanften Gesetz" aber nicht alle Gültigkeit absprechen wollte, so durfte er die *Bunten Steine* nicht mit *Katzensilber* abschließen. Goethe beendet *Die Unterhaltungen deutscher Ausgewanderten*, die ja auch zu einer Zeit entstanden, wo der Kampf politischer Meinungen und Interessen alle Menschen ängstigte und den Glauben an das Gute im Menschen erschwerte, mit einem Märchen, weil er meinte, „Es würde vielleicht nicht übel sein, wenn die *Unterhaltungen* durch ein Produkt der Einbildungskraft gleichsam ins Unendliche ausliefen".[10] Doch Goethes Märchen ist ein echtes Märchen, worin, wie Hofmannsthal schreibt, „die Elemente des Daseins tiefsinnig spielend nebeneinander gebracht sind."[11] In *Katzensilber* ist das spielend Märchenhafte beinahe zur Allegorie eines Anti-Märchens erstarrt. Die Idylle des Gutshofes wird als trügerisch dargestellt, weil ihr der wahre Boden, der Glaube an das Irrationale fehlt. Was im Leser zurückbleibt, ist nicht ein Gefühl der Bewunderung, daß das Gute trotz allem in der Welt triumphiere, wie es die anderen Erzählungen weitgehend zu erzeugen vermögen, sondern das erkältende Gefühl eines nicht wieder gutzumachenden Verlustes.

In *Bergmilch* zieht Stifter die Konsequenz. Er versucht, die überraschende Wendung der Erzählung, daß mitten im Krieg die Humanität siegt, rein aus dem vernunftsmäßigen Handeln des Verwalters, der den kauzigen Schloßherrn vor unbedachtem Handeln bewahrt, zu entwickeln. Im Grunde sollte der Sieg der Vernunft über den Aggressionsinstinkt des Menschen ja das sittlich größte Wunder sein, aber die Erzählung wirkt gezwungen, oft sogar komisch. Möglich, daß Stifter sich von Goethes *Natürlicher Tochter* inspirieren ließ, und ihm etwas wie die Verbindung der Stände zur Überwindung der Revolution vorschwebte. Die Betonung des familialen Verhältnisses zwischen Schloßherr und Verwalter ist auffällig, auch ist es der Verwalter, der Maß und Beherrschung zeigt, und den der Offizier im weißen Mantel nach dem Kriege vor allem wiedersehen will. Aber die Anlage ist unsicher. Die künstlich herbeigezogenen Symbole vermögen die separaten Teile nicht in ein inhaltlich oder ästhetisch befriedigendes Ganzes umzuschmelzen. Stifters Kunst sinkt zum Niveau der Trivialidylle ab, wo das Kaffeetrinken auf einem Hügel in der Gegenwart einer idealen Mädchengestalt und unter gebührlichem Landschaftsenthusiasmus seit Vossens *Luise* charakteristischer Topos ist. Daß es sich in *Bergmilch* nicht um einen natürlichen, sondern um einen künstlich aufgeschütteten Hügel handelt, zieht diesen Versuch Stifters, der anekdotenhaften Kriegsgeschichte der *Journalfassung* in Verbindung mit dem Idyllischen Allgemeingültigkeit zu verschaffen, noch mehr ins Lächerliche. Die Erzählung soll das Gesetz der Mäßigung verherrlichen, indem sie „Großmuth gegen den Feind und Unterdrükung seiner Empfindungen und Leidenschaften zum Besten der Gerechtigkeit" (HKG II, 2, 15) lehrt, aber wie wenig Stifter selbst den Zweifel an dieser schönen Vision unterdrücken konnte, zeigt sich in seinen pessimistischen Worten:

Die Menschen, welche den Krieg noch gesehen hatten, erkannten vollkommen dessen Entsezliches . . . und sie meinten, daß nun die Zeiten aus seien, wo man solches beginne, weil man zur Einsicht gekommen: aber sie bedachten nicht, daß andere Zeiten und andere Menschen kommen würden, die den Krieg nicht kennen, die ihre Leidenschaften walten lassen, und im Übermuthe wieder das Ding, das so entsezlich ist, hervor rufen würden. (HKG II, 2, 346)

Stifter verabscheute allen Krieg, am meisten den Bruderkrieg, diesen alten Fehler der Deutschen, den er in der Revolution sich wiederholen sah. In *Bergmilch* macht sich die lähmende Wirkung des Themas geltend. Die versüßlichte Idylle kann nicht als überzeugende Gegenwelt zu einer von politischen Kämpfen, sozialen Unruhen und Kriegen zerrissenen Wirklichkeit betrachtet werden.

Versucht man nun, das eben Erarbeitete auf die Sammlung als Ganzes anzuwenden, so ergibt sich vorerst nichts Schlüssiges. Die Steine liegen noch so kunterbunt nebeneinander wie zuvor und entziehen sich einer Gesamtsicht. Erst wenn man sich erinnert, daß Stifter ursprünglich eine andere Reihenfolge geplant hatte, ergibt sich ein anderes Bild. In der vorgesehenen Anordnung hätten *Granit, Kalkstein* und *Bergkristall* den ersten, *Turmalin* und *Katzensilber,* denen dann erst viel später im Umarbeitungsprozeß *Bergmilch* folgte, den zweiten Band der Sammlung gebildet. Sofort springt bei dieser Anordnung die starke Abwertung ins Auge, die der Glaube an das sittlich notwendige Wunder als konstitutives Element in den Erzählungen des zweiten Bandes erfährt. Eine starke Ernüchterung, etwas von jener Verödung des Gemüts, von der Stifter in seinen Briefen spricht, macht sich bemerkbar und teilt sich auch der künstlerischen Gestaltung mit. Die durch ihre Komplexität fesselnden Erzählperspektiven weichen einer linearen Darstellung des Erzählvorganges. Die Schilderungen erschrecken durch ihre fanatische Ritualisierung. Der zeitkritische Ton wird schriller. Liest sich schon die Familiengeschichte des Gerbersohns, von den schlichten Anfängen über die Baulust des Großvaters zu den Wechselgeschäften des Bruders, wie ein Vorläufer der *Buddenbrooks,* so umgeben sich die Menschen in *Turmalin* und *Katzensilber* mit Dingen, deren Vergänglichkeit und Nutzlosigkeit Stifter immer wieder betont. Nichts bleibt übrig aus dem Zusammenbruch der Gerberei als das schöne geschnitzte Kruzifix; in der verschlossenen Wohnung des Rentherrn rieselt der Staub in den Vorhängen und die hölzernen Küferarbeiten in der Küche sind zerfallen. In *Katzensilber* geht Stifter noch weiter. Er bricht den Stab über eine Gesellschaft, die zwar die Natur in ihre Dienste zu spannen und sentimental zu genießen versteht, aber alle echte Verbindung mit ihren ursprünglichen Kräften verloren hat, und nur schöner, stattlicher und vermeintlich sicherer wieder aufbaut, wo die Naturgewalten wüteten. Seine Warnung vor den falschen Werten des Besitzes erreicht ihren Höhepunkt in der erschreckenden Episode, wo Mutter und Großmutter in ihrer Sorge um Hab und Gut und ihrer Angst vor Dieben das jüngste Kind im brennenden Hause vergessen.

In der Stifterliteratur wird die endgültige Anordnung der *Bunten Steine* als rein zufällig bezeichnet. Es wäre verlockend, dahinter eine Absicht Stifters zu vermuten, dem es daran gelegen sein mußte, durch die Buntheit der Reihenfolge, worin er seine Erzählungen dem Publikum vor-

legte, die düstere Niedergeschlagenheit um die Menschheit, die ihn in der Revolutionszeit überfallen hatte, etwas zu verschleiern, denn nur so konnte er hoffen, den Glauben seiner Leser an
das Wirken des „sanften Gesetzes" wachzuhalten und didaktisch auszuwerten und damit seiner
Sammlung auch formal eine gewisse Einheit zu geben. Erst im *Nachsommer,* als die unmittelbaren seelischen Schäden etwas überwunden waren, vermag er es dann, das Bild einer vorbildli-
chen Wirklichkeit, die den Leser über das gewöhnliche Leben hinausheben soll, ästhetisch überzeugend zu gestalten, allerdings unter Ausschluß aller Störenfriede und Händelmacher und ohne
Anspruch auf einen unmittelbaren Nachvollzug, wie ihn die *Bunten Steine* trotz ihrer Märchen-
haftigkeit weitgehend postulieren. Das Großformat des Romans bietet ihm die Möglichkeit einer
breitangelegten, didaktischen Struktur, in der die ideale Welt des Rosenhauses sich ganz allmählich, ohne unglaubhafte Zufälle und unwahrscheinliche Wunder, langsam und stetig wie ein le-
bendiger Organismus aus den inneren Kräften des Menschen entfalten darf.

Anmerkungen

[1] Dr. F. J. Vonbun, *Die Sagen Vorarlbergs* (Wien/Innsbruck, 1847). Diese Sammlung von Sagen enthält
alle die Sagen und Märchen, die Stifter in *Katzensilber* verwendet, außer der Sage vom verkannten Le-
benswasser, in Stifters Wortlaut sehr ähnlichen Formulierungen. Es fragt sich, ob Stifter wirklich alle
Sagenmotive aus der mündlichen Überlieferung geschöpft hat, wie immer behauptet wird, oder ob er
diese Sammlung vielleicht kannte. Vgl. Leopold Schmidt, „Volkskundliche Betrachtungen an den Werken Adalbert Stifters", *Adalbert Stifter-Almanach für 1953,* S. 103; Anton Avanzin, „Die sagenmäßige
Grundlage von Stifters *Katzensilber",* Österreichische Zeitschrift für Volkskunde, XV (Wien, 1964),
S. 274—276.

[2] Adalbert Stifter, *Werke und Briefe. Historisch-kritische Gesamtausgabe,* hrsg. von Alfred Doppler und
Wolfgang Frühwald. Band 2, 1: Bunte Steine. Journalfassungen, hrsg. von Helmut Bergner (Stuttgart,
1982), 14.

[3] Ulrich Eisenbeiss, *Das Idyllische in der Novelle der Biedermeierzeit,* Studien zur Poetik und Geschichte
der Literatur 36 (Stuttgart, 1972), passim.

[4] Jean Pauls *Werke,* hrsg. von Eduard Berend, Propyläen Verlag (Berlin, o. J.) Bd. 5, 37.

[5] a. a. O. S. 38.

[6] Friedrich Theodor Vischer, *Kritische Gänge,* hrsg. von Robert Vischer (München, 1922²), S. 47.

[7] Goethes *Werke,* Hamburger Ausgabe, hrsg. von Erich Trunz (Hamburg, 1964), Bd. XI., S. 470.

[8] a. a. O., S. 234.

[9] a. a. O., S. 39.

[10] a. a. O., Bd. VI, S. 596.

[11] Hugo von Hofmannsthal, *Die Berührung der Sphären* (Berlin, 1931), S. 286.

Summary

What has more than anything else hindered a true appreciation of *Bunte Steine* is the common attempt to treat all the stories virtually as one and carrying the same message, the so-called "sanftes Gesetz". The only way to counter this influence is to treat each story on its own merits and to establish their peculiar characteristics before considering whether the book as a whole has one and only one principal theme. To replace now outworn related expressions such as 'danger and salvation', 'social disintegration and integration', 'disruption of order and its reinstatement', 'wrong contrasted with right methods of education' it is suggested that an approach more likely to take us into the heart of the *Bunte Steine* would be a consideration of the role played by certain pithy and suggestive phrases. These phrases which Stifter first introduced when he rewrote the stories first published in magazines serve to emphasise the causal links between trifling misdemeanours and lapses and serious damage to body and soul as, for instance, when in *Granit* he changed the ". . . und das Herz war mir mit Schnüren zugezogen" into "ich war . . . gleichsam vernichtet" to bring out an analogy between the mother's burst of anger as felt by the son and the outbreak of the plague in its effect on a small community. These phrases heighten our anxiety and make us feel more acutely the suffering of these people. At the same time Stifter injects into his stories moments of, as it were, providential ethical illumination, which avert impending tragedy. A good example of this is the improbable discovery of the little girl in *Granit*, and the boy's sudden ability to find a way down as a consequence, Stifter alleges, of his sincere concern for the girl.

This recourse to the miraculous was in keeping with the general trend of criticism at the time. Three of the stories, *Granit, Bergkristall, Kalkstein* have been thought more successful than the others largely because this magical element has blended harmoniously with the general idyllic tone. The later stories show both a diminishing use of and a decline in Stifter's belief in these magical connections, no doubt because the events of the Revolution had made him more sombre and less sanguine. In fact *Bergmilch,* where Stifter tried to make common sense and reason the norm, the story deteriorates into a false idyll. Naturally when, as in *Turmalin,* the scene transferred from the country-side to the big city, all hope of a harmonious reconciliatory ending had to be abandoned. In *Katzensilber* the predominantly *irrational* material has one predominant purpose, *viz* to make a sharp social comment on the shabby morality of the better-off members of his society.

This division of the stories was much clearer in Stifter's original plan to issue *Granit, Kalkstein* and *Bergkristall* in one volume and *Turmalin, Katzensilber* and *Bergmilch* in the second. Sober inspection of the stories forces one to recognize that they are, as Stifter himself maintained, truly "bunt". i. e. different in colour and composition.

Familiales in Stifters *Nachsommer*

Peter Schäublin

Würde ein Sozialhistoriker das Thema „Familiales in Stifters *Nachsommer*" bearbeiten, so würde er vielleicht mit der Feststellung beginnen, in diesem Roman gehe es darum, einen Sohn aus der „family of generation" im Format einer Kleinfamilie, bestehend aus dem Elternpaar und zwei Kindern verschiedenen Geschlechts, überzuführen in eine „family of procreation". In der Tat handeln ja die ersten Kapitel von einer Primärsozialisation, an die sich eine Sekundärsozialisation schließt, welche sich im wesentlichen unter der Obhut und Anleitung Gustav Risachs, des Mannes im „Rosenhaus", vollzieht.[1] Die ausgedehnte Phase der Sekundärsozialisation ist zugleich die Karenzzeit einer Neigung, die sich verschweigen und enthalten muß, ehe sie sich zeigt und approbiert wird. In dieses Schema würde der Sozialhistoriker dann wohl, ohne es auszulöschen, die Idiosynkrasien einzeichnen, die das Singuläre der nachsommerlichen Konstruktion hervortreten lassen.

Nun bin ich kein Sozialhistoriker, auch wenn ich hin und wieder dankbar Einsichten von der Sozialgeschichte borge.[2] Auch ist es nicht vorab die dem Leser dieses Romans in nahrhaften Mengen angebotene Familienideologie[3], die mich zur Wahl meines Themas verlockt hat, sondern die Vermutung, daß dieser Roman das Erzeugnis einer Einbildungskraft ist, die in ungewöhnlicher Weise vom Bild der Familie okkupiert ist. „Du hast das Vorbild an deinen Eltern vor dir, werde, wie sie sind", fordert Risach Heinrich Drendorf am Ende auf (SW VIII[1], 217): „Ich soll werden, nicht wie der Vater ist, sondern wie Vater und Mutter zusammen sind." Den vielleicht passendsten Kommentar gibt Hegel, wenn er die Familie als Person faßt, als eine Einheit von an und für sich seiender Wesentlichkeit, in der jedes nicht als eine Person für sich, sondern als Mitglied ist.[4]

Es sind also Spuren familial determinierter Einbildungskraft, denen ich im Roman nachgehen möchte. Durch einen punktuellen Vergleich mit dem Wilhelm Meister der *Lehrjahre*[5] versuche ich zuerst einige Besonderheiten an Heinrich Drendorfs familialer Prägung aufzuzeigen. Daran schließt sich die Lektüre von Heinrichs Erlebnis der *Lear*-Aufführung mit Sigmund Freuds[6] Interpretation des *König Lear* im Aufsatz *Das Motiv der Kästchenwahl*[6] als Kontrastfolie. Im Zeichen *Lears* steht auch die eigentlich fundierende Begegnung der Blicke Heinrichs und Natalies, deren Sinn sich einem Vergleich mit der Sprache der Blicke der Liebenden im Kapitel „Der Rückblick" erschließt. Die Beschäftigung mit dem „Rückblick"-Kapitel gibt Anlaß, die familialen Spuren im Roman nicht nur von Heinrich Drendorf, sondern auch von Gustav Risach her zu lesen. Zum Schluß stelle ich ein paar spekulative Überlegungen an.

*

Die Väter Wilhelm Meisters und Heinrich Drendorfs sind Standesgenossen: beide sind Kaufleute. Doch da beginnt auch schon die Nichtübereinstimmung: *Wilhelms* Vater verkauft, zum Leidwesen seines zehnjährigen Sohns, die kostbare großväterliche Sammlung von Gemälden, Zeichnungen, Kupferstichen und Antiquitäten und steckt den beträchtlichen Erlös teils in ein spekulatives Geschäft, teils in das Haus, das er vollständig umbaut und nach dem neuesten Geschmack mit englischen Möbeln ausstaffiert.[7] *Heinrichs* Vater ist Kaufmann und Sammler in einem. Zwar verändert auch er die Wohnung, indem er mit seiner Familie in ein

Vorstadthaus mit Garten umzieht, doch richtet er dieses nicht nach dem neuesten Geschmack, sondern nach seinen Sammlerinteressen ein.[8]

Die Eltern Meister sind alles andere als ein Monolith. In der Wohnung seiner Geliebten Mariane packt Wilhelm das Puppenspiel aus, das ihm seine Mutter vor zwölf Jahren geschenkt hat, und reminisziert die Anfänge seiner Theaterleidenschaft, als deren Urheberin die Mutter vom Vater Vorwürfe einstecken muß. Der Sohnsungehorsam, den Wilhelm für heilig hält[9], hat also seinen Ursprung in einer den Vater ausschließenden Interessengemeinschaft von Mutter und Sohn.[10]

Bei *Heinrichs* Mutter jedoch läßt die Furcht vor dem Vater eine Nachgiebigkeit den Kindern gegenüber gar nicht erst aufkommen. Die Mutter ist den Kindern „. . . ein ebenso ehrwürdiges Bildnis des Guten, wie der Vater, von welchem Bildnisse gar nichts abgeändert werden konnte" (SW VI,5). Läßt die Nichtübereinstimmung von Vater und Mutter Wilhelm Meister einen Freiraum für abweichendes Handeln, so bieten Heinrich Drendorfs Eltern ein Bild vollkommener Geschlossenheit. Im Bestreben, Wilhelm die Laufbahn des Kaufmanns schmackhaft zu machen, preist sein Freund Werner die doppelte Buchhaltung als eine der schönsten Erfindungen des menschlichen Geistes an, die „ein jeder gute Haushalter in seiner Wirtschaft einführen sollte". [11] Als ein solcher guter Haushalter erweist sich Heinrichs Vater. Das Buch das Heinrich über die väterlichen Auszahlungen an ihn zu führen angehalten wird, muß übereinstimmen mit dem Buch, das der Vater selber darüber führt. [12] Das ist, liest man den *Nachsommer* im Spiegel des *Wilhelm Meister,* genau so ein reales Sinnbild wie jene Wanderübungen Heinrichs, die immer zu dem Ort zurückführen, wo die Eltern warten. [13] Für den Leser ist es einer der mächtigen Reize der *Lehrjahre,* zu ahnen, wie hier ein Spiel von Täuschung und Selbsttäuschung inszeniert wird zum Zwecke der Darstellung einer Subjektivität auf den krummen und verschlungenen Pfaden ihrer Selbsterfahrung. Dafür nur ein Beispiel: Wilhelm erbittet sich von der Mutter den Schlüssel zum Puppenspiel. Dadurch, daß sie nachgibt, verschafft sie ihm, dem Willen des Vaters zuwiderhandelnd, erneut Zutritt zum Urquell seiner Theaterleidenschaft. Sie ermahnt Wilhelm zur Mäßigung dieser Leidenschaft und leistet ihr zugleich Vorschub. Sie weiß nicht, daß Wilhelm mit dem Puppenspiel stracks zur Geliebten eilt. Also täuscht sie sich in seiner Leidenschaft? Nicht doch, denn über seinen Puppenspielreminiszenzen schläft die Geliebte ein[14], und sein Erzählen erreicht, die anwesende Alte abgerechnet, nurmehr das eigene Ohr, wofür es letztlich auch bestimmt ist. Ohne zu wissen, daß Wilhelm sie täuscht, behält die Mutter dennoch recht, fragt er doch selbst viel später, im 19. Kapitel des 4. Buches: „War es denn bloß Liebe zu Marianen, die mich ans Theater fesselte? Oder war es Liebe zur Kunst, die mich an das Mädchen festknüpfte?" [15]

Im *Nachsommer* fehlt jede Spur eines solchen Spiels von Täuschung und Selbsttäuschung. Hält man die Anfänge der beiden Romane nebeneinander, so gewinnt man den bestimmten Eindruck, Stifter habe es darauf angelegt, dicht zu machen, alle familialen Differenzen und Ungereimtheiten, die Ungehorsam und Abweichung des Sohns erzeugen könnten, zu vermeiden. Offenbar soll sich die Reproduktion so mustertreu wie möglich vollziehen. Des Vaters Wille schlägt keine Wunden, die von der Mutter geheilt werden müßten, er stiftet Ordnung und Folgerichtigkeit. Was den Bildungsroman allererst konstituiert, nämlich daß der Held dem Drang seines Herzens, seinem inneren Zug, einem „inneren Beruf" [16], wie die säkularisierte Formel lautet, folgt, das gilt hier wie dort, doch wiederum in bedeutsamer Abwandlung bei Stifter. Wilhelm Meister, vom Vater dem Handelsstand gewidmet und von der Mutter durch die Gabe des Puppenspiels für den Verlust der großväterlichen Sammlung mehr als entschädigt, erfährt und dichtet seine Situation als „Scheideweg" nicht, im Sinne des älteren *homo viator in bivio*, zwischen Gut und Böse, sondern zwischen Muse und Gewerbe. [17] Heinrich Drendorf gelangt an keinen Scheideweg, denn im *Nachsommer* ist der Wunsch des Sohnes des Vaters Wunsch. Das zeigt sich an der Sequenz: „Er [der Vater] bestimmte mich nämlich zu einem Wissenschafter im Allgemeinen", und, wenige Zeilen später: „Ich hatte den angedeuteten Lebensberuf vom Vater selber verlangt und er dem Verlangten zugestimmt" (SW VI, 11). Das Verlangen des Sohns ist hier ähnlich derivativ wie zuvor die Perspektive des Satzes: „Mein Vater hatte zwei Kinder, mich, den erstgeborenen Sohn, und eine Tochter, welche zwei Jahre jünger war, als ich" (SW VI, 1). Ist Wilhelm Meisters Entschluß, sich dem Theater zu widmen, ein Akt des Ungehorsams gegen den Vater, so ist es im *Nachsommer* der Vater selbst, der der gesellschaftlichen Norm zuwiderhandelt, die da fordert, daß der Vater dem Sohn einen Stand befiehlt, der der bürgerlichen Gesellschaft nützlich ist.

Es gibt kaum etwas Zwiespältigeres als Wilhelm Meisters durch den Erzähler vermittelten inneren Nekrolog auf seinen Vater zu Beginn des 5. Buchs:

„Auch konnte der Schmerz über das zeitige [d. h. frühzeitige] Absterben des braven Mannes nur durch das Gefühl gelindert werden, daß er auf der Welt wenig geliebt, und durch die Überzeugung, daß er wenig genossen habe." [18]

Die Trostformel barocker Leichenreden für Frühverstorbene, daß ihnen das Elend des Tränentals dieser Welt erspart bleibe, ist hier regelrecht auf den Kopf gestellt. Was Wilhelm bei der Nachricht vom Tod des Vaters zum Trost gereicht, ist, genau besehen, eben das, was ihn innerlich und äußerlich vom Vater entfernt hat: der Tod entfernt ihn vollends. [19]

Wie anders wiederum im *Nachsommer*. Heinrich Drendorf bleibt der Vater erhalten. Er findet sich im Rosenhaus Risachs zurecht, weil ihn Geräte, Ordnung und Anordnung der Räume allenthalben an den Vater erinnern. Allmählich führt ihn der Umgang mit Risach, führen ihn die intensiven Sehübungen in Risachs Welt über diese Stufe erinnernder Identifikation hinaus:

Als wir über die Schwelle schritten, dachte ich, daß ich von den alterthümlichen Gegenständen der Sammlungen meines Vaters, von denen ich doch lebenslänglich umgeben gewesen war, eigentlich bisher nicht Viel verstanden habe und erst lernen müsse. (SW VI, 114)

Immer wieder macht er die Erfahrung, daß sein Fortschreiten an Erkenntnis und Einsicht ihn nicht von seinem Vater weg —, sondern zu ihm hinführe. Wiederholt stellt er fest, daß sein Vater schon dort ist, wo er hingelangt. Die Wahrnehmung, daß Risach ihm nie entdeckt, wozu er nicht selbst Zugang findet, läßt ihn innewerden, daß sein Vater ihn auf die nämliche Weise geschont habe. Verstärkend wirkt dabei die Wechselseitigkeit, daß Risach ihn an seinen Vater erinnert und umgekehrt sein Vater ihn an Risach. Die Zeit von der ersten Begegnung mit Natalie auf Risachs Asperhof bis zum Liebesgeständnis in der Nymphengrotte des Sternenhofs ist also auch eine Zeit der wachsenden und sich vertiefenden Einsicht in die Vaterwelt, der immer innigeren Annäherung an den Vater. Diese Gleichzeitigkeit verdient besondere Beachtung. Es gehört zur expliziten, von Risach verkündeten Ideologie dieses Romans, daß eine Heirat ohne Liebe ebenso gegen das reine Gesetz der Natur sei wie die Zerschneidung des Bandes zwischen Eltern und Kind. [20] Die Sozialhistoriker sagen uns, daß die Ablösung der durch die Eltern arrangierten Heirat durch die Liebesheirat zeitlich in etwa koinzidiere mit dem Übergang der Großfamilie zur Kernfamilie, innerhalb deren sich die Eltern-Kind-Beziehung emotionalisiert und sentimentalisiert. Letzteres gilt gewiß auch für den *Nachsommer*. Neu indes scheint, daß asketisches Verschweigen der Neigung synchronisiert ist mit einer tieferen und bewußteren Aneignung der Vaterwelt. Die Mutter hat dabei zwar nicht gerade das Nachsehen, aber sie ist jedenfalls nicht dominant. Sie freut sich über die Freude des

Vaters.[21] Um nicht ihre „Einbildungskraft zu überreizen" und „willkürlichen Gefühlen"[22] Raum zu geben, hält Vater Drendorf seine Kinder vom Theater fern. Erst als sie herangewachsen sind, dürfen sie in Begleitung der Eltern sorgsam ausgewählte Stücke ansehen. Es ist ein Zeichen der Selbständigkeit, in die ihn sein Vater entlassen hat, daß Heinrich allein die Aufführung des *König Lear* besucht.[23]

Nach Freud geht es im *König Lear* bekanntlich um die Wahl eines alten Mannes unter drei Frauen. Daß der alte Mann der Vater und die drei Frauen seine Töchter sind, ist weiter nichts als eine Zutat. „Den alten Mann kann man nicht leicht anders zwischen drei Frauen wählen lassen; darum werden diese zu seinen Töchtern.[24] Es entbehrt nicht der Pikanterie, wenn Freud in einem Brief an Ferenczi bemerkt, eine „subjektive Bedingung" für diese Arbeit, d. h. den Aufsatz „Das Motiv der Kästchenwahl", in dem er seine *Lear*-Deutung vorträgt, sei darin gegeben, daß er selber drei Töchter habe.[25] Indem er das Verhältnis der Verwandtschaftlichkeit entkleidet, macht Freud die Figur Cordelias für Bedeutungen frei, die in Mythos, Märchen und Dichtung immer wieder auftauchen. Sie ist Liebes- und Todesgöttin in einem:

Die freie Wahl zwischen den drei Schwestern ist eigentlich keine freie Wahl, denn sie muß notwendigerweise die dritte treffen, wenn nicht, wie im *Lear,* alles Unheil aus ihr entstehen soll.[26]

Was die Deutung Freuds kennzeichnet, ist das kühne Spiel mit Substitutionen und Permutationen, wofür die Umkehrung am Schluß ein besonders prägnantes Beispiel ist: Lear trägt den Leichnam der Cordelia auf die Bühne. Dazu Freud: „Wenn man die Situation umkehrt, wird sie uns verständlich und vertraut. Es ist die Todesgöttin, die den verstorbenen Helden vom Kampfplatz wegträgt, wie die Walküre in der deutschen Mythologie."[27]

Heinrich Drendorf gibt keine Deutung, sondern eine Schilderung des Stücks, wie er es als Zuschauer aufnimmt. Der Handlung auf der Bühne läuft eine innere Handlung von wachsender Intensität parallel. Er, der das Schauspiel nicht kennt, ist bald vom Gange der Handlung eingenommen. Es kommt so weit, daß er die Menschen herum vergißt und die Handlung als eben geschehen glaubt.[28] Schließlich ist sein Herz gleichsam zermalmt; er weiß sich vor Schmerz kaum mehr zu fassen.[29] Es gibt auch nicht die leisesten Andeutungen von Freudschen Substitutionen, die aus dem Vater einen alten Mann und aus seinen Töchtern junge Frauen machen. Im Gegenteil: Heinrichs emotionale Teilnahme bleibt vollständig in familialen Bahnen. Da heißt es:

In dem hohen Hause Glosters empört sich ein unehelicher Sohn gegen den Vater und den rechtmäßigen Bruder und ruft unnatürliche Dinge in die Welt, da auch in des Königs Haus unnatürliche und unzweckmäßige Dinge geschahen. (SW VI, 210)

Außer den Hinweis, daß das Wort „unehelich" die Reihe „unehelich" — „unnatürlich" — „unzweckmäßig" einleitet, bedarf es hier wohl keines Kommentars. Im Wechsel „Dreizahl — Einzahl" scheint der Sinn zu liegen, wenn Heinrich nacherzählt:

. . . und da er sich in Ausdrücken erschöpft hat, weiß er nichts mehr als *die Worte:* Lear! Lear! Lear! Aber in diesem *einzigen* Worte liegt seine ganze vergangenen Geschichte und liegen seine ganzen gegenwärtigen Gefühle (SW VI, 211; Hervorhebungen vom Verf.)

Der dreifach Vater gerufen wurde, muß seinen Namen selbst rufen, wenn er ihn noch hören will. Und wie eine Widerrufung *ante factum* der Freudschen Substitution von „Tochter" durch „Frau" liest sich Heinrichs Satz:

Der König erwacht endlich, blickt die Frau an, hat nicht den Muth, die vor ihm stehende Cordelia als solche zu erkennen, und sagt im Mißtrauen auf seinen Geist mit Verschämtheit, er halte diese fremde Frau für sein Kind Cordelia. (SW VI, 212)

Ein durch und durch familiales *Lear*-Erlebnis also, an dem mir noch ein weiteres bemerkenswert scheint. Ziemlich genau in der Mitte von Heinrichs Schilderung steht der Satz: „Bei dem Könige war vorher blindes Vertrauen in die Töchter, Uebereilung im Urtheile gegen Cordelia, Leichtsinn in Vergebung der Würden: jetzt entsteht Reue, Scham, Wuth und Raserei" (SW VI, 211). Hier ist — charakteristisch für Stifter — ein Kausalverhältnis als schlichte Sukzession ausgedrückt. Die Folgen eines falschen Anfangs sind von schrecklicher Unerbittlichkeit, sind „Wie das Unheil der Alten, welches immer größer wird, wenn man es berührt".[30] Entsprechend groß muß im Schreiber die Angst vor einer Initialverfehlung mit solchen Folgen sein. Der Modus von Stifters Erzählen, die Eigentümlichkeiten seiner Fiktion lassen sich — und das gilt auch und besonders für den *Nachsommer* — zu einem guten Teil dadurch erklären, daß er Schutzwälle und -dämme gegen solche Initialverfehlungen errichtet.

Im Wilhelm Meister gibt es ein Vielfaches von Annäherungen und Entfremdungen, von Verbindungen und Auflösungen; auch stirbt es sich öfter in Goethes Roman. Der Hauptteil des *Nachsommers* jedoch ist ein sterbefreier Raum, auch wenn der Gedanke an den Tod sehr wohl gegenwärtig ist.

Während Wilhelm Meister den *Hamlet,* also ein Sohn-Stück, inszeniert und darin die Hauptrolle spielt, wohnt Heinrich Drendorf der Aufführung eines Vater-Stücks bei, was für ihn nicht minder bedeutsam ist. Gegen Ende der *Lear*-Aufführung — ein viktorianisches „happy end" übrigens, und als solches ohne Wirkung[31] — sieht Heinrich in einer Parterre-Loge ein Mädchen, schneebleich, mit Tränen übergossenem Angesicht. Er richtet seine Blicke unverwandt auf das Mädchen. Später, da er dem Theaterausgang zustrebt, sieht er sie wieder: „Ich blickte sie fest an, und es war mir, als ob sie mich freundlich ansähe und mir lieblich zulächelte. Aber in dem Augenblicke war sie vorüber" (SW VI, 213). Dieses Mädchen ist Natalie. Der Leser muß lange warten, bis ihm die Augen geöffnet werden über diese Begegnung von Blicken, bis zur Liebesbundszene in der Nymphengrotte des Sternenhofs, in der sich Heinrich und Natalie sagen, was sie füreinander empfinden. Da er in ihr nicht mehr das Mädchen im Theater erkennt, muß sie ihm auf die Spur helfen:

„Und von dem Abende im Hoftheater habt Ihr auch nie etwas gesprochen."
„Von welchem Abende, Natalie?"
„Als König Lear aufgeführt wurde."
„Ihr seid doch nicht das Mädchen in der Loge gewesen?"
„Ich bin es gewesen."
„Nein, Ihr seid so blühend, wie eine Rose, und jenes Mädchen war blaß, wie eine weiße Lilie."
„Es mußte mich der Schmerz entfärbt haben. Ich war kindisch, und es hat mir damals wohlgethan, in Euren Augen allein unter allen Denen, die die Loge umgaben, ein Mitgefühl mit meiner Empfindung zu lesen. Diese Empfindung wurde durch Euer Mitgefühl zwar noch stärker, so daß sie beinahe zu mächtig wurde; aber es war gut. Ich habe nie einer Vorstellung beigewohnt, die so ergreifend gewesen wäre. Ich sah es als einen günstigen Zufall an, daß mir Eure Augen, die bei dem Leiden des alten Königs übergeflossen waren, bei dem Fortgehen aus dem Schauspielhause so nahe kamen. Ich glaubte ihnen mit meinen Blicken dafür danken zu müssen, daß sie mir beigestimmt hatten, wo ich sonst vereinsamt gewesen wäre. Habt ihr das nicht erkannt?"
„Ich habe es erkannt und habe gedacht, daß der Blick des Mädchens wohlwollend sei und daß er ein Einverständnis über unsere gemeinschaftliche Empfindung bei der Vorstellung bedeuten könne." (SW VII, 284-285)

Diese umständliche Wechselrede, bei deren Explizitheit man sich beinahe in die Epoche der Empfindsamkeit zurückversetzt fühlt, ist die Kehrseite des im *Nachsommer* allseitig mit höchster Bewußtheit geübten Schweigens und Nichtfragens. Das Mitgefühl, das Natalie damals in Heinrichs Augen für ihre Empfindung wahrnahm, beruhte auf der Identität des Mitleidens beider am Leiden des alten Lear, der als Folge der Verkennung seiner Tochter sich selber nicht mehr kennt. Heinrich ging in Erwartung einer doppelten Lüge, nämlich der „Vorspiegelung" einer „erlogenen Geschichte"[32] ins Theater. Im Verlauf der Aufführung wird ihm diese Vorspiegelung einer erlogenen Geschichte zur „wirklichsten Wirklichkeit"[33]. Die Begegnung seines mit Natalies Blick nach der Aufführung stiftet eine Beziehung, die in die Zweiheit eine Vaterfigur als Dritten aufnimmt. Die Initialbegegnung der Blicke, in der sich Heinrich und Natalie erkennen, ohne sich zu kennen[34], ist also aufgeladen mit familialer Bedeutung; sie schließt einen leidenden Vater ein. Daß sich Heinrichs und Natalies Empfindungen bei der *Lear*-Aufführung gleicherweise in familialen Bahnen bewegen, führt sie zusammen.

Nun ist auch Risachs Lebensgeschichte einzubeziehen, die er im Kapitel „Der Rückblick", dem vorletzten des Romans, selbst erzählt. Es ist die Geschichte einer Liebe, die mit einer Trennung endet, einer unvollendeten Liebe, möchte man sagen. Auch hier werden Blicke getauscht, zwischen Mathilde, der Tochter des Hauses, und Gustav Risach, dem Mentor von Mathildes jüngerem Bruder Alfred: „Ein Blick, ein leichtes Erröthen sagte Alles, sie sagten, daß wir uns besaßen, und daß wir es wußten" (SW VIII^1, 133-134), „und wir tauschten einen Blick der Einigung" (SW VIII^1, 134). „Und so konnten wir uns zwei Tage mit den Augen der Liebe ungehindert ansehen und konnten miteinander sprechen" (SW VIII^1, 141). Dabei verhält es sich jedoch so, daß da immer noch ein Dritter, eben Alfred, Mathildes Bruder und Gustav Risachs Zögling, zugegen ist. Der Erzähler läßt uns über diese Zweiheit zu dritt nicht im Zweifel, wenn er von dem mit Rosen überwachsenen Gartenhaus sagt: „. . ., und es umgab uns, wie ein stiller Tempel, wenn wir alle *Drei* eintraten, und *zwei* Gemüther wallten" (SW VIII^1, 141; Hervorhebung vom Verf.). Schließen die Blicke Heinrichs und Natalies nach der *Lear*-Aufführung einen Dritten ein, so schließt die stumme Sprache der Blicke wie überhaupt jede Weise der Verständigung zwischen Mathilde und Gustav den anwesenden Dritten aus; sie ist für niemanden als sie selbst gedacht, niemandem als ihnen selbst verständlich. Die Naturdinge um sie her geraten alle in den Sog ihrer Liebe, werden zu Zeichen, durch die die Liebenden kommunizieren. Was sich den Liebenden wie von selbst in Zeichen verwandelt, bedeutet immer nur eines: die geheime wechselseitige Versicherung ihrer Liebe; und da alle Zeichen das gleiche bedeuten, ist ein Fortschreiten, eine Entwicklung unmöglich. Die unterschiedliche Beschaffenheit der als Zeichen dienenden Gegenstände wird ausgelöscht. Sätze mit „als ob" und „wie" betonen die subjektive Täuschung und die objektive Unzeitigkeit: „Es war, als blühten und glühten alle Rosen um das Haus, obwohl nur die grünen Blätter und die Ranken um dasselbe waren. Aber sie [Mathilde] war, wie ein Stengel einer himmlischen Lilie, zaubervoll, anmuthsvoll, unbegreiflich." (SW VIII^1, 135) Stifter wollte bekanntlich dem Bau des Romans die Figur einer Pflanze geben. „Das Buch", schrieb er seinem Verleger Heckenast, „muß wie ein Organismus erst das schlanke Blättergerüste aufbauen, ehe die Blüte und die Frucht erfolgen kann".[35] Mathilde ist ein Lilienstengel ohne Blättergerüste, weshalb denn auch die Blüte ungenannt bleibt. In der Tat bricht ja die Liebe zwischen Mathilde und Gustav Risach im Nachsommer auf: „Der Sommer war beinahe vergangen, und der Herbst stand bevor" (SW VIII^1, 129).

Was bringt den Liebesbund zwischen Risach und Mathilde zum Scheitern? Es liegt nahe und ist wohl auch intendiert, daß man die Mathilde-Risach-Handlung an der Natalie-

Heinrich-Handlung mißt und nach Verstößen gegen die dort gesetzten Normen sucht.[36] Eine genaue Lektüre solcher Normverstöße wird jedoch auf die Spur eines verdeckten Motivationszusammenhangs führen, der nicht in das antithetische Schema von Normen und Normverstößen hineinpaßt. Während bei Natalie und Heinrich erst nach einer langen Zeit Sprache wird, was sie füreinander empfinden, und sie alsdann ohne Verzug ihren Angehörigen davon Mitteilung machen, bricht bei Mathilde und Risach die Liebe jäh hervor, dauert jedoch als Exil der Heimlichkeit im Schoß der Familie vom Spätsommer bis zur Rosenblüte des darauffolgenden Jahres. Risach bekennt denn auch: „. . . wir haben gegen die Eltern unrecht gehandelt, daß wir ihnen verbargen, was wir gethan haben, und daß wir in dem Verbergen beharrend geblieben sind" (SW VIII[1], 153-154). Und er ist es, der sich dazu durchringt, mit Mathildes Mutter zu reden.

Hinzu kommt die Verfrühtheit dieser Liebe, die gleichsam „durch einen Insektenstich zu einer früheren, beinahe vollkommenen Reife" gedeiht.[37] Mathilde ist kaum mehr als fünfzehn, als sie Risach ihre Liebe bekennt.[38]

Unordnung im Hause Makloden? „Erziehungsversagen von Mathildes Eltern"?[39] In diesem Sinne wäre wohl auch der fundamentale Unterschied zwischen den Makloden und den Drendorfs zu nennen, nämlich, daß es im Hause Drendorf keinen jungen Mentor gibt. Für den Unterricht werden Lehrer ins Haus gerufen, aber die Erziehung ist allein Sache der Eltern. Mathildes Mutter sagt es bündig: „. . . zur Erziehung muß man etwas sein" (SW VIII,[1] 109). Und sie muß erkennen, daß sie gerade darin Risach überfordert hat. Dennoch zögere ich, die „Normverstöße" einfach mit Hilfe der Stichworte „Unordnung", „Erziehungsversagen" zu erklären. Der Erzähler Risach wird ja nicht müde zu betonen, wie sehr sich die Mutter Mathildes annehme, daß sie sie nie aus den Augen lasse. So wohnt sie etwa in der Stadt jeder Unterrichtsstunde ihrer Tochter bei dem fremden Lehrer bei.[40] Im Grunde handelt sie an Mathilde kaum anders, als diese an Natalie handeln wird.[41] Es ergibt sich also bislang ein merkwürdig diffuses Bild, als hätte Stifter zwar negative Zeichen setzen wollen, dann aber deren Eindeutigkeit doch wieder verwischt.

Ist es in der Mathilde-Risach-Handlung dieser, der der Heimlichkeit der Liebe ein Ende setzt, so ist es im Hauptteil Natalie, die als erste darauf dringt, das Schicksal des eben geschlossenen Liebesbundes den Angehörigen anheimzustellen:

aber wenn ich das vollste Recht hätte, meine Handlung selber zu bestimmen, so würde ich auch nicht ein Theilchen meines Lebens so einrichten, daß es meiner Mutter nicht gefiele, es wäre kein Glück für mich. Ich werde so handeln, so lange wir beisammen auf der Erde sind. (SW VII, 289)

Sie darf auf Heinrichs Zustimmung rechnen, wenn sie erklärt:

Wenn eines [der Angehörigen] nein sagt und wir es nicht überzeugen können, so wird es recht haben, und wir werden uns dann lieben, so lange wir leben und wir werden einander treu sein in dieser und jener Welt; aber wir dürfen uns dann nicht mehr sehen. (SW VII, 289)

Aus Natalies Worten läßt sich eine ungewöhnliche, in ihren Konsequenzen zu wenig beachtete Konstruktion erschließen. Sie besagen nicht mehr und nicht weniger, als daß der Liebesbund unabhängig von den Eltern geschlossen wird und auch ohne elterliche Zustimmung Bestand hätte, daß er aber nur mit elterlicher Zustimmung zur Ehe führen kann.[42] Unter der Bedingung ihres Gelingens sicherte diese Konstruktion ebenso die Kontinuität der Generationen wie bei einem Mißlingen deren Diskontinuität. Die Veranstaltungen, die im Roman ein Mißlingen verhindern, lassen leicht dessen Folgen übersehen. Gerade weil der Liebesbund unauflöslich ist, würde das Ausbleiben der elterlichen Zustimmung die Liebenden zur Unfruchtbarkeit eines lebenslangen Zölibats bestimmen.

Zum einen trägt diese Konstruktion der modernen Auffassung Rechnung, die, mit Hegel zu reden, den subjektiven Ausgangspunkt, das Verliebtsein, als den allein wichtigen ansieht und meint, jeder müsse warten, bis seine Stunde geschlagen hat, und man könne nur einem bestimmten Individuum seine Liebe schenken.[43] Zum andern räumt sie den Eltern das Vetorecht über die Fortzeugung ein, womit sie gewissermaßen jenem Prozeß entgegenwirkt, den Hegel beschreibt als „die Personen und Familien verselbständigende Zerstreuung der bürgerlichen Gesellschaft" und der darauf beruht, daß jede Ehe das Aufgeben der vorigen Familienverhältnisse und die Stiftung einer neuen selbständigen Familie wird.[44] Im *Nachsommer* ist dieses Vetorecht paradoxerweise ein Recht, das die Eltern nicht einfach haben, sondern das ihnen von den Kindern freien Willens gegeben wird. Heinrich und Natalie verständigen sich nicht nur darüber, daß sie die Entscheidung über das Schicksal ihres Liebesbundes ihren Angehörigen anheimgeben wollen, sie spielen in Gedanken sogar die Eventualität einer negativen Entscheidung durch und sprechen sich ab, was dann zu geschehen hätte. So ist das Anheimstellen der Entscheidung selbst eine freie Entscheidung. Da eine Gefahr des Mißlingens nicht besteht, ist dieses Gedankenspiel vor allem eine Gesinnungsoffenbarung, deren sich der Leser bei der Lektüre des „Rückblick"-Kapitels erinnern soll. Auch Risach und Mathilde schließen einen Liebesbund, der ihnen als unauflöslich gilt. Aber anders als Natalie und Heinrich bedenken sie nicht, was wäre, wenn Mathildes Eltern ihre Zustimmung verweigern würden. Daß Risach sich dem Willen ihrer Mutter unterzieht, empfindet Mathilde — aus der Sicht der Absprache zwischen Natalie und Heinrich zu Unrecht — als Treuebruch. Für sie ist damit der Liebesbund, der für Heinrich und Natalie auch ohne elterliche Zustimmung fortdauern würde und den Risach durch seinen Gehorsam unangetastet glaubt, zerstört.[45]

Die Aussicht auf ein Familienleben hatte den elternlos gewordenen Risach dazu bewogen, die Stelle als Alfreds Mentor anzunehmen. Und seine Hoffnung ging zusehends in Erfüllung: „Ich wurde nach und nach zur Familie gerechnet, und Alles, was überhaupt der Familie gemeinschaftlich zukam, wurde auch mir zugetheilt" (SW VIII[1], 122). Und etwas später heißt es: „ . . . und mir war zuweilen, als hätte ich wieder eine unzerstörbare Heimath" (SW VIII[1], 127). Immer mehr rückt Mathildes Mutter in die Rolle von Risachs leiblicher Mutter ein: „Sie sorgte, wie früher, für mich, aber sie that es einfacher und fast wie ein Ding, das sich von selber verstehe" (SW VIII[1], 127). Die sprachliche Adoption aber vollzieht Mathildes Mutter erst in dem Augenblick, da sie Risach bittet, sich von Mathilde zu entfernen und das Haus zu verlassen: „Gustav, mein Sohn! Du bist es ja immer gewesen, und ich kann einen besseren nicht wünschen" (SW VIII[1], 148).

Für Mathilde dagegen ist er der gerade nicht zur Familie Gehörige, was sich schon in ihrer verhüllten Liebeserklärung andeutet: „Man liebt den Vater, die Mutter, die Geschwister," sagte sie, „und *andere Leute*" (SW VIII[1], 130; Hervorhebung vom Verf.). Und als ihr Risach den Willen ihrer Eltern kundtut, da mahnt sie ihn noch einmal daran, daß er nicht zur Familie gehöre: „Ich muß gehorchen, . . . und ich werde gehorchen; aber Du mußt nicht gehorchen, Deine Eltern sind sie nicht" (SW VIII[1], 151). Sie spricht aus, was er nach ihrer Meinung ihrer Mutter hätte sagen sollen: *Frau, Eure Tochter wird Euch gehorsam sein, sagt ihr nur Euren Willen; aber ich bin nicht verbunden, Eure Vorschriften zu befolgen . . .* " (SW VIII[1], 152; Hervorhebung vom Verf.). Hier kann eine Lektüre, die die Mathilde-Risach-Handlung als eine Sequenz von Verstößen gegen die in der Heinrich-Natalie-Handlung gesetzten Normen dechiffriert, nicht mehr greifen. Vielmehr ist nach etwas zu suchen, was „Rückblick" und Hauptteil zusammenschweißt, und zwar dergestalt, daß auch dieser der Lebensgeschichte Gustav Risachs zuzuschlagen ist. Es sei darum versucht, die familialen Spuren im

Roman nicht allein vom erzählenden Ich aus, sondern auch vom anderen Ende, von Risach her, zu lesen. Um es pointiert vorwegzunehmen: die „Nachsommer"-Geschichte ist auch die Geschichte einer nachgeholten Adoption. Die Adoption Risachs als Sohn, die ja koinzidiert mit dem neuerlichen Verlust der Familie, wird nachgeholt in Gestalt seiner Adoption als Vater. Wie schlägt sich diese nachgeholte Adoption Risachs als Vater strukturell-symbolisch nieder? Da ist zunächst Architektonisches. Risachs Bemerkung, der Sternenhof habe große Ähnlichkeit mit dem Haus von Mathildes Eltern, lädt zur Nachprüfung ein.[46] Mathildes Elternhaus in Heinbach besteht aus zwei Flügeln, die einen rechten Winkel bilden. Auf der einen Seite des Hauses befindet sich ein Teich, auf der anderen der Garten mit dem sechseckigen Rosenhaus.[47] Der Sternenhof, Mathildes Landsitz, in dessen Nymphengrotte Natalie und Heinrich sich einander erklären, besteht aus vier großen Flügeln, die ein vollkommenes Viereck bilden. Im Zentrum des Innenhofs ist ein Becken aus grauem Marmor, in welches sich aus einer Verschlingung von Wassergöttinnen vier Strahlen ergießen.[48]

Der Grundriß des Hauses in Heinbach liest sich wie die offene, unabgeschlossene Hälfte des vollendeten Sternenhofvierecks. Das Wasser — als Teich ein stehendes — ist durch das Wohnhaus vom Garten als Liebesort abgeschnitten, während sich im Sternenhof zur Wasserkunst im Zentrum noch das fließende Wasser in der Nymphengrotte gesellt.[49]

Liest man den Raum des Landsitzes in Heinbach als „negative Analogie" zum Raum des Sternenhofs, so wird man den ersteren dem Paar Mathilde-Risach, den letzteren dem Paar Natalie-Heinrich zuordnen. Liest man die beiden Räume komplementär als Sequenz, so wird man ihre Symbolik primär auf das Paar Mathilde-Risach beziehen. Was in Heinbach unvollendet abbricht, das kommt im Sternenhof zum Abschluß.

Heinrich Drendorfs Vater erwirbt für seinen Ruhestand den zwischen Risachs Asperhof und dem Sternenhof gelegenen Gusterhof, zu dessen Namenbildung Thomas Keller anmerkt, als Modell hätten unüberlesbar die Namen Gust-av und Ster-nenhof gedient.[50] Nach Namen und Lage verbindet der Gusterhof Asperhof und Sternenhof, verbindet er also Risach und Mathilde.

Risach gibt sich am Ende als „matchmaker" zu erkennen, der Natalie den rechten Mann ausgesucht hat.[51] Als solcher erwirkt er sich jene dauerhafte Adoption als Vater, deren er als Sohn verlustig ging. Und hier produziert jene ungewöhnliche Konstruktion, von der schon die Rede war, ihren verdeckten Sinn. Man erinnere sich: der Liebesbund wird unabhängig von der elterlichen Zustimmung geschlossen und hat auch ohne diese Bestand, kann aber nur bei Zustimmung der Eltern zur Ehe führen. Mit anderen Worten: den Eltern ist das Vetorecht über die Fruchtbarkeit des Liebesbundes gegeben. Natalie macht Risach dadurch zu ihrem Vater, daß sie die Umwandlung des Liebesbundes in die Ehe auch von seiner Billigung abhängig macht. Sie macht ihn, darüber hinaus, doch noch zum Vater, indem erst seine Billigung den Liebesbund Natalies mit Heinrich generationsfähig macht. Es ist ja in der Tat der Zaubertrick dieser ungewöhnlichen Konstruktion, die Generationsfähigkeit als Sache der Natur zu kaschieren und stattdessen als Sache der Kultur, der „zweiten Natur", darzustellen. Worin sich Risach als Mentor Alfreds verfehlt hat, das macht er als Mentor Heinrichs wieder gut. Dort schloß seine Liebe zu Mathilde den Zögling aus; hier führt er den Zögling zur Liebe Natalies hin. Die Leitsentenz „Per aspera ad astra", die Martin Selge aus den Namen „Asperhof" und „Sternenhof" herausliest[52], erhält von daher einen prägnanten, auf Risach gemünzten, „Rückblick" und Hauptteil verbindenden Sinn.

*

Die Thematik des Familialen scheint in diesem Roman in mehr als einer Sinnschicht entfaltet zu sein. Daß die Begegnung der Blicke Heinrichs und Natalies im Zeichen des gemeinsamen, familial geprägten *Lear*-Erlebnisses steht, verträgt sich sehr wohl mit der explizit verkündeten Familienideologie und ergänzt diese. Aber wie ist es mit der nachgeholten Adoption Risachs als Vater und mit der Hermetik der Drendorf-Familie?

Einem Interpretationsschema, das mit dem Gegensatz von Normen (Hauptteil) und Normverstößen oder „negativen Analogien" operiert, muß sich die fiktionale Konstruktion als Ganzes in ihrer Besonderheit entziehen, weil es immer schon „mitten drin" ansetzt. Es gehört aber wesentlich zu dieser Konstruktion, daß Risach, dieser „zweite Vater", seinen eigenen Vater mit elf oder zwölf Jahren verliert und sich seiner nach einigen Jahren nicht mehr erinnert, daß ihn der Tod seiner Mutter, die ihm „ein Bild des Duldens, der Sanftmuth, des Ordnens und des Bestehens" (SW VIII,[1] 101) ist, um so härter trifft. Ebenso gehört es zu dieser Konstruktion, daß in der Familie der Makloden die Mutter im Zentrum steht, während der Vater am Rande bleibt. Und schließlich gehört es zu dieser Konstruktion, daß Risach in Mathildes Mutter eine zweite Mutter sucht und findet, wie es auch umgekehrt zu dieser Konstruktion gehört, daß Mathildes Mutter Risach wie ihrem Sohn vertraut. In der Erzählung Risachs ist diese Linie so deutlich ausgezogen, daß ihre Nichtbeachtung verwundern muß. Noch ist sie aber damit nicht zu Ende, denn es paßt durchaus ins Bild, daß Risachs „nachsommerliche" Liebe die Liebe zur mütterlichen Mathilde ist. Risachs Weg ist also wahrhaft „matrilinear".

Es war zu Beginn von der Drendorf-Familie die Rede, in der Vater und Mutter *unisono* das väterliche Gebot aussprechen, in der ein Sohn leid- und nahtlos, sich selber in derivativer Perspektive wahrnehmend, dem Vater zuwächst, von einer außerordentlich intakten und kompakten Familie also, die ein hermetisches Gefäß der Erziehung in der Primärsozialisation ist. In seiner schon erwähnten, methodologisch Jacques Derrida verpflichteten Studie *Die Schrift in Stifters ‚Nachsommer'* spricht Thomas Keller geradezu von Ausschließung der Subjektivität,[53] von einem „nicht-anfangsfähigen Helden".[54] Er sieht in der Buchstabenordnung der Namen die Großfamilie vorgegeben, in die der Roman mündet und in der Heinrich in die ihm vorbestimmte Stelle einrückt.[55] Andersherum formuliert: die vorbestimmte Stelle, in die Heinrich einrückt, ist eine Lücke, deren Besetzung die Adoption Gustav Risachs als Vater bedingt.

Wenn einer Figur im Roman jene „Anfangsfähigkeit" zuzusprechen ist, die Keller Heinrich Drendorf abspricht, so ist es Risach. Seine „Anfangsfähigkeit" ist eine Summe von Verlusten. Das Schicksal macht ihn zum Individuum, indem es ihn von seinem Ursprung trennt, vom Raum seiner Kindheit, in dem er jeden Gegenstand benennen konnte, vom Vater, der sich seiner bewußten Erinnerung entzieht, von der Schwester und von der Mutter, die er als Tote nicht mehr sieht und deren lebendiges Abbild er sucht und findet. Darum ist die Drendorf-Familie nicht einfach als normatives Gegenbild zur Familie der Makloden zu deuten: sie ist, immer aus der Perspektive Risachs, eine eigentliche familiale *restitutio ad integrum*. Alle jene Verluste, die das Individuum Risach hervorbringen, sie fehlen hier; die vaterzentrierte Ganzheit der Kernfamilie bleibt stets gegenwärtig, Heinrich in ihr aufgehoben; seine Erziehung während der Primärsozialisation wird allein von den Eltern wahrgenommen. Tiefer noch als die Sinnschicht der Normverstöße, d. h. der Verfehlungen und des Verschuldens, liegt, sie unterfangend, eine Natur, die ihren Zoll fordert und Wunden schlägt.

Wer . . . eine Heirathsgeschichte liest und hiebei rückwärts eine veraltete Liebesgeschichte erfährt, der weiß sich mit dem Buch gar nicht zu helfen, und muß endlich den Autor bedauern, warnt Stifter in einem Brief an Heckenast (SW XIX, 95). Bedauern vermutlich, weil die „Heiratsgeschichte" und die „veraltete Liebesgeschichte" so tief verschüttet sind unter Dingen, die scheinbar nicht dazugehören. Doch auch eine solche Lektüre bietet, wenn man sie genau betreibt, Aufschlüsse, die den Autor nicht bedauern lassen, wohl aber in den Blick rücken. Hinzuzufügen wäre noch die ungewöhnliche Metapher, mit der er, ebenfalls in einem Brief an Heckenast, von den Werken spricht, die zu schreiben ihn seine widrigen Umstände hindern:

Vielleicht wird man einmal diesen Brief lesen, und die im Mutterleibe getödteten Kinder bedauern, dann wird es zu spät sein, wie es bei Kepler zu spät war, der auch in diesem unseligen Linz lebte, und wie es bei Mozart zu spät war (SW XVIII, 299-300).

Der Autor nicht als Erzeuger, sondern als Mutter seiner Werke: Genau besehen sind ja auch die Väter im *Nachsommer* erstaunlich „mütterliche" Väter, wahre Bilder, nicht des Veränderns, sondern des Bestehens, der Hege und Pflege, Hebammen einer Natur, die nur unter der Hand ihre räuberische, tödliche Seite zeigt.

Anmerkungen

Für Kritik und Rat danke ich Dr. Beate M. Dreike, Dr. Joachim K. Beug (beide University College Cork) und PD Dr. Heinrich Mettler (Universität Zürich).

[1] Grundlegend zum Begriff der Sozialisation und zur Familie als Sozialisationsagentur ist wohl immer noch: Talcott Parsons/Robert F. Bales, *Family — Socialization and Interaction Process* (London, 1956).

[2] An einschlägigen Arbeiten nenne ich:
Edward Shorter, *The Making of the Modern Family* (Fontana/Collins, Glasgow, 1979[2]).
Karin Hansen, „Die Polarisierung der ‚Geschlechtscharaktere' — Eine Spiegelung der Dissoziation von Erwerbs- und Familienleben", in: Heidi Rosenbaum (Hg.), *Familie und Gesellschaftsstruktur* (Frankfurt a. M., 1980[2]).
Heidi Rosenbaum, *Formen der Familie — Untersuchungen zum Zusammenhang von Familienverhältnissen, Sozialstruktur und sozialem Wandel in der deutschen Gesellschaft des 19. Jahrhunderts* (Frankfurt a. M., 1982), S. 251—380.

[3] Vgl. dazu jetzt, Dieter Borchmeyer, „Ideologie der Familie und ästhetische Gesellschaftskritik in Stifters *Nachsommer"*, ZfdP, 99 (1980), S. 226—254.

[4] Vgl. G. W. F. Hegel, *Grundlinien der Philosophie des Rechts*, § 158, § 162, (Reclam Bd. 8388, Stuttgart, 1981), S. 303.

[5] Zitiert wird nach der Hamburger Ausgabe (HA), Bd. VII, 1965[6].

[6] In: S. Freud, *Studienausgabe* Bd. X (Fischer Taschenbuch 7310, Frankfurt a. M., 1982), S. 183—193.

[7] Vgl. HA VII, 40.

[8] Vgl. SW VI, 6f.

[9] Vgl. HA VII, 42.

[10] Die fast gleichzeitigen Antworten Stefan Blessins und Friedrich A. Kittlers auf die Frage nach dem Ursprung von Wilhelm Meisters Theaterleidenschaft könnten kaum gegensätzlicher sein. Blessin sieht diese Leidenschaft durch das Vaterimago gelenkt. Unter der Oberfläche des Antagonismus zwischen Vater und Sohn ziehe sich das Band einer gemeinsamen Neigung zur dekorativen und prachtvollen Repräsentation. Mit seinem Entschluß zur Theaterlaufbahn setze der Sohn die vom Vater zurückgestaute und nur ersatzweise kompensierte Neigung in Wirklichkeit um (Vgl. St. B., *Die Romane Goethes* [Königstein/Ts., 1979], S. 17). Dagegen erkennt Kittler in der Umschrift der *Theatralischen Sendung* zu den *Lehrjahren* den Wandel von der patrilinear-konjugalen zur matrilinear-sozialisierenden Familie, in der Mutter und Vater, als die beiden einzigen Bezugspersonen des Kindes im kernfamilialen Dreieck, die beiden mythischen Mächte des Wunsches und der Untersagung figurieren. Dabei ist, wie gerade die Entstehung von Wilhelms Theaterleidenschaft zeigt, die Mutter der erste Andere und der Vater ein Dritter,

der nachträglich und vergebens eingreift, wenn der Mutterbezug dem Kind schon längst eingeschrieben ist (Vgl. Gerhard Kaiser/Friedrich A. Kittler, *Literatur als Sozialisationsspiel — Studien zu Goethe und Gottfried Keller* [Göttingen, 1978], S. 22 u. 25).

Blessins Reduktion der familialen Konfiguration auf die Vater-Sohn-Beziehung wird den Gegebenheiten so wenig gerecht wie seine Rückführung von Wilhelms Theaterleidenschaft auf eine Neigung zur dekorativen und prachtvollen Repräsentation. Auf die texterschließende Kraft von Kittlers diskursanalytischem Ansatz kann hier nur hingewiesen werden.

11 Vgl. HA VII, 37.

12 Vgl. SW VI, 19.

13 Vgl. SW VI, 14.

14 Vgl. HA VII, 29.

15 ebd. S. 277.

16 Vgl. SW VI, 12.

17 Vgl. HA VII, 32, 37 u. 276.

18 Ebd. S. 284.

19 In seinem jüngst erschienenen Aufsatz „The Place of Inheritance in the Bildungsroman" sieht M. R. Minden Wilhelms Vater in positiverem Licht. Sein Ethos — Liebe zum Prächtigen, in die Augen Fallenden, das aber zugleich einen inneren Wert und Dauer haben sollte — behalte im Roman auf höherer Ebene Gültigkeit. In gewissem Sinne wachse Wilhelm nicht als Rebell gegen die enge Welt des Vaters auf, sondern in Übereinstimmung mit dessen Wünschen (Vgl. *DVJ*, 57 [1983], S. 45 ff.).
Vielleicht darf man sagen, daß Wilhelm gerade durch seinen Sohnungehorsam die Wünsche seines Vaters als von diesem selbst nicht begriffene erfüllt. Die Ambivalenz der vom Erzähler vermittelten Äußerungen über Vater Meister gilt auch für die von Minden speziell angeführte: „Nichts wünschte aber der alte Meister so sehr, als seinem Sohne Eigenschaften zu geben, die ihm selbst fehlten, und seinen Kindern Güter zu hinterlassen, auf deren Besitz er den größten Wert legte" (HA VII, 40). Die ihm fehlenden Eigenschaften kann er nicht weitergeben, wohl aber die von ihm erworbenen Güter. Dabei fällt dem Leser sogleich ein, daß dem Erwerb ein für Wilhelm schmerzlicher Akt der Veräußerung vorausgeht: der Verkauf der großväterlichen Sammlung.
Mir scheint, die Übereinstimmung mit den später dem toten Vater unterstellten Wünschen resultiere, jedenfalls mittelbar, aus der Rebellion gegen die *enge Welt* des Vaters. Ich verweise auch auf die dialektische Formulierung Ulrich Stadlers: „Wilhelm soll die enge und beschränkte Lebenssphäre seines Vaters aufheben und überwinden, zugleich aber soll er sie aufheben und bewahren" (in: „Wilhelm Meisters unterlassene Revolte — Individuelle Geschichte und Gesellschaftsgeschichte in Goethes *Lehrjahren*"; *Euph.*, 74 [1980], S. 371).

20 Vgl. SW VIII¹, 162.

21 Anzumerken bleibt allerdings, daß trotz familialer Einzäunung von Heinrichs und Klothildes Kindheit von dem, was Hegel abschätzig „die spielende Pädagogik" nennt, d. h. von einer Pädagogik, „die das Kindische als etwas an sich Geltendes nimmt und das Ernsthafte in kindische Form herabsetzt", wenig zu spüren ist. (Vgl. Hegel [Anm. 4], § 175, S. 320).

22 Vgl. SW VI, 206.

23 Dafür, „daß der Vater dem *beinahe 30jährigen* (Hervorhebung vom Verf.) Heinrich vorschreibt, welche Stücke er im Hoftheater besuchen darf", wie Klaus Amann in „Zwei Thesen zu Stifters Nachsommer" *(VASILO,* 31 [1982], S. 180) anmerkt, finde ich im Romantext keine Anhaltspunkte. Die einschlägigen Stellen lauten: „Da wir mehr herangewachsen waren . . . , durften wir zu seltenen Zeiten das Hoftheater besuchen" und „Seit ich selbständig gestellt war, hatte ich auch die Freiheit, nach eigener Wahl die Schauspielhäuser zu besuchen" (SW VI, 206). Die Wendung „selbständig gestellt" bezieht sich entweder auf den Zeitpunkt, da dem etwa 20jährigen Heinrich vom Vater die ganze Rente der Erbschaft des Großoheims zur Verfügung übertragen wird (Vgl. SW VI, 30), oder auf den Zeitpunkt, da ihm der Vater das Stammvermögen zu eigener Verwaltung einhändigt. Das geschieht, als Heinrich vierundzwanzig ist (Vgl. SW VI, 30). Ersteres ist darum wahrscheinlich, weil Heinrich zur gleichen Zeit freigestellt wird, wo er wohnen möchte.

[24] Freud (Anm. 6), S. 185.
[25] Vgl. ebd. S. 182.
[26] ebd. S. 191.
[27] ebd. S. 193.
[28] Vgl. SW VI, 211.
[29] ebd. 212.
[30] Vgl. SW VIII[1], 142.
[31] Vgl. SW VI, 212.
[32] Vgl. ebd. S. 208.
[33] Vgl. ebd. S. 212.
[34] Schon vor der *Lear*-Aufführung begegnet Heinrich auf dem Weg vom Rosenhaus ins Gebirge Mathilde und Natalie, die im offenen Wagen in Richtung Rosenhaus fahren (Vgl. SW VI, 191), doch impliziert Natalies Frage „Und Ihr habt mich also nicht wieder erkannt?" unmißverständlich „nachdem wir uns im Schauspielhaus gesehen hatten".
[35] Brief an Heckenast vom 29. Februar 1856 (SW XVIII, 298).
[36] Klaus Amann (Anm. 23, S. 181) spricht in diesem Zusammenhang von „negativen Analogien".
Die Dissertation von Gerhard G. L. Konzett, *Adalbert Stifter. Der Nachsommer. Ein Beitrag zum Verhältnis von Werk, Gesellschaft und Autor* (Innsbruck, 1979; masch.) konnte ich nicht einsehen.
[37] Von solch „früherer, beinahe vollkommener Reife" sind jene Borsdorfer Äpfel, die Mathildes Bruder Alfred gerade zum Zeitpunkt ihres Liebesgeständnisses sammelt (Vgl. SW VIII[1], 131). Trotz der Lokalisierung der Apfelsorte durch Eigennamen möchte ich sie als symbolisches *quid pro quo* interpretieren.
[38] Sie geht *gegen* fünfzehn im Frühling des Jahres, in dessen Spätsommer es zum Liebesgeständnis kommt. Zum Zeitpunkt, da Risach ihr Elternhaus verläßt, dürfte sie also wenig mehr als sechzehn sein. (Vgl. SW VIII[1], 122)
[39] So lautet Klaus Amanns Verdikt (Anm. 23), S. 182.
[40] Vgl. SW VIII[1], 122.
[41] Sieht man ab von der Gepflogenheit geselligen Musizierens im Hause Makloden, das von Mathilde und Natalie vermieden wird.
[42] Klaus Amanns Formulierung „Während Heinrich und Natalie das Gefühl als hypothetisches betrachten, bis alle Angehörigen ihr Plazet gegeben haben . . ." (Anm. 23), S. 182, trifft die Sache nicht, denn der Liebesbund besiegelt ja das (durchaus nicht nur hypothetische) Gefühl unabhängig vom Plazet der Eltern.
[43] Vgl. Hegel (Anm. 4), § 162, S. 307.
[44] Vgl. Hegel (Anm. 4), § 178, S. 322.
[45] Durch seine Anerkennung der elterlichen Autorität und der kindlichen Gehorsamspflicht gibt Risach nicht, wie Dieter Borchmeyer annimmt, die Autonomie von seiner und Mathildes Liebeswahl preis (Anm. 3, S. 241), denn nach den Regeln der oben besprochenen Konstruktion ändert der Wille der Eltern gerade nichts an der Autonomie der Liebeswahl.
[46] Vgl. SW VIII[1], 171.
[47] Vgl. ebd. 112 ff.
[48] Die beschreibenden Details, die eine Rekonstruktion des Sternenhofgrundrisses gestatten, finden sich SW VI, 320, 324, 328—329.
[49] Den Grundriß des Sternenhofs hat Thomas Keller rekonstruiert (in: *Die Schrift in Stifters Nachsommer* [Köln/Wien, 1982], S. 130). Er bezieht ihn auf Risachs Rosenhaus zurück: „Das zunächst im Rosenhaus erblickte Bild der Sterne kommt zu abgewandelter räumlicher Präsenz im Sternenhof . . . Beide Räume sind auf Austausch angelegt" (S. 131).
Daß Keller nicht auf die Beziehung zwischen Sternenhof und Haus in Heinbach eingeht, liegt wohl daran, daß die Entzifferung der Räume und ihrer Beziehung hier nicht von Heinrich, sondern vom Leser des Romans zu leisten ist.
Vom *Wasser* ist in der „dekonstruktiven Analyse" (vgl. S. 157) des zweiten Teils von Kellers Arbeit die Rede. Heinrich und Natalie verfügen zum Zeichen ihrer Verbindung über das Wasser, das „Anteil am

sattsam bekannten Symbolwert von Flüssigkeit für Sexualität" hat und doch nicht für den Sexualakt einstehen kann, weil es sich jeweils getrennt mit dem einzelnen Liebespartner vereinigt (Vgl. S. 281—282). Die verschiedenen Erscheinungsformen des Wassers im Sternenhof und auf dem Landsitz in Heinbach legen jedoch eine Differenzierung seiner symbolischen Bedeutung nahe.

50 Vgl. Th. K. (Anm. 49), S. 109

51 Vgl. SW VIII[1], 219

52 Vgl. Martin Selge, „Stifters Kaktus. — Zur naturwissenschaftlichen, (sexual-)symbolischen und ästhetischen Dimension des *Cereus Peruvianus* im *Nachsommer*" in: *Stifter-Symposion*. Vorträge und Lesungen, hg. von der Linzer Veranstaltungsgesellschaft und dem Adalbert-Stifter-Institut des Landes Oberösterreich (Linz, 1979), S. 34.

53 Vgl. Th. K. (Anm. 49), S. 77 („Ausschließung des subjektiven Bewußtseins"); S. 52 („Dekonstruktion des Subjektzentrismus"); S. 158 („Opferung des Subjektseins", „Unterdrückung der Subjektivität"); S. 161 („Welt ohne Original und Subjekt").

54 Vgl. ebd. S. 155; S. 262.
Die folgenden Bemerkungen sind ein kleiner Beitrag zur Diskussion der wichtigen und anregenden Arbeit Kellers: An der Liebesgeständnisszene in der Nymphengrotte, die er für unvermittelt hält, expliziert Keller den für seine Darstellung zentralen Begriff „Aufschub", der sich von Derridas Prägung „différance" herleitet. Wenn Heinrich, ohne Bezug auf Natalie, von sich selbst sagt: „Ich war sehr traurig. Ich legte meinen Strohhut auf den Tisch, legte meinen Rock ab und sah bei einem der offenen Fenster hinaus" (SW VI, 276), oder: „Ich gerieth in ein tiefes Sinnen" (SW VI, 298), so sind dies für Keller Signifikanten, die erst lange hinterher durch das Liebesgeständnis in der Nymphengrotte zu ihrem Signifikat kommen. Keller spricht von der „aufschiebenden Kluft" zwischen Signifikanten und Bewußtsein: „ . . . Erkenntnis ist im *Nachsommer* aufgeschobene Einsicht in vorgängige Signifikantenketten" (S. 47).
Hier leistet jedoch der Romantext Kellers Lektüre Widerstand. Von seiner Schwester gefragt, warum er ihr von seiner Liebe nicht früher etwas gesagt habe, antwortet Heinrich: „Als das Gefühl nur das meine war, und die Zukunft sich noch verhüllte, durfte ich nicht reden, weil es mir nicht männlich schien und weil die Empfindung, die vielleicht in Kurzem gänzlich weg gethan werden mußte, durch Worte nicht gesteigert werden durfte" (SW VII, 326—327).
Aufgeschoben ist also nicht, wie Keller postuliert, das Bewußtsein, sondern die Rede davon. Aufschub als Verschweigen unterbindet die Subjektivität, ohne doch das Subjekt vollständig auszuschließen.
Klaus Amann hat gezeigt, daß und wie das erzählerische Verfahren im *Nachsommer* eine ganz bestimmte Form des Mitvollzugs durch den Leser intendiert und provoziert, d. h. den Leser durch Informationsentzug zwingt, das ihm Vorenthaltene zu ergänzen. (*Adalbert Stifters Nachsommer. Studie zur didaktischen Struktur des Romans* [Wien, 1978], S. 78). Gerade an der Darstellung der Liebe hat Amann nachgewiesen, wie mehrere Gruppen von Textelementen dem Leser den Schluß auf die Entstehung oder das Vorhandensein von Liebe nahelegen (Vgl. ebd. S. 84 ff.). Wichtig ist auch seine Beobachtung, daß nach der Bund-Szene der Verzicht auf die Innenperspektive weitgehend rückgängig gemacht wird (Vgl. ebd. S. 90). Dennoch hat es seine Berechtigung, wenn Keller mit Bezug auf Heinrich von „Nicht-Anfangsfähigkeit" spricht.

55 Vgl. ebd., S. 96 ff.

Summary

Unlike Wilhelm Meister, whose filial disobedience 'thrives' on parental disharmony, Heinrich Drendorf develops totally in accordance with his father's wishes. His parents speak with one voice: his father's. If Wilhelm's ecentric choice of vocation goes against his father's wishes, Heinrich's is, in fact, his father's choice against the accepted rationale of society. As an agency of primary socialisation the Drendorf family is a hermetically closed unit.
    The contrast between Freud's interpretation of Shakespear's *King Lear* and Heinrich's experience of the same play could not be more striking. According to Freud, the parental-filial ties

are merely a disguise for the relationship between an old man and three young women, Cordelia being the goddess of death. To Heinrich, on the other hand, *King Lear* is the tragedy of a father. No wonder, then, that the silent exchange of looks between Heinrich and Natalie in the wake of the play is charged with filial significance. Much later, their dialogue in the grotto makes it clear that their love began as a shared compassion for a tragic father figure. Thus, right from the beginning, the relationship between Heinrich und Natalie includes a father figure. By contrast, the love relationship between Mathilde, Natalie's mother, and Risach, the tutor of Mathilde's brother Alfred, is exclusive. It is a form of exile within the family. Mathilde, Risach and Alfred are presented as a twosome plus one.

This raises the vexed question of what causes the failure of this love. Who is to blame? Mathilde's parents or the lovers? Undoubtedly, their love is premature, Mathilde being just over fifteen when she declares her love. And, as Risach admits, it was wrong to hide their love for so long from her parents. One might also claim that the parents themselves fall short of the exacting standards set by the Drendorf parents.

But, seen in a wider perspective, other considerations carry more weight. What has passed unnoticed in *Nachsommer* criticism is the implied „small print" of the pledge made by Natalie und Heinrich. Natalie insists that their elders, including Risach, who is *like* a father to her, decide the fate of their pledge of love. They decide that, if so much as one parent objects, they will not marry, though their pledge will hold, in separation, until death and after. While the parents have no authority over their pledge, what depends on their consent is whether or not the pledge is blessed with offspring since the bond of love cannot be dissolved.

Where does this leave Mathilde and Risach? When he informs Mathilde of her parents' wish that they discontinue their relationship, Mathilde takes the — mistaken — view that he has broken the pledge of love. In her view he was not obliged to comply with her parents' wishes, since he is not a member of the family. But is he not? As the narrator of his own life, Risach makes it clear that after the loss of both parents he was longing for a home, and that it was Mathilde's mother who made him feel at home again. Indeed, at the very moment when she asks him to discontinue his relationship with Mathilde and to leave their house, she adopts him, by calling him her son.

In this light, I suggest that the novel should be read from both ends, as it were, starting with Risach as well as with Heinrich. Natalie's asking the former's consent to her marriage is tantamount to her „adopting" him as a father. It is in this contex that the strange pledge made by Natalie and Heinrich yields yet another hidden meaning. By being „adopted" as a father Risach is effectively given the power of veto as to whether or not this love will be blessed with offspring. He is free to become a father after all, „by proxy". The ability to procreate is made conditional on parental consent; what we might otherwise call nature's deed is presented as a cultural deed. If Heinrich Drendorf lacks individuality, Risach's individuality is the sum of his losses. Whereas the memory of his father recedes, the loss of his mother cuts him to the quick, so much so that he longs for a second mother and finds her in Mathilde's mother. Even the renewal of his early love is the love for a motherly Mathilde. This is why I am inclined to see the Drendorf family, not as a counter-image to the family of Mathilde's mother, but rather as the image of the total restitution of what Gustav Risach has lost. As an integrated whole centred on the father, it does not recede from Heinrich's life; it remains part of it.

It is remarkable, though, how motherly the two father figures, Heinrich's father and Risach, are! They are „conservationists" in the truest sense of the word, eager to assist nature and preaching ist continuity, a nature which has a deadly and destructive aspect, though veiled, in the story of Risach's life.

Verschlüsselte Adelskritik:
Adalbert Stifters Erzählung
Der beschriebene Tännling

Johann Lachinger

Die Komplexität der scheinbar einfach strukturierten dichterischen Werke Adalbert Stifters, das Phänomen, daß Stifters Texte unter ihrer Oberfläche Bedeutungsschichten verbergen, die erst einer mehrfach reflektierenden Interpretation zugänglich sind, haben in der Stifter-Interpretation immer wieder zu neuen Ansätzen und Deutungen geführt. Gerade in neuerer Zeit wendet man sich der Feinstruktur der Texte Stifters mit besonderer Aufmerksamkeit zu. Die tieferen Bedeutungsschichten und ihre verborgenen Zusammenhänge enthüllen sich bei Stifter manchmal erst dann in ihrer Differenziertheit, wenn man dem planen Lesen so etwas wie ein Lesen zwischen den Zeilen, ja, ein Lesen gegen den Strich folgen läßt. Die Verschlüsselung war eine besondere individuelle Eigenart des Dichters Stifter, sie entsprach seiner Sehweise der komplexen Wirklichkeit, diese Verschlüsselung war aber auch eine Notwendigkeit für den Künstler seiner Zeit, eine Technik, wenn es galt, Tabus zu berühren und riskante Kritik zu üben. Das exoterische Erscheinungsbild fungiert als Chiffre esoterischer Bedeutungen. Die esoterische Botschaft kann sich, um einen Vergleichsbereich aus der Photographie zu verwenden, manchmal dann erschließen, wenn das Bild als Negativ betrachtet wird. Die in der Positiv-version vorerst undeutlichen dunkleren Flächen erscheinen dann in differenzierter Schattierung und sie ergeben in der Umkehrung womöglich ein Gegenbild von ebenso großer Klarheit und Relevanz wie das zuerst wahrgenommene Erscheinungsbild des Positivs.

Wir wollen versuchen, Stifters Erzählung *Der beschriebene Tännling* mit diesem Verfahren des wechselnden Betrachtens des nun einmal angenommenen Doppelaspektes des Bildes näher kennenzulernen und die meines Erachtens sich klar ergebenden Strukturen eines esoterischen Bedeutungszusammenhanges darzustellen. Da sich im Verlaufe der eingehenderen Beschäftigung mit den Texten unter dem zunächst als Arbeitshypothese angesetzten Thema zusätzliche thematische Aspekte ergaben, könnte man den Titel des Referates um einen wichtigen Zusatz erweitern und ihn so formulieren: „Verschlüsselte Adelskritik oder Heiliges und Unheiliges in den beiden Fassungen der Erzählung *Der beschriebene Tännling* ". Es ist nicht meine Absicht, das Thema aus soziologischer Perspektive abzuhandeln, dies wäre Aufgabe eines Soziologen bzw. Sozialhistorikers, vielmehr soll versucht werden, mit den heuristischen Möglichkeiten textimmanenter Analyse in Verbindung mit dem außerliterarischen historischen Kontext den Gegenstand darzustellen. Im Vergleich der beiden Fassungen der Erzählung ergeben sich bemerkenswerte Akzentverschiebungen, die wohl nicht nur auf das Streben des Dichters nach größerer formaler Ausgewogenheit der Erzählung im Wechsel vom Almanach zum gewichtigen Buch zurückzuführen sind, sondern auch auf eine Verschiebung der kritischen Positionen des Autors zwischen der Entstehungszeit der ersten Fassung um 1845 und jener der Umarbeitungs-zeit im zeitlichen Umfeld der Revolution von 1848 hindeuten.

Den außerliterarischen stofflichen Hintergrund der Erzählung bilden der Landschafts- und Kulturraum von Stifters engerer Heimat im Böhmerwald um Oberplan, insbesondere das Wall-fahrtskirchlein „zum guten Wasser" nahe Oberplan und legendenhafte Überlieferungen über Ursprung und Geschichte dieses Kirchleins. Aus der Zeit unmittelbar nach Fertigstellung der Erzählung stammt auch Stifters feine Bleistiftzeichnung der „Gutwasserkapelle" (datiert 3. September 1845). Die Jagdgeschichte ist historisch nicht belegt, von einer Heirat eines Mädchens einfacher Herkunft aus der Gegend von Oberplan mit einem Aristokraten gibt es eine vage Überlieferung.[1]

Die erste Fassung der Erzählung erschien Ende 1845 in dem in Frankfurt/Main publizierten *Rheinischen Taschenbuch auf das Jahr 1846*, das von C(arl) Dräxler-Manfred (= Karl Ferdinand Dräxler) herausgegeben und von David Sauerländer verlegt und gedruckt wurde, die *Studien*-Fassung erschien im Jahr 1850 im 6. Band der *Studien* (gemeinsam mit *Zwei Schwestern*) beim Verlag Gustav Heckenast in Pest (Budapest). Stifter selbst hatte von der Qualität der Erzählung eine recht hohe Meinung,[2] im Gegensatz zur zeitgenössischen Kritik, die sie so gut wie verwarf, aus inhaltlichen wie formalen Gründen.[3]

Dieses Werk findet erst in den letzten Jahrzehnten stärkere Beachtung, dies wird belegt durch die Basler Dissertation von Marianne Ludwig, durch die Edition als Einzelausgabe auch im angelsächsischen Bereich — von Charles Hayes in England und USA — und durch die Arbeiten von Joseph Peter Stern, Karl Hugo Zinck und Gunter H. Hertling.[4] Erst die vertiefte Auseinandersetzung mit dieser für Stifters mittlere Schaffensperiode im Vergleich zu früheren Leistungen merkwürdig rückständig wirkenden Erzählung hat den gehaltlichen und poetischen Rang des *Beschriebenen Tännling* im Ensemble der *Studien* erwiesen.

Mit der Erzählung *Der beschriebene Tännling* hat Adalbert Stifter seinen Lesern ein Rätsel aufgegeben: Wie sollte die Erzählung gelesen und verstanden werden? Es ist da die Rede von einer Reihe von wundersamen Begebenheiten, die erzählt werden, als wären sie ebenso wie in der Volksüberlieferung auch für den Erzähler verbürgte Realität. Anders als in den früheren Erzählungen, in denen auch einheimisches Sagen- und Märchengut verarbeitet ist, etwa in *Hochwald* oder später in *Katzensilber,* spielen die wunderbaren Ereignisse im *Beschriebenen Tännling* eine konstitutive, kausal wirksame Rolle im Handlungsablauf, in der Handlungsgegenwart. Das Handeln, ja das Leben von zwei Hauptfiguren der Erzählung wird durch religiöse Visionen bestimmt. Stifter läßt keinen Zweifel daran, daß sich ein mirakulöses Geschehen im realen Bereich eines konkreten geographischen Raumes und in einer historisch belegten Zeit ereignet, ja er betont diese nachprüfbare Fixierung noch ausdrücklich.

Die *Studien*-Fassung setzt mit einem nüchternen Blick auf die Landkarte ein, es werden der Schauplatz und die weiteren geographischen Räume mit kartographischer Exaktheit geschildert, bis hin zu den Flurnamen:

Wenn man die Karte des Herzogthumes Krumau ansieht, welches im südlichen Böhmen liegt, so findet man in den dunkeln Stellen, welche die großen Wälder zwischen Böhmen und Baiern bedeuten, allerlei seltsame und wunderliche Namen eingeschrieben; zum Beispiele: „zum Hochficht", „zum schwarzen Stoke", „zur tiefen Lake", „zur kalten Moldau", und dergleichen. Diese Namen bezeichnen aber nicht Ortschaften . . . sondern ganz einfache Waldesstellen, die hervorgehoben sind . . . So heißt es auch in einem großen Fleke, der auf der Seite des böhmischen Landes liegt, „zum beschriebenen Tännling". (HKG I, 6, 381)

Dann wird die volkstümliche Bezeichnung „Tännling" für „junge Tanne" erläutert, insbesondere aber die ungewöhnliche Benennung „beschriebener Tännling": „Den Namen beschrieben mag die Tanne von den vielen Herzen, Kreuzen, Namen und anderen Zeichen erhalten haben, die in ihrem Stamme eingegraben sind" (HKG I, 6. 382). Dann wird dem Leser die Waldlandschaft um Oberplan vor Augen geführt und weitere markante Punkte in der Umgebung des Marktes Oberplan. Keineswegs ist diese Beschreibung des Schauplatzes überhöht oder gar in märchenhafte Mystik stilisiert, vielmehr verhält sich der Erzähler einfach referierend, ganz und gar sachlich.[5]

Dieser topographisch genau markierte Landschaftsraum ist nun der Schauplatz sowohl von höchst profanen als auch von höchst mirakulösen Vorfällen, die den Inhalt der erzählten Geschichte ausmachen, es ist der Raum von unerklärlichen Wundern und Erscheinungen: Dem Mädchen Hanna wird in einer kindlichen Vision von der Gottesmutter im Gnadenkirchlein die Erfüllung ihres Lebenswunsches verheißen, die Verheißung erfüllt sich orakelhaft, wie der Verlauf der Lebensgeschichte des Mädchens zeigt, am Holzfäller Hanns geschieht gleichfalls ein Wunder, die Marienerscheinung im Baum, dem „beschriebenen Tännling": das Mirakel führt zu einer entscheidenden Lebenswende. Diese Ereignisse spielen sich durchaus nicht in einer historisch nicht mehr verifizierbaren, sagenhaften Vergangenheit ab, sie sind dem Erzähler verbürgte Geschehnisse, nur etwa zwei bis drei Generationen zurückliegend, und offenbar ebenso authentisch wie die den Zeugen noch präsenten herrschaftlichen Jagdfeste, von denen bis ins einzelne genau berichtet werden kann.

Authentische Wundergeschichten in einer verifizierbaren historischen Zeit, in einem topographisch fixierten Raum, erzählt von einem auf Genauigkeit bedachten Erzähler? — Stifter gibt dem Leser ein schwieriges Rätsel auf. Als höchst widersprüchlich mutet einen diese Erzählung an, zusammengesetzt aus real nachprüfbarem Faktischem und Legende, ja, scheinbar Märchenhaftem.

Eine unzeitgemäße, triviale Geschichte, bei der obendrein Figuren und Geschehen unzulänglich motiviert und vermittelt seien, das war auch das abwertende Urteil von zeitgenössischen Kritikern,[6] man erwartete Zeitbezogenheit und psychologische Wahrscheinlichkeit und Durchbildung. Selbst die katholische Dichterin Annette von Droste-Hülshoff konnte der Erzählung Stifters, die sie in der ersten Fassung im *Rheinischen Taschenbuch auf das Jahr 1846,* das auch ihr Gedicht *Mondesaufgang* enthält, gelesen hatte, keinen positiven Aspekt abgewinnen. In einem Brief an ihre Freundin Elise Rüdiger (13. 11. 1845) urteilte sie über die soeben erschienene Novelle Stifters kurz: „soso! frommdeutschtümlich, etwas à la Motte-Fouqué";[7] sie ordnete sie also der katholisch-national-patriotisch orientierten Richtung der späten Romantik zu.

Adalbert Stifter, der Natur- und Heimatdichter, nun einmal als volkstümlicher Legendendichter, dies konnte eine brauchbare Lesart abgeben. In dem scheinbar unauflöslichen Widerspruch im Text selber: exakte, beinahe wissenschaftliche Beschreibung des Schauplatzes versus Wunder-Ereignisse, stellt sich eine ähnliche Frage wie bei der zwei Jahre früher erschienenen Erzählung *Abdias,* in der ebenso die reale Handlung von wunderähnlichen Phänomenen durchsetzt ist, — nämlich, wie das wunderbare Geschehen im *Beschriebenen Tännling* vereinbar ist mit der in der Einleitung zu *Abdias* niedergelegten aufklärerischen Konzeption eines die Welt durchwaltenden rationalistischen Kausalitätsprinzips, mit der „heitren Blumenkette der Ursachen und Wirkungen" (HKG I, 5, 238), die anstelle von Fatum und Schicksal das Geschehen bestimmen „mag", und wie diese Vermischung von rational Begreifbarem und Wunderbarem im *Beschriebenen Tännling* vereinbar ist mit der später in der Vorrede zu den *Bunten Steinen* geäußerten optimistischen Sicht einer wissenschaftlich entschlüsselten Welt, in der die „Wunderbarkeiten" aufhören und die „Wunder" (in der Erkenntnis der Komplexität der Naturgesetze) zunehmen würden (HKG I, 2, 12). Angesichts der hier nur angedeuteten rationalistischen Entwicklungslinie im Denken Stifters, angesichts auch der mittlerweile längst städtischen Existenz des Dichters und vor allem seines naturwissenschaftlich geprägten Weltbildes und Geschichtsdenkens ist eine plane religiös-volkstümliche Lesart dieser Erzählung nicht überzeugend. Es muß hier ein Deutungsmodell gesucht werden, das sowohl die Paradoxien im Zusammenhang des Textes als auch die Widersprüche im Verhältnis zu Adalbert Stifters rational-wissenschaftlich bestimmtem Weltbild, das zwar christlich-theologisch fundiert war, aufhebt.

Bei genauerer Betrachtung der erzählten Welt des *Beschriebenen Tännling* stellt sich heraus, daß die Erzählung von Sagen und Wundern — selbst als Phänomene der realen Handlungsgegenwart — nicht aus der Perspektive des nüchtern-sachlichen Erzählens herausfällt, sie sind integrale Bestandteile der geschilderten Welt[8]: Das Wunderbare ereignet sich an Menschen in einem geschlossenen, von religiösen Lebensformen und mythischen Vorstellungen geprägten realen Raum, in einem Kulturraum, der nicht nur von Natur umgeben ist, sondern der selbst noch so etwas wie einen Naturzustand repräsentiert. Der Glaube an Sagen, an wunderbare Erhörungen, an legendäre Heiligengeschichten und die Erfahrung von Wunder und Wundererscheinungen sind für Stifter ebenso reale Phänomene und daher realistisch beschreibbar wie die wissenschaftlich beschreibbare Geographie, wie sie im Eingang der Erzählung vorliegt.

Als typische Phänomene einer religiös-magisch geprägten Weltsicht in ländlichen Schichten in den katholischen Ländern sind das Wallfahrtswesen und im Zusammenhang damit die Darstellung wunderbaren Eingreifens göttlicher Mächte auf den sogenannten Votivbildern anzusehen, meist Bildern der naiven Volkskunst, die als Bitte oder als Dank für Gebetserhörungen und für die Errettung aus Gefahren, Unglück und Krankheiten von gläubigen Menschen an heiligen Stätten gestiftet wurden. Gerade in der ersten Hälfte des 19. Jahrhunderts, nach der Aufklärung, blühte diese religiöse Praxis des Stiftens von Votivgaben wieder reich auf.[9] In der Gutwasserkapelle befanden sich zahlreiche Votivbilder. Adalbert Stifter überträgt wesentliche Züge dieser bildlichen Zeugnisse des Volksglaubens in seine Erzählung. Die Darstellung der Erscheinung des Gnadenbildes der Gutwasserkapelle im Baum, im „beschriebenen Tännling", mit dem Holzfäller darunter, an dem sich das Wunder vollzieht, entspricht der Konzeption des volkstümlichen Votivbildes.

Im Zusammenhang mit den religiösen Strukturen der ländlichen Sozietät — dargestellt in den landschaftsgebundenen Legenden — und in unmittelbarer Verschränkung einer konkreten wunderbaren Begebenheit — der Marienvision im „beschriebenen Tännling" —, thematisiert Stifter mit der Geschichte vom Jagdfest der Adeligen und der Liebes- und Eifersuchtsgeschichte zwischen dem Holzfäller Hanns und dem schönen armen Mädchen Hanna und in der Liebes- und Heiratsgeschichte zwischen dem Adeligen Guido und Hanna den Zusammenstoß zweier fremder sozialer Welten: Der Dichter zeigt den Einbruch der profanen höfisch-urbanen Lebenswelt des Adels in den in sich geschlossenen religiös strukturierten Natur- und Kulturraum des bäuerlichen Waldlandes und die sich daraus ergebenden Konsequenzen der Störung und Zerstörung für Natur und Menschen dieses Bezirkes. Adalbert Stifter hat das Aufeinandertreffen der beiden sozialen Bereiche in mehrfacher Hinsicht doppelbödig gestaltet und so die intendierte Kritik auf subtile Weise verdeckt. Von der Perspektive der äußeren Organisation und des Ablaufes der Festivitäten her, die der Erzähler vordergründig einhält, erscheint das Jagdfest als geradezu harmonisch-freundschaftliche Begegnung der Herren und der Untertanen, in den tieferliegenden Bedeutungsschichten aber entpuppt sich der Auftritt der Herren als unheimlichgroteskes Schauspiel der Zerrüttung. In der moralischen Bewertung der Hauptfiguren erscheinen die positiven und negativen Wertakzente vordergründig eindeutig gesetzt: Als verwerflich wird zunächst vor allem der Plan des eifersüchtigen Holzfällers empfunden, sich am adeligen Rivalen durch einen Anschlag zu rächen, der Plan wird durch die himmlische Traumvision vereitelt. Das Verhalten des Adeligen aber wird auch nicht in Andeutungen beurteilt. Gerade dieses Schweigen erweist sich als bedeutungsvoll: erst in der unheilvollen Konsequenz des Handelns des Adeligen für die einfachen Menschen wird die Schuld auch des Adeligen erschließbar.

Mehr noch als in den vorhergehenden *Studien*-Erzählungen bleibt im *Beschriebenen Tännling* der unmittelbar wertende Erzählerkommentar ausgespart, Stifter läßt den Leser mit der objektiv scheinenden ausgedehnten Schilderung der Schauplätze, mit der minuziösen Darstellung von Vorgängen, wie sie sich auf den Zeitstufen der Handlung abspielen, mit den unkommentierten Dialogen und Meinungsäußerungen wie mit der Darstellung des Handelns der Figuren und mit den Vorgängen der kleinen Binnenepisoden allein. Mit der konsequent angewandten Sicht von außen, einzig unterbrochen in der Schilderung der Traumvision des Holzfällers Hanns am „beschriebenen Tännling", schließt der Erzähler die Möglichkeit des unmittelbaren Einblickes des Lesers in die Innenwelt der Figuren aus. Stifter läßt die erzählten Fakten für sich selbst sprechen, aus ihnen und aus der Figurenrede muß sich der Leser sein Urteil bilden. Allerdings, und das ist eine bei Adalbert Stifter wiederholt angewandte Technik der Insinuation von Bedeutungszusammenhängen und Werturteilen, verleiht er Handlungselementen, Gesprächen, Gestischem usw. ausgeprägte Symbolfunktion, so daß sich erst mittelbar und oft genug in merkwürdiger Ambivalenz ein deutbares Sinngefüge ergibt. So sind nicht wörtlich formulierte Erzählerkommentare, sondern handlungsimmanent gesetzte Zeichen als wesentliche Sinnweiser eingesetzt. Mit der Aufgabe, diese Zeichen zu entschlüsseln und zu werten, um zur Erkenntnis ihres intendierten Sinnes zu gelangen, fordert Stifter als Pädagoge dem Leser quasi einen Prozeß schlußfolgernden Analysierens ab.

Die Intention, den naturnahen Kulturraum als eine integrale Einheit und den Einbruch der fremden Welt als elementare Störung dieser Einheit sichtbar zu machen, erreicht Stifter durch sein ihm eigentümliches poetisches Verfahren der Beschreibung von unzähligen Einzelheiten. Wie bei einem Mosaik entsteht das Bild einer Ganzheit aus Partikeln. Mit der Beschreibung visiert der Dichter das Erlebnis der Totalität der beschriebenen Sphäre an. Diese Tendenz zur Totalität können wir überall dort wahrnehmen, wo Stifter Sphären in möglichster Geschlossenheit poetisch hervorbringen will.

Im *Beschriebenen Tännling* wird die Geschlossenheit des Raumes, gewissermaßen das intakte Biotop, in der Darstellung dieses Raumes als Einheit von Natur, Religion und Gesellschaft konstituiert. Das Bild erhält durch einen dichten Raster von Einzelpunkten deutliche Konturen und plastische Tiefenschichtung.

Die Natur dominiert. Von Anfang an ist der Wald allgegenwärtig. Der Titel und die Kapitelüberschriften der *Studien*-Fassung: „Der graue Strauch", „Der bunte Schlag", „Der grüne Wald" und „Der dunkle Baum" signalisieren diese Prädominenz ebenso wie die umfangreichen Waldschilderungen; die ausgedehnte Fläche des Waldes spiegelt sich in der ausgedehnten Prosabeschreibung wider. Die Lebenswelt der Bewohner wird von der Natur bestimmt, und, was entscheidend ist, in ihrer Vorstellungswelt ist die Natur mythisch-religiös gedeutet.

Die Landschaft ist gewissermaßen mit Zeichen des Heiligen und des Mythischen durchsetzt, sie stehen miteinander in Korrespondenz: Da sind die Wasserquellen, an denen der Volksüberlieferung nach das wundertätige Marienbild aufgefunden wurde, das einem Blinden Heilung brachte, und das zum Ursprung der Gnadenkirche „zum guten Wasser" wurde. Da ist eben diese Gnadenkirche mit dem Gnadenbild der Madonna zu den Sieben Schmerzen, da ist der Gipfel des Kreuzberges mit dem rotfarbenen Kreuz, da ist schließlich der „beschriebene Tännling" mit den eingeritzten heiligen Symbolen, da sind dann auch die Felsen der „Milchbäuerin", an denen sich eine Volkssage von der Verwünschung einer schönen Frau durch einen Geist knüpft. Die Menschen leben in dieser Sphäre religiöser und sagenhafter Überlieferungen. Ihr Leben ist von Anfang an in diesen Zusammenhang von Natur und Religion eingebettet, es bleibt unberührt von der aufgeklärten, sozusagen entmythologisierten Weltsicht.

Noch bevor die Geschichte von Leben und Liebe Hanns' und Hannas und die Ereignisse des adeligen Jagdfestes erzählt werden, ist das religiös-mythische Bezugssystem hergestellt. Die erste Fassung der Erzählung beginnt sogleich distanzlos mit der Nennung der religiösen Motive: „Wenn man von Oberplan nördlich über den Brunnberg geht, so steht das Gnadenkirchlein zum guten Wasser, und noch weiter oben steht ein einfaches rothes Kreuz." Der Panoramablick von der Stelle mit dem Kreuz aus wird vom Horizont der Wälder begrenzt: „Rings herum sieht man von dem Berge fast an dem ganzen Himmel sonst nichts, als die dämmerigen Bänder des Böhmerwaldes und seiner Verzweigungen". Gleich nach der Darstellung der Sicht bis zu den Alpen bei einer bestimmten Wetterlage — „an ganz durchsichtigen Morgen, an denen wegen bevorstehenden Regens die Gegend mit keinem färbenden Dufte bedeckt ist, sondern die Dinge in trauriger Klarheit dastehen", folgt eine weitere Anspielung auf Religiöses: Die Bewohner des Marktfleckens gehen an Sonn- und Feiertagen gerne auf den Berg mit dem Wallfahrtskirchlein, „einige am Morgen, um Messe zu hören, andere Nachmittags, um an dem Kreuze zu beten." Gleich darauf kommt die Sprache auf die ummauerten wundertätigen Quellen, aus denen die Bewohner von Oberplan, wenn sie in der Nähe sind, trinken und sich die Augenlider waschen. Der Erzähler betont sogar, daß sie es kein einziges Mal versäumen und daß das „auch die Kinder . . . thun, . . . was sie die Alten thun gesehen haben". Dann wird die Sage vom „verwunschenen Bauernweibe" angedeutet, die den merkwürdig geformten Felsen auf dem Berg den Namen „Milchbäurin" gegeben hat (die Sage selbst wird erst in der zweiten Fassung erzählt), anschließend wird der Legendenkomplex ausführlich wiedergegeben, wonach eine alte Erzählung berichtet, „wie die Brunnenhäuschen, die Kirche und das Kreuz entstanden sind". Es ist die Wundergeschichte von der Auffindung der Quelle und des wundertätigen Gnadenbildes darin durch einen Blinden und von seiner Heilung durch dieses Quellwasser. Dann berichtet der Erzähler von der Errichtung der Wallfahrtskapelle und später des Wallfahrtskirchleins in der Nähe der Quellen, und von der Ausbreitung des Kultes, nachdem „das Gnadenbild zum guten Wasser weit und breit bekannt wurde, als sich manche Kranken und Preßhaften dahin verlobt hatten, und gar aus Baiern über den Wald herüber Kreuzscharen kamen und sich in dem Wasser das Angesicht und die Augen wuschen". Dann folgt die Beschreibung der Kirche mit dem Gnadenbild und des religiösen Brauches mancher Wallfahrer, „Kostbarkeiten und andere Dinge" in die Kapelle zu spenden. Es wird dann von der zur Zeit der Erzählgegenwart geübten Verehrung des Wallfahrtsheiligtums berichtet, die ungebrochen sei. Zum Abschluß dieses ersten Erzählabschnittes heißt es:

Im Weitern ist die Landschaft, in der sich das Alles befindet, ziemlich abgelegen von der menschlichen Gesellschaft. Es führt keine Handelsstraße durch, Künste und Gewerbe haben sich noch nicht hingefunden, außer was zum täglichen Bedarfe gehört, in den Wäldern umher klingt die Axt und rauchen die Feuer der Holzhauer, auf dem Lande draußen geht der Pflug durch die Felder und blitzt die Sense auf den Wiesen. Selten daß ein Handwerksbursche durch die Feldwege geht und sich ein Liedlein pfeift. Dann schultert er seinen Wandersack und berechnet, wie weit er noch auf eine Straße hinaus habe, die zu wohlhabenden Dächern und Ortschaften führe. (HKG I, 3, S. 237—242)

In der *Studien*-Fassung verfährt Stifter nicht so unmittelbar von Anfang an deutend. Die Charakterisierung der Abgeschlossenheit des Gebietes erfolgt in der objektiven Form der sachlichen kartographischen Darstellung, wie wir anfangs gezeigt haben, dann folgt die Topographie der Umgebung von Oberplan und in diese sind nun wie in der Erstfassung die Punkte mit mythisch-religiöser Bedeutung eingefügt, als „Dinge", die den Bewohnern dieser Gegend „bedeutsam und merkwürdig" sind.

In der im weiteren folgenden Erzählung der Lebensgeschichte von Hanns und Hanna bis zum Jagdfest der Adeligen, in der dramatischen Geschichte des Jagdfestes selbst mit dem aufbrechenden Konflikt und im Ausgang der Erzählhandlung sind weitere wesentliche Elemente enthalten, welche die sphärische Geschlossenheit des religiös geprägten sozio-kulturellen Raumes des Waldlandes sichtbar machen. Diese prägenden Faktoren sind in beiden Fassungen annähernd gleich ausführlich dargestellt. Vor allem ist es die religiöse Erziehung, die für die Menschen bestimmend erscheint, sie prägt Wirklichkeitsauffassung, Denken und moralisches Verhalten der Bevölkerung. Die kirchlichen Gebräuche werden früh eingeübt, sie verbinden sich mit magischem Volksglauben.

Stifter hebt hier ein einschneidendes Erlebnis im kindlichen Leben besonders hervor: die erste Beichte und die in Oberplan mit diesem religiösen Akt verbundene volkstümlich-magische Vorstellung der sicheren Gebetserhörung beim Gebet in der Wallfahrtskirche an diesem Tage. In beiden Fassungen des *Beschriebenen Tännlings* wird diese Episode eingehend dargestellt: In der gerafften Schilderung der *Studien*-Fassung heißt es:

In Oberplan herrscht der Glaube, daß dasjenige, um was man die schmerzhafte Mutter Gottes zum guten Wasser am ersten Beichttage inbrünstig und aufrichtig bittet, in Erfüllung gehen werde. Der erste Beichttag der Kinder ist aber immer vor Ostern, dem wichtigsten Feste des ganzen Jahres. So wichtig ist das Fest, daß die Sonne an demselben nicht wie an jedem anderen Tage langsam aufgeht, sondern in drei freudenreichen Sprüngen über die Berge empor hüpft. An diesem Feste bekommen die Leute schöne Kleider, die frischen Fahnen und Kirchenbehänge werden ausgelegt, und die Natur feiert die Ankunft des Frühlings." (HKG I, 6, S. 391)

Die Kinder, die vor dem Ostersonntag zur ersten Beichte[10] gehen sollen, werden schon

viele Wochen vorher . . . unterrichtet, und die Vorbereiteten ausgelesen. Wenn der Tag angebrochen ist, werden die Erwählten gewaschen, schön angezogen, und von ihren Eltern zur Thür des Pfarrhofes geführt. Wenn der Pfarrer öffnet, dürfen die Kinder eintreten, und die Eltern gehen wieder nach Hause. In dem Innern des Pfarrhofes werden sie geordnet, und da stehen sie mäuschenstille, und jedes hat einen Zettel in der Hand, auf welchem Name und Alter steht. Wenn an einem die heilige Handlung vorüber ist, geht es zerknirscht und demüthig in den Hintergrund. (HKG I, 6, 391)

Am gleichen Tag, nach der Beichte, findet sich dann die Kinderschar auf dem Kreuzberg in der Kirche „zum guten Wasser" ein, um vor dem Gnadenbild die Lebensbitte zu tun: es gehen da auch andere Menschen mit,

meistens Eltern und Verwandte. Besonders gesellen sich gerne alte Mütterlein hinzu, die ebenfalls gepuzt neben den Kindern gehen, sie zur Andacht ermahnen und ihnen heilige Geschichten erzählen. Man betet in dem Kirchlein, man geht auf dem Berge herum, und gegen Abend begeben sie sich wieder nach Hause. So kann dieser Tag, der der merkwürdigste ihres Lebens ist, nach und nach ausklingen, und es können sich wieder die andern gewöhnlichen anschließen. (HKG I, 6, 392)

Im ungetrübten Erleben der religiösen Traditionen, die in der Seele der Menschen von Kindheit an tief verwurzelt sind, ist durchaus auch das Erleben von wunderbaren Erscheinungen möglich — das wird mit dem Bericht von wunderbaren Legenden und in der Erwähnung von Votivgaben in der Gnadenkirche nahegelegt.

In diesem Lebenskreis, in dem alles Handeln sowohl durch die christliche Moral geregelt ist, wie die Hervorhebung des Beichtrituals zu erkennen gibt, als auch durch eine archaische soziale Moral, auf die die heidnisch-mythische Sage von der bestraften Milchbäuerin, die „den Worten eines Geistes kein Gehör gab" (HKG I, 6, 384), hinweist, in dem Lebensbereich, in dem die überkommenen Herrschaftsverhältnisse ungefragt Geltung besitzen, kommt es nun zu Eingriffen und Konflikten, die auf mehreren Ebenen katastrophale Auswirkungen haben — sie erlauben in letzter Konsequenz die Deutung massiver Kritik am unverantwortlichen Gebrauch herrschaftlicher Privilegien. Adalbert Stifter hat in der Erzählung die Kritik im doppelten Aspekt von schuldhaftem Handeln von Einzelnen und scheinbar legitimem Handeln der bevorrechteten Herrenschicht so geschickt angelegt und getarnt, daß er sich vor dem Vorwurf eines Angriffes auf bestehende Herrschaftsverhältnisse gefeit wissen konnte. Die gesellschaftskritische Invektive gegen die Willkür des bevorrechteten Standes im Umgang mit Natur und Mensch ist kunstvoll verdeckt durch den Vorschein eines beabsichtigten Verbrechens eines Niedriggeborenen an einem Adeligen, durch den Vorschein objektiv moralischen Versagens eines von Eifersuchts- und Rachetrieben irregeleiteten Einzelnen.

Bei Betrachtung des Gesamtkomplexes des Jagdfestes zeigt sich aber, daß hier nicht nur Einzelschicksale auf dem Spiel stehen, und Einzelmenschen teilweise aus eigenem Verschulden zerbrechen und zerbrochen werden, sondern daß durch die adelige Jagdgesellschaft die Natur insgesamt in Mitleidenschaft gezogen wird, indem sinnlos, nur zur Ergötzung der Herren, vernichtend in diese eingegriffen wird. Das Fest wird zum inszenierten Grauen.

Das Moment der Kritik im *Beschriebenen Tännling* wurde erst in neueren Arbeiten explizit erörtert. Ein wesentlicher Anstoß zur Betrachtung der Erzählung unter diesem Aspekt kam von Kurt Mautz, der 1968 in seinem Aufsatz „Das antagonistische Naturbild in Stifters *Studien"* die Beschreibung des Jagdfestes im *Tännling* „eine der schärfsten sozialkritischen Satiren auf die Feudalaristokratie des 18. Jahrhunderts, die es in der deutschen Literatur gibt", [11] nannte. Die umfassendste Analyse und Bewertung dieses zerstörerischen Einbruches in die „Urlandschaft" hat Gunter H. Hertling 1980 in seinem Aufsatz „Adalbert Stifters Jagdallegorie *Der beschriebene Tännling*. Schande durch Schändung" [12] vorgelegt. Zahlreiche Einzelbeobachtungen Hertlings sind für die Perspektive des vorliegenden Beitrages von Relevanz, Hertling konzentrierte sich in seiner Interpretation des Jagdfestes im wesentlichen auf die *Studien*-Fassung, an besonders markanten Punkten zog er auch den Text der Erstfassung zum Vergleich heran.

Es ist von Interesse, daß sich die Akzente von der ersten Fassung 1845 im Verhältnis zur überarbeiteten *Studien*-Fassung, die nach 1848 erschienen ist, etwas verschieben: In der Erstfassung überwiegt eher der Eindruck der Alleinschuld des eifersüchtigen Holzfällers. Auch Hanna wird in einem etwas ungünstigeren Licht dargestellt. Hanns und Hanna sind beide als Außenseiter und als Abweichler von den moralischen Kategorien ihrer Gesellschaft gezeichnet, der potentielle Mörder seines adeligen Rivalen, Hanns, wird als dubiose Gestalt eingeführt — er gilt zwar als tüchtiger Holzfäller, er ist aber mit dem Odium des Wilderers und Schleichhändlers behaftet, außerdem wird er als übermäßig aggressiv geschildert:

Jetzt aber war Einer, er war nicht so schön wie die Andern, die um sie [Hanna] warben, er war ein langer, hagerer Mann mit blitzenden Augen, — den zeichnete sie vor den Andern aus und fürchtete ihn, — er war der Stärkste oder vielmehr der Behendeste in der ganzen Gegend, und wenn ihn Einer schief anschaute, oder ihm sonst etwas anhatte, so nahm er ihn bei dem Kragen des Hemdes, oder bei den Schultern, und warf ihn in das Gras oder in den Sand nieder, oder auch in die Rinne, wie es eben galt, — dieser gab ihr Alles, was sie bedurfte; er gab ihr mehr, daß sie nicht zu arbeiten brauchte, und daß sie ihren Leib schmücken konnte, wie es ihr beliebte. Er war eigentlich nur ein Holzknecht, aus den oberen Waldhäusern gebürtig; aber die ganze Woche arbeitete er so, wie es ihm Keiner nachthun konnte, und am Sonntage ging er schön gekleidet, klimperte mit dem Gelde in der Tasche, und fragte Hanna, was sie bedürfe, oder was ihr gefiele. Die Leute sagten ihm zwar auch nach, daß er manchen Hirsch drüben oder herüben an der Gränze erjage und verhandle; aber es war Niemand dabei und es konnte ihm's Niemand beweisen. (HKG I, 3, 244)

Hanna wird als arbeitsscheu und putzsüchtig beschrieben, ein verwöhntes Kind einer alten, armen Frau, die als Hexe verschrien ist. Die adeligen Mitglieder der Jagdgesellschaft andererseits werden als freundliche Herren geschildert, die sich mit Bonhomie und verspieltem Leichtsinn unters Volk mischen, die Jagd ist ein lustiges, buntes Schauspiel, an dem das Volk begeistert Anteil nimmt, die rasche Verbindung des schönen Adeligen Guido mit der eitlen Hanna wird vordergründig als unerhörtes Geschehen — zwischen Glück und ungewissem Abenteuer oszillierend — bewertbar, der geplante Racheakt des betrogenen Holzfällers aber als verderblicher Ausbruch blinder Leidenschaft. Hanns sühnt seine dunkle, verbrecherische Anwandlung nach der wunderbaren Traumvision am „beschriebenen Tännling", indem er die Kinder seiner Schwester aufnimmt und sie erzieht, für die Erziehung die „unterste Viehmagd des Schwarzmüllers" (Erstfassung) heiratet, von der er zwei weitere Kinder bekommt, die er nach dem Tod der Frau allein zu versorgen hat, Hanna sühnt ihren Leichtsinn, ihre Verblendung, unfreiwillig durch ein Dasein, dem trotz Ansehen und Reichtum offenbar das Glück fehlt. Die Wiederbegegnung von Hanna und Hanns nach langen Jahren an der Straße nahe Oberplan bringt die schicksalhaften Folgen für Hanna wie die moralische Wandlung des Hanns prägnant und anschaulich zum Ausdruck:

Sie fuhr in einem sehr schönen Wagen auf dem damals neu angelegten Wege nach Püchlern und Spizenberg zu. Sie hatte jetzt, was sie gewunschen: gewundene Stengel und Zweige von Goldstickerei auf ihrem Kleide, aber ihr Mund war bleich, ihre Wangen waren weiß wie Schnee, und so saß sie, ein erloschenes Lichtlein, zurückgelehnt in die prächtigen Kissen des Wagens. Durch einen jener Zufälle, die es lieben, die Dinge auf die Spitze zu stellen, stand Hanns an ihrem Wege. Er hatte ein Wägelchen mit einem Dächlein darüber. Zwei Kinder saßen darinnen, viere gingen mit ihm, wie er das Wägelchen zog. Er war eben im Übersiedeln begriffen . . . (HKG I, 3, 279)

Von Guido, dem blendenden Verführer, gibt es keine Nachricht über sein weiteres Schicksal.

Hanns erscheint so in der ersten Fassung von vornherein als etwas zwielichtiger Bursche, dem manches zuzutrauen ist, der kriminell anfällig ist. Sein beabsichtigter Anschlag wird damit deutlicher als Verbrechen gesehen und weniger als Notwehr eines Verzweifelten. Umgekehrt aber erscheint in dieser Konstellation der adelige Rivale primär als potentielles Opfer und nicht sosehr als Schuldiger, der den Plan der Verzweiflungstat provoziert hat.

In der *Studien*-Fassung nun sind die Gewichte anders verteilt: Hanns wird dort als beinahe vorbildliche Gestalt gezeichnet. Nur in der *Studien*-Fassung heißt es: Er „war wie ein König in seinem bunten, einsamen, entfernten Schlage", dem manche freiwillig „gehorchten", „weil er ein guter Anordner war, . . . theils ehrten ihn Viele, weil er ein vorzüglicher Arbeiter war." (HKG I, 6, 400). Übertriebene Ehrbegier und die Neigung zu Raufhändeln bleiben als charakterliche Mängel an der Figur des Hanns bestehen, das ins Verbrecherische weisende Gerücht von Wilddiebstahl und von Schmuggelgeschichten hat Stifter aber in der *Studien*-Fassung weggelassen. So steht nun der Holzfäller als hervorragender Arbeiter und integrer Mensch seinem Rivalen Guido gegenüber, sein Racheplan scheint nun deutlicher aus der existentiellen Krisensituation als aus latenter krimineller Anfälligkeit heraus motiviert. Die Intensität der seelischen Krise wird in der *Studien*-Fassung in der wesentlich ausführlicheren Schilderung des Bittganges des Hanns von einem heiligen Ort zum anderen auf seinem Weg zum „beschriebenen Tännling" veranschaulicht. Bedeutende Aufwertung erfährt die Figur des Hanns schließlich in der umgestalteten Schlußszene der *Studien*-Fassung, in der Darstellung der späteren Wiederbegegnung von Hanns und Hanna: Während in der Erstfassung Hanns den Taler, den Hanna dem unbekannten Armen als Almosen zuwirft, voll Zorn in die Speichen des Wagens schleudert, weiht er nun dieses bittere Geschenk der Gottesmutter im Gnadenkirchlein als Votivgabe. Durch die solcherart zum Ausdruck gebrachte vollständige Läuterung gewinnt die Gestalt des Hanns an moralischer Qualität. Guidos Schuld erscheint nun andererseits in der *Studien*-Fassung durch die positivere Charakterisierung seines Antagonisten indirekt stärker betont. Bezeichnend ist auch, daß Hannas Mutter nun nicht mehr mit dem Gerücht, „sie könne hexen" (HKG I, 3, 243), in Verbindung gebracht wird, sie wird nun als arme, fromme und etwas einfältige Witwe, als bescheidene Frau aus den untersten Volksschichten, beschrieben. Auf ihr späteres „trauriges" Leben im herrschaftlichen Schlosse wird in beiden Fassungen hingewiesen.

Der junge Adelige ist in beiden Fassungen als eine außerordentlich einnehmende, hübsche und elegante Person dargestellt, als ausgezeichneter Schütze und als voll anerkanntes Mitglied der adeligen Jagdgesellschaft. Die auffallende Schönheit seiner äußeren Erscheinung wird in der *Studien*-Fassung gegenüber der Erstfassung noch durch besondere Detailcharakterisierungen hervorgehoben. Während es in der Erstfassung etwas allgemeiner heißt:

Besonders ausgezeichnet war ein junger Mann, den man schon ein paar Mal von einem älteren mit seinem Vornamen Guido rufen gehört hatte. Er war fast so schön wie Milch und Blut, zielte stets auf die unsichersten Stellen und traf jedes Mal mit unausbleiblicher Richtigkeit. (HKG I, 3, 265),

gibt der Erzähler in der *Studien*-Fassung einige konkrete bezeichnende Attribute an:

. . . Dieser Mann war schon früher aufgefallen. Er war, der allgemeinen Sitte zuwider, der einzige, der keine weißbestäubten Haare trug, sondern seine eigenen Loken, die von wunderschönem Gelb waren, bis auf die Schultern und auf den Rokkragen niederfallen ließ. Er hatte sehr gut geschossen, hatte immer auf die unsichersten Punkte gezielt und immer getroffen. Er war so schön, daß er, wie die Landleute sagen, wie Milch und Blut aussah, seine Wangen waren groß und sanft, und er war schier prächtiger gekleidet, als die Andern. (HKG I, 6, 413)

Über die charakterlichen Eigenschaften Guidos erfahren wir, im Gegensatz zur Darstellung des Hanns und der Hanna, vom Erzähler so gut wie nichts, der Kontrast zu seiner Umgebung wird aber durch die breiter angelegte Ausmalung des äußeren Erscheinungsbildes des jungen Adeligen in der *Studien*-Fassung verstärkt. Die glänzenden Merkmale der Person sind Kennzeichen seines Standes, der Glanz des Standes und der Person nehmen das Mädchen Hanna gefangen. Stifter insinuiert durch das Schicksal der vom Glanz Geblendeten, daß es der bloß äußere Schein ist, dem sie verfällt. Innere Verblendung leitete sie schon, als sie am Tag der ersten Beichte beim Gebet vor dem Gnadenbild von der Einbildung überfallen wird, die Gottesmutter verheiße ihr ähnlich Prunkvolles für ihr Leben, wie es das edle Gewand und der kostbare Schmuck der Marienstatue darstelle. Diese Vorstellung ergreift von Hanna Besitz, bis sie sich auf ihre Weise in der Verbindung mit Guido erfüllt. Hanna hatte die glänzenden Gewänder des Gnadenbildes nicht als Attribute der höchsten Herrlichkeit und Herrschaft des Heiligen angesehen, sondern als irdischen, profanen Glanz. In beiden Fassungen ist diese „Vision" — sie erweist sich schließlich als subjektive Einbildung — annähernd gleich ausgeführt. Hanna erzählt sie in der zweiten Fassung ihren Freundinnen so:

„Ich werde etwas sehr Schönes und sehr Ausgezeichnetes bekommen, . . . denn als ich zu der heiligen Jungfrau inbrünstig betete, und das feste seidene Kleid sah, das sie anhat, und die goldenen Flimmer, die an feinen Fäden am Saume des Kleides hängen, und die grünen Stängel, die darauf gewebt sind, und die silbernen Blumen, die an den grünen Stängeln sind, und da ich den großen Blumenstrauß von Silber und Seide sah, den die Jungfrau in der Hand hat, und von dem die breiten weißen Bänder nieder gehen: da erblickte ich, wie sie mich ansah, und auf die goldenen Flimmer, auf die Blätter, auf die Stängel und auf die Bänder nieder wies." (HKG I, 6, 394)

Als ihr die Kinder darauf sagen, sie sei nicht recht vernünftig, antwortete sie: „Ich bin doch vernünftig, und werde die Sachen bekommen!".

Dem Glanz des Heiligen stellt Stifter den Glanz des Profanen in der aristokratischen Jagdgesellschaft gegenüber. In Analogie zum feinen, gestickten Prachtkleid des Marienbildes wird die kostbare Kleidung der Adelsgesellschaft in verschiedensten Abwandlungen beschrieben. Bei der großen Netzjagd erscheinen die adeligen Schützen sozusagen im vollen Ornat:

Heute waren die Herren alle im vollen Puze . . . An den Westen und Röken hatten sie goldene Borden, und Alle hatten kleine mit Gold ausgelegte Hirschfänger an den Schößen, sie trugen sämmtlich gepuderte Haare und darauf einen dreiekigen Hut. Die meisten waren in Tannengrün gekleidet, und nur einige hatten auch Kleidertheile von hochgelbem Lederstoffe. Wo nicht Borden waren, war häufig schöne Stikerei auf den Gewändern, und die Troddeln des auf die Weste herab gehenden Halstuches hatten goldende Fransen. (HKG I, 6, 410f.)

Hanna wird nach der Verlobung mit Guido mit allem Prunk ausgestattet, ihr wird das „sehr Schöne und sehr Ausgezeichnete" zuteil, das ihr nach ihrem Glauben die wundertätige Gottesmutter am Tag der ersten Beichte verheißen hatte: „Es seien jezt nur erst die Edelsteine, die goldgewirkten Kleider und die spinnengewebefeine Wäsche unter Weges" (HKG I, 6, 419), heißt es im Volk. Beim großen nächtlichen Tanzfest tritt die Braut Guidos bereits im vollen Schmuck auf, „in einem schönen Gewande, um den Hals hatte sie ein glänzendes kostbares Ding, und um den schönen Arm einen goldenen Ring" (HKG I, 6, 430). Ganz anders gekleidet begegnet sie nach Jahren Hanns auf ihrer Fahrt durch das Oberplaner Tal: „Sie hatte eine dunkle sammtne Ueberhülle um ihren Körper . . . Ihr Angesicht war fein und bleich . . ." (HKG I, 6, 432). Die Assoziation zu einem Kleid der Trauer wird nahegelegt.

In der Schilderung des herrschaftlichen Jagdfestes erscheint die für Stifter typische Ambiguität des Erzählens besonders markant ausgeprägt, diese Ambiguität liegt in der schon erwähnten Beschränkung auf die Mitteilung des rein Faktischen, in die deutbare Symbolik hineingelegt ist. Von der geradezu ins Allegorische übergehenden Symbolfunktion der Kleider, von der Sprache dieser Fakten, war eben die Rede.

Die Darstellung des Geschehens der Jagd erfolgt in nüchtern registrierendem Berichtstil. Beginnend mit der bloßen Fama von dem spätherbstlichen Jagdzug der Herrschaft, über die Vorbereitungsarbeiten, in denen der Wald für das Fest zugerichtet wird, bis zur zwei Wochen dauernden Festivität selbst werden in anschaulichen Szenen die Vorgänge dargeboten, am ausführlichsten die Einzelheiten der großen Netzjagd, des festlichen Gelages und der Tanzspiele zum Abschluß der Herrenjagd. Als wertende Kommentare werden nur die begeisterten Äußerungen der teilnehmenden Bevölkerung wiedergegeben. Stifter läßt die Szenen für sich selbst sprechen. Allerdings ist die Auswahl der Szenerien und Vorgänge so getroffen, daß sich dem Leser ein geradezu umgekehrtes Bild dieses Festes enthüllt. Die Jagd, das Privileg des Adels, wird als unheimlicher Raubzug in die Natur entlarvt; die Jagdlust erscheint als ungezügelte Mordlust, als Schrecken für die Kreatur. Stifter erreicht diesen Effekt des Schreckens, indem er die Beschreibung der Jagd stellenweise von der Perspektive des beobachtenden Menschen in die Perspektive der leidenden Natur überführt, in die Perspektive der gejagten Tiere: Eine Passage sei hier aus der ersten Fassung zitiert, weil sie auch deutlicher Aufschluß über die naive freudige Teilnahme des Volkes gibt, — ein Phänomen, das in der *Studien*-Fassung etwas zurückgenommen ist:

. . . unter Sprechen und Lachen nahm Alles seinen Platz; denn das geängstete Gethier war unentrinnbar umstrickt, und konnte durch Menschenlaute nur erschreckt, aber nicht verscheucht werden. Eine rauschende Waldmusik von Hörnern und andern klingenden Instrumenten hob an, Töne des Schrecks fuhren unten drein; denn das Waldohr kannte nur die Laute des Donners und Sturmes, nicht den Schreckklang tönender Musik — ein einzelnes Jagdhorn that nun helle auffordernde, liebliche Rufe — und die Sache hob an. Die Hunde wurden aus den Behältern gegen den Raum gelassen, daß das Wild auffahre und gegen seine luftigen Wände kämpfe, das Gewehr wurde an die weißbestäubte Locke gelegt — hier blitzte es und dort, und von allen Seiten hörte man rufen und knallen. Das Volk, wie immer bei solchen Dingen, nahm heftig und kindisch Theil, es zeigte sich die Stellen, wo Etwas fiel, und wandte sich mit Augen und Herzen dahin, wo Etwas zu erwarten war, — und als ein Hirsch gegen das Linnen aufsprang, so hoch, als wollte er eine

Himmelsleiter überspringen, im Sprunge aber getroffen überstürzte und zurück fiel, — als eine wilde Katze jäh an einem Baume empor lief, um sich von ihm hinaus zu werfen, von einer Kugel aber erreicht, sich von dem Wipfel desselben empor und nieder auf die Erde schlug: da brach ein allgemeiner Jubel aus, und gab sich in Rufen und Händeklatschen zu erkennen. (HKG I, 3, 264f.)

Mitten in dieses Mordgetümmel legt Stifter die erste Begegnung von Guido und Hanna und das enthusiastisch erlebte Gefühl des Volkes, seiner Einheit und Identifizierung mit den Herrschaften: „Das Volk in seiner Einfalt vergaß sich, dünkte sich gleich und gleich mit den Herren, und da Alles aus war und die Menschen durcheinander gingen, war es in solchem Vergnügen, als sei das Alles ein Werk, das sie da insgesamt miteinander gemeinschaftlich verrichtet hätten . . ." (HKG I, 3, 265). Die Szene schließt — wiederum in die Perspektive der gehetzten Tiere übergehend:

. . . manches Wild, welches sich vor dem Blei hatte retten können und in Geklüfte oder Gebüsche geduckt war, konnte nun hinaus in den schirmenden, unendlichen Wald kommen, und den größten Angsttag seines Lebens vergessen und verschmerzen. (HGK I, 3, 266)

Der literarische Topos vom Jäger als Inbegriff des naturverbundenen und freien Mannes und von der Jagd als dem kunstreichen Vergnügen der Vornehmen, bis in die Zeit der Romantik hinein kultiviert, erscheint hier nicht nur zurückgenommen, sondern in sein Gegenteil verkehrt. Es kündigt sich literaturgeschichtlich eine andere Akzentuierung, eine Umwertung des alten Jagdmotivs an.

Etwa zur Zeit der Entstehung des *Tännling,* um 1845, hat sich Stifter in dem bemerkenswerten Aufsatz *Zur Psychologie der Thiere* mit der Frage des Ranges des Tieres im Vergleich zum Vernunftwesen Mensch auseinandergesetzt. Darin vertritt er die Anschauung, daß das Tier dem Menschen auch in der Anlage seiner Psyche wohl näherstehe, als man gemeinhin glaube, ihm erschien von Kindheit an das Tier „ein in eine mehr oder minder unkenntliche Knospe eingewikelter Mensch" (SW XXV, 167), es sei wohl „sehr ähnlich einem Kinde . . ., das stets ein Kind bleibt", und wir würden wohl „erst recht bedeutende Entdekungen machen . . ., wenn wir das . . . Thier so studierten, wie die Kinder, oder wenn wir gar schon sehr viele Grammatiken der Thiersprache und Dialecte fertig hätten" (SW XXV, 168) . Stifter rückt die Tiere als „arme Stiefgeschwister des Menschen" (SW XXV, 168) deutlich in die Nähe des Menschen; sie sind ihm folglich Geschöpfe, vor denen der Mensch Ehrfurcht zeigen sollte. Deshalb hat sich Stifter auch mit der Jagd, diesem Urinstinkt des Menschen, von Anfang an schwergetan, er konnte sie nicht in sein harmonisch gedachtes Bild vom Zusammenwirken von Menschen und Natur sinnvoll einordnen. Vom ersten Zeugnis des Dichters Stifter an erweist sich ihm die Jagd als Aggression des Menschen gegen die Kreatur als problematisch.

Die kleine epische Dichtung des Kremsmünsterer Schülers Adalbert Stifter über die Gründungssage des Stiftes Kremsmünster, *Das Freudenfest am Trauerdenkmahle* (1824), enthält schon die Polarität von adeligem Jagdvergnügen und Tod, ebenso das Motiv der heiligen Vision: An der einsamen Waldstelle, wo der von einem Eber tödlich verwundete Herzogssohn aufgefunden wird, erscheint ein weißer Hirsch, mit hellem Licht im Geweih, an diesem Ort des Todes wird später die Kirche gebaut, „zu frommen Gottesdienst geweiht" (SW XXV, 17), und das Kloster, von dem aus die höhere menschliche Kultur verbreitet werden soll: „Da steigen Schulen Kirchen auf . . . / Wo Weisheit bildend zu dem Herzen sprach . . . / Da öffnen sie dem Jüngling eine Bahn, / Nach Tugend und nach Wissenschaft zu streben. / Sie leiten ihn zu sanftern Wirken an, / Und lehren edel ihn, und glüklich leben" (SW XXV, 17).

Auch in anderen Dichtungen Stifters ist die Jagd zugleich Zeichen des Unheils, etwa im *Hochwald,* wo der Abschuß des Geiers die tragische Entwicklung einleitet, man erinnere sich weiters an den alten, seelisch abgestorbenen Hagestolz mit seiner Sammlung toter, ausgestopfter Vögel, oder an die Begegnung Heinrich Drendorfs im *Nachsommer* mit dem erlegten Hirsch am Wasser — Heinrich sagt: „Das Thier gefiel mir so, daß ich seine Schönheit bewunderte und mit ihm großes Mitleid empfand. Sein Auge war noch kaum gebrochen, es glänzte noch in einem schmerzlichen Glanze, und dasselbe, so wie das Antlitz, das mir fast sprechend erschien, war gleichsam ein Vorwurf gegen seine Mörder" (SW VI, 33). Wie ein Rätsel erscheint hingegen angesichts solcher Zeugnisse die Erwähnung der herrschaftlichen Jagdzüge des Bischofs von Passau im Zweiten Bande des *Witiko* (SW X, 211f.).

Doch zurück zu unserer Erzählung:

Das Moment des Unnatürlichen des Adelsfestes in der freien Natur unterstreicht Stifter durch ausgesucht naturfremde, künstliche Arrangements, die das Jagdfest umrahmen: es sind Bestandteile einer städtischen, höfischen Adelswelt, die wie Fremdkörper im ländlichen Natur- und Kulturraum wirken. Auch hier ist die Erstfassung ausführlicher als die *Studien*-Fassung: Zum Galadiner auf der Wiese und zum Ball waren

in vielen Wagen, unendlich schöner, als die der Herren, . . . Stadtfrauen und Fräulein gekommen, Schäferspiele sind gespielt worden, auf den Wiesen wurden Mäher und Mäherinnen, Schnitter und Schnitterinnen gespielt, und das ländliche Bankett und der Jagdball machten den Schluß, schöner als Alles, was man bisher gesehen hatte; nie ist eine solche Fülle von nachgemachten Blumen da gewesen, nie so viele Bänder, nie hat man so schöne Masken, als: Schäfer, Bauern, Jäger, Bergleute, Harlekins, Pantalon, Herkules, Venus, Adonis und dergleichen, gesehen. (HKG I, 3, 278)

Das Repertoire der höfischen Rokokokultur mit all ihrer Künstlichkeit erscheint hier. Es ist wie ein grotesker Mummenschanz, was da inszeniert wird. In der *Studien*-Fassung hat Stifter diesen ins Unwahrscheinliche gehenden üppigen Aufwand an Künstlichkeit, der selbst wie eine barocke Übertreibung wirkt, auf ein Maß des Wahrscheinlichen reduziert. Künstliche Blumen, Schäferspiele, kostümierte Jäger- und Bauernfiguren und das Liebespaar der antik-heidnischen Mythologie, Venus und Adonis, blieben, Stifter nennt dazu auch Zauberinnen. Die phantastischen Maskeraden, die wie eine groteske Schein- und Theaterwelt auf den spätherbstlichen Waldwiesen inszeniert werden, sind ein Gegenspiel zur Natur — ihre „Schönheit" versetzt das zuschauende Volk in Begeisterung.

Im letzten Teil unserer Betrachtung wollen wir das gegenseitige Verhältnis des Adels und des einfachen Volkes genauer betrachten. Hier zeigt sich die Doppelsinnigkeit und das geheim Deutende des Stifterschen Erzählens von besonderer Relevanz. Dem ersten Anschein nach wird der Eindruck erweckt, daß Adalbert Stifter gerade im *Beschriebenen Tännling* die vollständige und praktizierte Harmonie der Stände, das gegenseitige Akzeptieren von Herrenschicht und Untertanen in der festlichen Begegnung darstellen wollte. Der Dichter hat mit direkten Aussagen, die solche Gemeinsamkeit hervorheben sollen, nicht gespart. Eine Maßnahme zur Verschleierung der Kritik ist die Wahl der Perspektive: Die Ereignisse des Jagdfestes werden großteils aus der Perspektive des neugierigen, staunenden Volkes erzählt: zuerst wie sich das Gerücht von den bevorstehenden Festlichkeiten verbreitet, dann folgt die Erzählung des alten Schmiedes von einem solchen herrlichen Jagdfest, das er in seiner frühesten Jugendzeit erlebt hat, das erhöht die Spannung und Erwartung, dann sind es die sommerlichen Vorbereitungen und schließlich folgt das Fest selber. Wie mit den Augen eines naiven Zuschauers wird der Empfang der Herrschaften gesehen, alle Einzelheiten werden wahrgenommen und bewundernd vermerkt: es wird über das Aussehen der Herren berichtet, die — sozusagen überraschenderweise — nicht im vollen Schmuck angereist kommen, sondern in einfacher Reisekleidung, es wird der Programmablauf genau erzählt, man erfährt vom ehrerbietigen Empfang durch Pfarrer, Richter, Schulmeister und Dorfjugend — die Buben hatten ein „klingendes Lebehoch gerufen" (HKG I, 6, 408) —, etc. etc. So kann dann bei der Schilderung des Festes die allgemeine Jubelstimmung und das Erlebnis der hochgestimmten Gemeinsamkeit in den Vordergrund treten, diese Atmosphäre der Harmonie bestimmt sozusagen die Schauseite der Erzählung. Allerdings läßt der Erzähler andererseits keinen Zweifel am Übertriebenen, Unnatürlichen der Begeisterung, das Verhalten der Bevölkerung bekommt Züge einer rauschhaften Massenhysterie:

Es ist die Rede von „Erregungen", von einem „Ausnahmszustand, der von den gewöhnlichen weit entfernt war: alle Leute waren gleichsam in einem Festtage, oder Theater, oder Jahrmarkte" (HKG I, 3, 268). — In der *Studien*-Fassung drückt der Erzähler diese exaltierte Stimmung noch krasser aus: „In Oberplan war wegen dieser Dinge eine ganz außergewöhnliche Stimmung. Weil die Gegend so einsam liegt, so war der Vorstellungskreis der Bewohner durch die Ankunft der Herren verrükt worden. Es kam ihnen vor, als ob Jahrmarkt wäre, oder als ob Theaterspieler gekommen wären, oder als ob zur Fastnachtszeit Vermummungen aufgeführt würden" (HKG I, 6, 418). Insgesamt erhält die Szenerie den Anstrich von Bacchantisch-Rauschhaftem und bis zur Grenze von Wahn und Verrücktheit gehender Exaltation. Guidos Liebe zu Hanna wird in der Erstfassung ebenfalls in diese Zone des Wahnhaften gerückt, „es schien, als sei er ganz bethört gegen sie, und im Wahnsinne in sie verschossen" (HKG I, 3, 269f), von der alten Mutter Hannas wird gesagt, sie „war wie blödsinnig geworden, hielt ihre Ziege an der Hand und machte Knixe, wenn der Herr oder die Diener, die er sandte, an ihr vorbei in das Häuschen hinein gingen" (HKG I, 3, 270). Ähnlich heißt es in der *Studien*-Fassung. Fühlt man sich nicht wie in einen grotesken Fellini-Film hineinversetzt? Dies ist die Kehrseite des Bildes der Begegnung von Herren und Untertanen im Jagdfest.

Die Schauseite des Bildes hebt die harmonische Einheit von Herrenschicht und Untertanen hervor, aber auch hier sind bei genauem Hinsehen auffällige Differenzierungen zu bemerken: An der gemeinsamen Festesfreude nehmen nicht alle Landleute mit gleicher Hingabe teil, es gibt hier mehrere Gruppen und Abstufungen: Abgesehen von den örtlichen Amtspersonen, die von vornherein in die nächste Nähe der Herren zu rechnen sind — nur der Pfarrer fehlt bei der Jagd und beim Fest —, wird eine große Zahl von Enthusiasten beschrieben, die als Zuschauer überall dabei sind und nichts als Bewunderung und Freude kennen: sie sind diejenigen, die den Herren rückhaltlos zujubeln, ihre Jagdlustbarkeit wirklich als solche miterleben und die sich dann auch beim großen Mahl auf freiem Feld außerhalb des der Herrschaft vorbehaltenen Gastraumes bewirten lassen, ja mit den Herren auf das allgemeine Wohl mit den gefüllten Weingläsern anstoßen. Eine andere, wohl kleinere Gruppe, zieht sich nach dem Jagdspektakel zurück in ihre eigene Sphäre, sie „begaben sich zu dem Schmied in Vorderstift . . . hielten dort gegen Bezahlung ihr Mittagmahl, und begaben sich wieder zum Anschauen des Festes . . ." (HKG I, 6, 416), schließlich die Holzfäller, die in den Holzschlägen zu bleiben hatten, „der Grundherr wollte nämlich auch alle seine Holzschläge besuchen, und hatte deshalb den Befehl ergehen lassen, daß kein Arbeiter seinen Plaz verlassen dürfe, bis er nicht dort gewesen und den Fortgang des Geschäftes gesehen hätte" (HKG I, 6, 420). Zu ihnen gehört Hanns, dem dann erst zum Schluß erlaubt ist, „hinaus zu gehen und die Feste anzuschauen". Als beachtenswertes Zeichen der Distanz ist zuletzt auch das Verhalten von Dorfbewohnern zu werten, die den Racheplan des Hanns wohl ahnen, als sie ihn im Sonntagsstaat mit der Axt ausziehen sehen, aber nicht eingreifen. Die arme Witwe sagt zu ihrer Tochter nur: „der führt es aus, was er im Schilde hat, und wenn Laub und Gras dagegen bitten sollten" (HGK I, 3, 273), in der *Studien*-Fassung antwortet die Frau auf den Hinweis des Kindes verhüllender: „,Laß ihn gehen, . . . das ist eine sehr unglükselige Geschichte.'" (HGK I, 6, 423).

Diese differenzierenden Abstufungen bleiben aber hinter dem Eindruck eines freudigen Volksfestes, in dem Herren und Untertanen in Einheit zusammenfinden, hinter dem Eindruck der großen Gemeinsamkeit zurück. Die große Einheit ist aber nur scheinbar — außer in der Verbindung von Guido und Hanna bleiben die Schranken zwischen Herren und Untertanen aufrecht. Das Volk darf in Wahrheit nur zuschauen, es ist Staffage für die herrschaftliche Gesellschaft.

Diese Schranken sind in der *Studien*-Fassung im anschaulichen Bild räumlicher Absperrungen und Einzäunungen sichtbar gemacht. Gerade aber im Bild dieser abgezirkelten Räume ruft Adalbert Stifter eine Analogie hervor, die als Indiz der Kritik und Warnung gedeutet werden kann: Dem Bild des abgesperrten Netzraumes, in dem das Wild erbarmungslos gehetzt und niedergestreckt wird von den Herren, die außerhalb postiert sind, steht das Bild der tafelnden Festgesellschaft gegenüber, andeutungsweise abgesperrt nach außen durch an Netze erinnernde „Gewebe" und durch die Zuschauermenge, und das Bild des ebenfalls abgezirkelten Tanzpavillons der Herren, um den das staunende Volk dicht gedrängt herumsteht.[13] Der Raum des Festmahles wird in seiner „Architektur" so beschrieben:

Die ganze Gesellschaft saß an zwei langen Tischen dahin. Ueber ihren Häuptern war ein roth und weiß gestreiftes Tuch gespannt. Zwischen den Pfeilern, welche das Tuch trugen, waren die Räume hie und da frei, hie und da aber mit feinem fast durchsichtigem Gewebe bespannt . . . Das Volk stand in großer Menge und dicht um das linnene Gebäude der Speisenden herum, und sah zu. (HKG I, 6, 415)

Am Abend, nachdem sich das Fest den ganzen Nachmittag fortgesetzt hatte, ist dieser Raum hell erleuchtet, der Erzähler berichtet:

Draußen war die dunkle Nacht auf der Haide, an deren Saume die schwarzen Wälder warteten, dunkle Menschen von einzelnen getragenen Lichtern unterbrochen, bewegten sich auf der Haide, dichte Menschen, hell in den Angesichtern beleuchtet, standen um das glänzende Bauwerk, und feine Strahlen spannen sich aus dem Gewebe in die Räume hinaus . . . Zuletzt, da an der Tafel Lebehoch ausgebracht wurden auf Seine Majestät den Kaiser, auf alle wakeren Heerführer, auf den Grundherrn, auf jeden rechtschaffenen Mann und sämmtliche schönen Frauen, da wurde die Freude allgemein, viele Gäste strekten sich, von den Händen der Herren gehalten, bei dem Linnengebäude des Speisesaales heraus, um mit dem Volke anzustoßen, und die Rufe auf das Glük und die Gesundheit Aller, die es gut mit uns meinen, und die wir lieben, tönten weit in die Nacht hinaus. (HKG I, 6, 416)

Die Begeisterung scheint grenzenlos zu sein, dennoch — in der forciert wirkenden Fröhlichkeit klingt in der Hervorhebung derer, „die es gut mit uns meinen, und die wir lieben", auch eine Gegenposition mit. Später, beim gezimmerten Bretterhaus, in dem die Jagdherren und ihre Gäste die Jagdplätze für die Treibjagd zugeteilt bekommen, ist die Anordnung ähnlich: drinnen befinden sich die Herren, draußen ist ein „Menschengewühle" bis hin zu den Treppen. Dorthin kommt Hanns, der ja bis dahin von den Festlichkeiten nichts zu sehen bekommen hatte, und erblickt Hanna, die mit Guido drinnen auf einer „zierlichen Bühne" sitzt, inmitten der hohen Herrschaften. Er darf es nicht wagen, diesen Raum zu betreten. Am nächsten Tag will er seinen Rivalen, den adeligen Jäger, am „beschriebenen Tännling" mit der Axt empfangen. So ist in vielschichtigen Bezügen der Gegensatz zwischen Herren und Untertanen angedeutet, dieser Gegensatz bleibt aber an der Oberfläche zugedeckt durch eine harmonisch scheinende Gemeinsamkeit. Nur in der Figur des Hanns bricht dieser Gegensatz auf und wird zum bedrohlichen Konflikt. Wie durch einen Deus ex machina — in der nächtlichen Marienerscheinung am „beschriebenen Tännling" — wird der tödliche Ausgang des Konfliktes abgewendet.

Die Entstehung der Erzählung *Der beschriebene Tännling* fällt in eine Zeit, in der sich Stifter intensiv mit dem Thema der Revolution auseinandersetzte. Im Juli 1844 spricht er seinem Verleger Heckenast gegenüber von dem Plan, einen dreibändigen historischen Roman *Maximilian*

Robespierre zu schreiben. [14] Wie sehr ihn vor dem Gedanken eines blutigen Umsturzes des gesamten Systems schauderte, als vor einer unbekannten möglichen Katastrophe, und wie sehr ihn zugleich wieder solch ungeheure geschichtsmächtige Tatmenschen und Volksbewegungen fesselten, geht aus den paar Bemerkungen über diesen Plan hervor. Auch die 1846 veröffentlichte Revolutionserzählung *Zuversicht* zeigt diese Mischung von Faszination und Schauder.

Mit revolutionärem Umsturz und radikalem Systemwechsel hat die Erzählung *Der beschriebene Tännling* nichts zu tun, wenn Stifter auch im Charakter des Hanns, der in seinem verletzten Ehrgefühl und in blinder Rachsucht selbst vor dem Anschlag auf einen Adeligen nicht zurückscheuen würde, den Durchbruch jener „tigerartigen Anlage" *(Zuversicht)* sichtbar werden läßt, die von den Zeitumständen, insbesondere in Revolutionen, geweckt wird. Latent wird spürbar, daß die dargestellten Verhältnisse im kleinen Beispiel des *Tännling* Verhältnissen nahekommen, die unter bestimmten Umständen als ungerecht und letztlich als unerträglich empfunden werden könnten, so daß statt der „himmlischen" die „tigerartige Anlage" in den Menschen die Oberhand gewinnen könnte. Mit seiner Adelskritik im *Tännling* schien Adalbert Stifter in der kritischen Zeit um die Revolution von 1848 der Aristokratie einen esoterischen Wink geben zu wollen, etwa dahingehend, daß dieser Stand sein Vorrecht nicht in Unrecht entarten lassen dürfe, um das politische System (das Stifter nach wir vor für gut und reformierbar hielt) nicht aufs Spiel zu setzen. [15] In Stifters Erzählung rettet die tief eingewurzelte Religiosität des Volkes den Holzfäller und den adeligen Herrn. Die Schlußfolgerung erweiternd, könnte man sagen: Die Religion erweist sich — noch — als Barriere und als Schutz des Systems der aristokratischen Herrschaft, selbst dort, wo diese ihr Privileg zum Nachteil von Beherrschten zur Geltung bringt.

Grundsätzlich ist die Kritik Stifters im *Beschriebenen Tännling* am Herrenstand, insofern sich dieser an der Natur vergreift. Die Jagd wird als Orgie des Mordens der Natur gezeigt, das Volk erscheint als naiver Zeuge dieses Schlachtfestes, in Bann gehalten vom Faszinosum des Glanzes der Herrschaft. Das Unnatürliche, die Entfremdung von der Natur, ja, der Abfall von der Natur, erschien Stifter als das vielleicht bedenklichste Zeichen des Zustandes der Herrenschicht, hier erweist sich denn auch die Kritik des Dichters durch die Verwandlung des Festes in der Natur in eine mörderische Groteske am massivsten.

Adalbert Stifter hat niemals das monarchische, ständisch gegliederte Herrschaftssystem in Frage gestellt, er verteidigte es vielmehr in den zahlreichen positiven Bildern in seiner Dichtung. Aus der Gesamtperspektive der Stifterschen Werke ergibt sich, daß der Dichter die Legitimität der aristokratischen Herrschaft anerkennt. Ebenso klar wird aber indirekt aus seinem Werk auch, daß sich der bevorrechtete Stand durch gesellschaftliche Bewährung zu legitimieren hat. Muster solcher gesellschaftlichen Bewährung hat Stifter in seinen Dichtungen immer wieder gestaltet, wenn er vorbildliche Repräsentanten des Adelsstandes und auf der Höhe eines vernünftigen Fortschritts wirkende adelige Gutsbesitzer beschrieb, wie etwa in *Brigitta* oder — in reiner Idealität — im *Nachsommer*. Aber auch an Beispielen für die Defizienz gegenüber den hohen Anforderungen des Standes fehlt es nicht, wie Erzählungen wie *Die Narrenburg* oder die Geschichte des Obristen in der *Mappe* zeigen.

Die Erzählung *Der beschriebene Tännling* zielt explizit auf Standeskritik, sie zeigt die Herren über den Einzelfall Guidos hinaus als repräsentative Gruppe in Abweichung vom wahren Ideal des Adels, gewissermaßen als Karikaturen ihrer eigenen idealen Ansprüche. Stifters Aristokratenkritik im *Beschriebenen Tännling* erinnert an Eichendorffs Abrechnung mit Fehlentwicklungen seines Standes, vor allem im 18. Jahrhundert, in der posthum veröffentlichten kritischen Schrift *Der Adel und die Revolution* (entstanden 1857, veröffentlicht 1866).

Adalbert Stifter vermied es wohlweislich, Mißstände in der zeitgenössischen österreichischen Aristokratie, von der er ökonomisch abhängig war, satirisch aufs Korn zu nehmen. Er verlegte das Geschehen in der Erzählung *Der beschriebene Tännling* zurück ins 18. Jahrhundert, in die vorrevolutionäre Zeit des Rokoko, wie die Kostüme, gepuderten Perücken und andere Indizien zeigen. Dennoch mußte es wie eine Herausforderung anmuten, daß Stifter es wagte, diese mehrfach deutbare Geschichte in seiner eigenen engeren Heimat, im Fürst Schwarzenbergischen Herrschaftsgebiet im Herzogtum Krumau, anzusiedeln.[16] Der Dichter stand mit der Schwarzenbergischen Familie in Verbindung, in den Jahren 1842—1843 war er sogar als Vorleser und Gesellschafter bei der Fürstin Maria Anna von Schwarzenberg, der Witwe des verdienten Feldherrn Karl Philipp von Schwarzenberg, beschäftigt. Eben aus der Entstehungszeit der Erzählung gibt ein Brief Stifters Zeugnis von der persönlichen Verehrung dieser hohen Dame.[17] Ihr hat Stifter später im *Nachsommer* in der Gestalt der Fürstin ein literarisches Denkmal gesetzt. 1848 bis 1852 war Felix von Schwarzenberg österreichischer Ministerpräsident, unter seiner Führung konsolidierte sich das österreichische Staatswesen nach den Umwälzungen von 1848/49, er setzte aber auch 1849 die Auflösung des um eine Konstitution bemühten Kremsierer Reichstages durch und diktierte die autoritäre „Oktroyierte Verfassung". In einem Zeitungsartikel hat der konstitutionell gesinnte Adalbert Stifter diese oktroyierte Verfassung verteidigt[18] — nach den politischen Erschütterungen der Revolution akzeptierte er diese Verfassung, die die alten Zustände in vielen Bereichen erneut festschrieb, als System der Sicherung von Staat und Gesellschaft gegen ein mögliches Chaos. Die loyale Haltung Stifters war niemals in Zweifel zu ziehen, ebensowenig aber auch sein Blick für die Realitäten der Geschichte.

Sollte im *Beschriebenen Tännling* nun die Schauseite affirmativen, die Kehrseite kritischen Charakter haben? Adalbert Stifter hat mit seiner Erzählung nicht nur den Aristokraten seiner Zeit, sondern auch den Lesern und Interpreten bis in unsere Zeit ein kompliziertes Rätsel aufgegeben.

Anmerkungen

[1] Leopold Müller, „Einleitung", SW IV, S. XLVIII ff.

[2] SW XVII, 143.

[3] Moriz Enzinger, *Adalbert Stifter im Urteil seiner Zeit,* Festgabe zum 28. Jänner 1968, Österreichische Akademie der Wissenschaften, Phil.-hist. Klasse, Sitzungsberichte, 256. Band (Wien, 1968), S. 109 (Sigmund Engländer); S. 149ff., S. 158f. (W. Hemsen).

[4] Marianne Ludwig, *Stifter als Realist. Untersuchung über die Gegenständlichkeit im ‚Beschriebenen Tännling‚* Basler Studien zur deutschen Sprache und Literatur 7 (Basel, 1948), Joseph Peter Stern, „Adalbert Stifters ontologischer Stil", in *Adalbert Stifter. Studien und Interpretationen.* Gedenkschrift zum 100. Todestage, hrsg. von Lothar Stiehm (Heidelberg, 1968), S. 103—120, Karl Hugo Zinck, „Motive und Motivverknüpfungen in den beiden Fassungen des *Beschriebenen Tännlings*", VASILO, 16 (1967), Folge 1/2, S. 9—24, Charles Hayes (Hrsg.), *Adalbert Stifter, ‚Der beschriebene Tännling‚* The New York University series of German texts (Waltham, Mass., 1970) und Blaisdell Books in the Modern Languages (London, 1970), Gunter H. Hertling, „Adalbert Stifters Jagdallegorie *Der beschriebene Tännling.* Schande durch Schändung", VASILO, 29 (1980), Folge 1/2, S. 41—65. Nach Abschluß der Arbeit erschien die Untersuchung von J. Enklaar-Lagendijk, *Adalbert Stifter, Landschaft und Raum* (Alphen aan den Rijn, 1984), mit einer ausführlichen Untersuchung der Raumdarstellung im *Beschriebenen Tännling.*

[5] Marianne Ludwig, op. cit.

[6] Vgl. Anm. 4.

[7] Enzinger, op. cit. S. 79.

[8] Leopold Müller, SW IV, „Einleitung", S. L ff., bringt Angaben zu Überlieferungen von lokalen Sagen und Legenden, die Stifter als Quellen gedient haben mochten.

[9] Aus der reichen volkskundlichen Literatur zu diesem Thema seien angeführt: Lenz Kriss-Rettenbeck, *Das Votivbild* (München, 1961²), ders. *Bilder und Zeichen religiösen Volksglaubens* (München, 1971²), ders., *Ex Voto. Zeichen, Bild und Abbild im christlichen Votivbrauchtum* (Zürich, Freiburg i. Br., 1972), Klaus Beitl, *Votivbilder, Zeugnisse einer alten Volkskunst* (Salzburg, 1973).

[10] Aus dem Bereich der neueren Literatur vgl. Luise Rinser, *Die gläsernen Ringe*. Eine Erzählung (Berlin, 1941), Kap. „Franziska aus dem Walde", Fischer Taschenbuch 393 (Frankfurt a. M., 1961), S. 54 ff.

[11] Kurt Mautz, „Das antagonistische Naturbild in Stifters *Studien* ", in *Adalbert Stifter. Studien und Interpretationen*, op. cit., S. 23—56, 24 f.

[12] Vgl. Anm. 4.

[13] Die Umkehrung des Verhältnisses von Jäger und gejagtem Wild findet sich ausdrücklich formuliert in Joseph von Eichendorffs Revolutionserzählung *Das Schloß Dürande* (1836), wo der junge Graf Hippolyt angesichts der Bedrohung seines Schlosses durch die Bande der Aufrührer zu den in Furcht versetzten Jägern sagt: „Ihr habt lange genug Krieg gespielt im Walde, . . . nun wendet sich die Jagd, wir sind jetzt das Wild, wir müssen durch." Joseph von Eichendorff, *Werke*, herausgegeben von Wolfdietrich Rasch (München, 1966), S. 1354. Stifters Erzählung *Der beschriebene Tännling* erscheint darüber hinaus mit Eichendorffs *Das Schloß Dürande* vom Thema her und in der motivisch-figürlichen Konstellation verwandt. Die fatale Geschichte von der Rache des Jägers Renald am gräflichen Freier seiner Schwester Gabriele wird von Eichendorff in unmittelbaren Zusammenhang mit der Französischen Revolution gebracht, der Vollzug von Renalds Privatrache wird mit der politischen Umsturzbewegung gekoppelt. Die subjektive und zugleich politische Tragik der erzählten Ereignisse in *Das Schloß Dürande* ergibt sich aus der verhängnisvollen Fehleinschätzung Renalds im Hinblick auf die persönliche Liebesbeziehung zwischen dem jungen Grafen und der Schwester des Jägers Renald. Stifter mochte bei der Konzeption seiner Erzählung *Der beschriebene Tännling* die Eichendorffsche Revolutionserzählung als thematisches Pendant vor Augen gehabt haben, ein unmittelbarer Hinweis Stifters ist mir nicht bekannt. Der Schlußsatz der Erzählung *Das Schloß Dürande,* der Appell an den Leser: „Du aber hüte dich, das wilde Tier zu wecken in der Brust, daß es nicht plötzlich ausbricht und dich selbst zerreißt." (*Werke*, S. 1364), korrespondiert auffallend mit Stifters Vorstellung von der „tigerartigen Anlage" des Menschen in der Erzählung *Zuversicht*. Vgl. dazu: Moriz Enzinger, „Adalbert Stifters Erzählung *Zuversicht* ", *VASILO,* 17 (1968), Folge 1/2, S.21—32.

[14] SW XVII², 123 f.

[15] Das komplexe Thema des Verhältnisses Adalbert Stifters zur Revolution 1848 kann in diesem Rahmen nicht im Detail abgehandelt werden. Die einzelnen — oft kontroversen — Positionen in der Forschung von den zwanziger Jahren an werden knapp zusammengefaßt dargeboten in der Arbeit von Christoph Buggert, *Figur und Erzähler. Studien zum Wandel der Wirklichkeitsauffassung im Werk Adalbert Stifters* (München, 1970), S. 15—29. Vgl. auch Ursula Naumann, *Adalbert Stifter* (Stuttgart, 1979), S. 10—14 (Literaturangaben S. 13 f.).

[16] Eduard Eisenmeier, „Adalbert Stifter als Mensch und Künstler im literarischen Bereich des Fürstenhauses Schwarzenberg", *Schwarzenbergischer Almanach,* hrsg. von den Schwarzenbergischen Archiven (Murau/Steiermark) XXXVI (1980), S. 69—109, Hannes Stekl, *Österreichs Aristokratie im Vormärz. Herrschaftsstil und Lebensformen der Fürstenhäuser Liechtenstein und Schwarzenberg* (Wien, 1973), Sozial- und wirtschaftshistorische Studien.

[17] Brief vom 23. Oktober 1845 an Fürstin Maria Anna von Schwarzenberg, in: Josef Buchowiecki, „Adalbert Stifters Briefwechsel. Eine Ergänzung zur Prag-Reichenberger Gesamtausgabe", *VASILO* 14, (1965), Folge 1/2, S. 13 f.

[18] SW XVI, 56 ff.

Summary

In essence, the present paper offers an interpretation of Stifter's story *Der beschriebene Tännling* which stresses its ambivalence between a moralizing legend-like miraculous tale and veiled criticism of the feudal aristocracy, and suggests that the critical features of the *Studien* version after 1848 appear more accentuated in their tendentiousness when compared to the first version of 1846. The implicit critique of the aristocracy is not interpreted as criticism of a system but rather as criticism of a particular social class as well as a possibly periphrastic hint by Stifter the bourgeois writer aimed at the Austrian aristocracy around 1848, with whom he remained in contact throughout his life.

The interpretation proceeds through several stages: starting with the question how precise, scientifically informed topographical description of the locality is to be reconciled with a narrative concerned with miraculous religious apparitions, the setting for the action, the landscape of the Bohemian Forest around Oberplan in the Moldau valley, is shown to embody the conception of a pristine social sphere, fashioned by nature and religion, wherein popular religious belief in the miraculous plays a vital rôle. Stifter's description of the grand hunt of the urban aristocracy in this natur-bound civilization is subsequently interpreted as ambivalent in its evaluative perspective — and the same applies to the conception of the principal figures and that of the peasantry. The analyses of the two versions yields the following insights: the action involving the rustic pair of lovers, the woodcutter Hanns, the vain Hanna and the noble huntsman Guido is common to both versions; Guido makes the acquaintance of Hanna, who is loved by Hanns, in the course of the hunt, and lures her away from him. Hanns plots the murder of his aristocratic rival, yet the deed is prevented by Hanns's nocturnal vision of Mary at the 'beschriebenen Tännling'. The accents of moral guilt undergo a shift of emphasis from the first version of 1845/46 to the second of around 1848: in the first version Hanns is presented with the odium of being susceptible of crime, so that his planned act of revenge against Guido appears as the plan of someone potentially criminal from the outset. In the second version this tinge of criminality disappears: Hanns is the solid labourer — he is merely inclined to fits of rage — who enters a difficult crisis when he loses his beloved to the nobleman. Guido is characterized in both versions as the splendid looking, charming, aristocratic huntsman who attracts the girl almost as a matter of course, yet his manner of conduct is not directly evaluated in either version. The guilt of the highborn gentleman is only revealed indirectly in the outcome when Hanna grows unhappy in her subsequent marriage to the rich nobleman and Hanns spends his unselfish life in poverty. However, on the surface the accents appear as follows: Hanns must be considered the principal guilty party on account of his despicable plan to murder, he atones for his outburst of passion by his humble life, Hanna appears as the victim of a vanity which worships outward show, and she pays for her weakness of charakter with an unhappy life, despite all aristrocratic luxury. The right and wrong interpretations of the imagined and subjectively experienced miraculous events form the pivotal points of the story. Hanna believes that the fervently desired promise made by the miraculous image of Mary that she should one day stand in equally lordly splendour as the sacred image, has been fulfilled. Hanns is converted by the appearance of Mary in the tree. The interpreter sees an extra-literary, historical basis for the popular belief in miracles in the votive pictures and votive gifts in Catholic churches of pilgrim. Stifter transposed this popular pictorial concept of such votive pictures into literary terms. The story of love, jealousy and miracle between the high and the low born is set within the context of an autumn hunt of nobility, performed on a grand scale in the Bohemian Forest. A company of noblemen celebrates with lavish festivity in the country and the locals join them. The narration of these festivities from the perspective of an observer who merely registers and does not directly evaluate, allows the depiction of this grandiose hunt to sustain an ambivalence: thus the events of the hunt appear in a strange dualism of boisterous popular festivity and gory horror; seeming affirmation of the joining of lords and peasantry coexists with implicit criticism of the intrusion of the courtly, urban world into untainted nature and into a society of forest-dwellers who live close to nature. This ambivalence comes to a head in the depiction of the great net hunt, in which the game driven into a fenced enclosure, is killed off without personal risk by the noblemen in their splendid attire to the applause of the naive countryfolk. The effect of ambivalence in this scene becomes clear through the shifts in the narrator's angle of vision from the noble marksmen to the hunted animals and to the cheering countryfolk. A latent political symbolism is possibly present in the *Studien*-version in the analogy of the image of the fenced-in space into which the quarry is driven and the enclosures in which the festive banquet of the nobility and the dance of these gentlefolk later take place — with the countryfolk crowded around them.

The critical thrust of the story is significantly weakened by the fact that Stifter has the countryfolk participate in the unusual festivity of the nobility with enthusiasm and loyal submissiveness, yet here too latent criticism is not altogether absent: the countryfolk's enthusiasm in response to this unwonted splendour is described as delirium approaching madness. True enough, quite a number of the locals decline the noblemen's invitations and have their meal amongst themselves without accepting charity. Another sign of reserve on the part of some also becomes apparent in that neighbours, who see the woodcutter dressed in his Sunday best leaving with his axe for his intended murder and who guess his intentions correctly, do not intervene. Thus a differentiated and ambivalent picture emerges of the behaviour of the population. Finally, symbolic contrasts inform the scene of action to telling effect: the festive meal takes place on meadows of late autumn, the artificial masquerade of shepherds, costumed peasants and huntsmen, the pastoral plays and pageants with mythological figures (above all Venus and Adonis) the arrangements of artificial flowers etc., all contrast with the natural landscape. All these individual features highlight the intrusion of a foreign, artificial world estranged from nature, into the integrated sphere of nature's realm.

In the final part of the interpretation light is shed in Stifter's implicit criticism of the aristocracy in *Der beschriebene Tännling* in connection with his not so much revolutionary as reformist stance vis-à-vis the prevalent power structures in the period before and after 1848. The question as to what might have induced the author to set this story, so loaded with political dynamite, within the province that had counted his ancestors and himself among its subjects and with whose oldest representative, the Princess Maria Anna von Schwarzenberg, the author was himself not only acquainted but on friendly terms, is treated at the end of the paper. The possible answer suggested is that the writer confronted the aristocracy of his day with an instructive riddle in this story with its two interpretative strands, the one of affirmation, the other of criticism in a reformist sense. It is possible that he wished thereby to give some impetus to reform among the contemporary rulers.

Stifters *Waldsteig*. Sexuelle Erziehung eines Narren

Helen Watanabe-O'Kelly

Es ist lange her, seitdem Stifter — mindestens der Stifter der Erzählungen — als Dichter der Butterblumen und der Käfer gesehen wurde. Es wird immer klarer, daß sich Stifter in der Darstellung des psychologisch Krankhaften auszeichnet *(Der Hagestolz, Turmalin, Abdias)*, in der Beschreibung unglücklicher Kindheitserlebnisse, die die weitere Entwicklung seiner Personen bestimmen *(Brigitta, Kalkstein)* und in der Feinheit, mit der gestörte und mißlungene sexuelle Beziehungen gezeigt werden *(Der Waldgänger, Brigitta, Kalkstein, Prokopus, Die Narrenburg, Das alte Siegel* u. a. mehr). Heute möchte ich zeigen, wie *Der Waldsteig* sich gerade mit diesen drei Themen und vor allem mit dem letztgenannten befaßt.

Auf den ersten Blick ist *Der Waldsteig* eine nette und harmlose Liebesgeschichte. Ein vermögender, leider etwas sonderbarer, junger Mann lernt eine schöne Bäuerin kennen, die er dann zu seinem ewigen Glück und Heil heiratet. Dies spielt sich in einer schönbeschriebenen Naturumgebung ab und wird in einem schmunzelnden Ton erzählt, von dem Thomas Mann in der berühmten Stelle in seiner *Entstehung des Doktor Faustus* (1949) bemerkt, daß seine Humoristik so auffallend an die Gottfried Kellers anklingt. Mann, der große Stifterverehrer, fügt dann aber bekanntlich hinzu: „Stifter ist einer der merkwürdigsten, hintergründigsten, heimlich kühnsten und wunderlich packendsten Erzähler der Weltliteratur . . ."[1] Hintergründig und heimlich kühn ist die Erzählung tatsächlich, wie ich im folgenden zu zeigen hoffe.[2]

Betrachten wir zunächst einmal den Zustand unseres Helden am Anfang der Erzählung. Der reiche junge Erbe steht völlig allein. Seine Eltern und sein Onkel sind gestorben, sein Lehrer ist Mönch geworden, Geschwister hat er nie gehabt. Zu diesem Zeitpunkt ist er vielleicht zweiundzwanzig Jahre alt. Er erlebt Tod und Vereinsamung also besonders drastisch und besonders früh. Statt daß er nun versucht, seine Vereinsamung durch Kontakt mit Freunden und Altersgenossen zu lindern, steigert er sie absichtlich, bis sie absolut wird.

Wenn wir uns die Erfahrungen vergegenwärtigen, die er bis jetzt mit menschlichen Beziehungen gemacht hat, können wir uns kaum darüber wundern, daß er jetzt alle derartigen Beziehungen vermeidet. Stifter liefert eine meisterhafte Beschreibung der systematischen emotionalen Verstümmelung eines Kindes, die auf dessen Zukunft folgenschwer wirkt. (Wir werden dabei an andere ähnliche Darstellungen bei Stifter, wie die der Kindheit von Brigitta in der gleichnamigen Erzählung oder von Corona im *Waldgänger* erinnert.) Der Vater unseres Helden ist psychisch deutlich gestört. Nicht nur beschäftigt er sich mit Pferden und Tauben lieber als mit Menschen, sammelt Kakteen, und zankt mit seinen Bekannten, er verbringt *ein ganzes Jahr* in einem dunklen Zimmer, teilweise mit einer Blendkappe auf dem Kopf. Das Krankhafte an diesem Benehmen ist ja einleuchtend, und so überrascht es denn nicht, daß nie von ihm erzählt wird, daß er auch nur den geringsten Kontakt mit seinem Sohn hat. Daß der Sohn später den gleichen Weg wie der Vater gehen wird, wird von Stifter angedeutet, indem er schreibt: „Ich erzähle diese Sachen, um die Geschlechtsabstammung des Herrn Tiburius fest zu stellen" (HKG I, 6, 147).

Die Mutter beschäftigt sich aber sehr mit dem Sohn, vor allem was die Körperpflege betrifft: Kleider, Essen und Schlafen werden von ihr streng überwacht. Auf die Unterwäsche wird besonders großer Wert gelegt. Sonst sorgt sie lediglich für die Entwicklung der Einbildungskraft — aber auch nur dadurch, daß sie dem Jungen *Sachen* schenkt. Was ihrer Erziehungsmethode fehlt, wird in einem jener vielsagenden Stiftersätze verdeutlicht, wo es heißt:

er legte alle die Dinge, nach kurzer Beschauung und einigem Spielen damit, wieder hin, und da er durch eine Seltsamkeit, die niemand begriff, immer lieber Mädchen- als Knabenspiele trieb, so nahm er alle Male den Stiefelknecht seines Vaters, wikelte ihn in saubere Windel ein, und trug ihn herum und herzte ihn. (HKG I, 6, 147 f.)

Kaum könnte man den Mangel an Liebe, den der Junge erfährt, besser charakterisieren.

Der Hauslehrer, prinzipiell ein Frauenfeind, der später Mönch wird, geht jetzt daran, dem Jungen die Phantasie, den Spaß am Lernen und das Ausdrucksvermögen auszutreiben: das Kind darf nicht „wie Kinder und Dichter" reden oder, wie Stifter sagt: „das nakte Ding in Windel" wickeln (HKG I, 6, 148), in einem Nebensatz, der an das Spiel mit dem Stiefelknecht anklingt. Tiburius lernt also sich und seine Ideen vor seiner Familie verschweigen, obwohl wir später erfahren, daß er zu diesem Zeitpunkt Gedichte schreibt und manchmal „mitten im Salatbeete saß und zu Kazen und Käfern sprach" (HKG I, 6, 149), wo er dann von seinem Onkel lächerlich gemacht wird.

Dieser, ebenso wie die Mutter und der Hofmeister, beschränkt sich auf die Welt der Sachen, der Tatsachen und der Tätigkeiten, läßt die der Gefühle und der Gedanken außer acht, ermahnt ihn im Praktischem wie Baumklettern und macht sich über den Jungen lustig, indem er ihn Tiburius nennt, statt mit seinem richtigen Namen Theodor. Tiburius hat sich offenbar schon in seine eigene Gedankenwelt zurückgezogen, so daß er zerstreut erscheint. Die belanglosen kleinen Fehler, die er dann macht: eine Kindertrommel als Schemel verwenden, die Schuhe *vor* dem Weggehen abwischen usw., werden konsequent ausgelacht, während das Benehmen seines hypochondrischen Vaters, der oben in seinem verdunkelten Zimmer unter seiner Blendkappe sitzt, offenbar geduldet wird.

Der humorvolle und trockene Ton des Erzählers darf nicht über die schreckliche Natur dieser Kindheit hinwegtäuschen: der sonderbare Vater, die Mutter ohne Zärtlichkeit, der stumpfsinnige Onkel, der fantasielose, frauenfeindliche Hofmeister, die Vereinsamung und dann das Erlebnis des Todes, das dieser Kindheit ein Ende setzt. Von Tiburius sagt der Erzähler zu diesem Zeitpunkt: „Man konnte nicht sagen, wie er wurde: weil er sich nicht zeigte . . ." (HKG I, 6, 150).

Tiburius, der wegen seines Reichtums nicht arbeiten muß, geht nun daran, diese Leere auf die einzige Art und Weise zu füllen, die er kennt: nämlich, durch das Ansammeln von Objekten.

Zunächst häuft er Gebrauchsartikel auf: Hausgeräte, Kleider und Essen. Später sind es Bücher, Pfeifen, Tiere, Schlafröcke, Uhrschlüssel und Stöcke: lauter Sachen, die er nicht braucht, nicht benutzt, manchmal wegen Platzmangel nicht einmal auspacken kann. Freizeitbeschäftigungen nimmt er auf, wie Geigenspielen, Malen und die „Köpfe" berühmter Männer sammeln (die andere Stifterfigur, die dies tut, der Rentherr in *Turmalin,* wird übrigens verrückt und zieht sich von der Gesellschaft zurück). Daß diese Sammeltätigkeit nicht normal ist, oder mindestens außer der Kontrolle des Sammlers steht, wird von Stifter durch die eigentümlich unpersönlichen Bemerkungen verdeutlicht, die er in die Erzählung einstreut, zum Beispiel: „Es geschahen indessen auch andere Dinge und es wurden viele Sachen herbei geschafft" (HKG I, 6, 151) oder „Zur Unruhe mehrten sich viele Dinge" (HKG I, 6, 152).

Tiburius ist begreiflicherweise immer noch nicht mit seiner Lebensweise zufrieden. Ihm bleibt nichts übrig, als krank zu werden, wie sein Vater schon vor ihm, eine Lösung für eine schwierige Lebenslage, für die die Psychoanalyse mehr als ein halbes Jahrhundert später einen Namen erfindet, nämlich, die „Flucht in die Krankheit".[3] Tiburius bildet sich ein, körperlich krank zu sein, wobei alle seine körperlichen Symptome völlig unbedeutend sind, während sein Geisteszustand sich deutlich verschlimmert: er leidet unter neurotischen Zwangsvorstellungen (das imaginäre Kätzchen, das neben ihm über die Stiege läuft), wird mißtrauisch und nervös und vernachlässigt seine äußere Erscheinung: Stifters Hagestolz im Keim also. Dieser Zustand dauert drei ganze Jahre, in deren Verlauf Tiburius so sonderbar wird, daß ihn seine Umwelt für eine Art Monstrum hält:

man sprach von ihm blos in der Art, wie man von einem spricht, der schon einmal etwas Ungewöhnliches an sich hat, wie zum Beispiele einen schiefen Hals, oder schreklich schielende Augen, oder einen Kropf. (HKG I, 6, 156)

Tiburius kommt dann doch endlich zu einem Arzt, der sich in vier Punkten von seinem Patienten unterscheidet: nämlich, in seiner Gesundheit, in seinem Verhältnis zum eigenen Körper, in seinem Verhältnis zur Natur und in seinem Verhältnis zum anderen Geschlecht. Der Doktor stellt also das Ideal dar, dem Tiburius entgegenstreben muß. Dieser Mann, der Tiburius niemals körperlich untersucht, nie mit ihm über seine Krankheit spricht und ihm nie Medizin verschreibt, heilt ihn dennoch. Als ihn Tiburius um eine Lösung für seine Krankheit bittet, antwortet er überraschenderweise: „Sie müssen heirathen" (HKG I, 6, 161), eine Lösung, die sich später als ganz richtig herausstellt. Herr Tiburius, fügt er noch hinzu, muß in einen Badeort gehen, wo er sogar seine Frau finden wird. Der Badeort entpuppt sich bald als Köder, um Herrn Tiburius aus seiner Routine herauszurütteln, denn die Betonung liegt ganz auf der Entdeckung eines geeigneten Mitglieds des andern Geschlechts. Wenn Tiburius fragt „mit ungläubigem spöttischem Lächeln: ‚und in welches Bad soll ich denn gehen?'" antwortet der Doktor:

Das ist in Ihrem Falle schier einerlei . . . nur irgend ein Gebirgsbad dürfte am vorzüglichsten sein, etwa das in unserm Oberlande, wohin jetzt so viele Menschen ziehen. Oheime, Tanten, Väter, Mütter, Großmütter, Großväter sind mit sehr schönen Mädchen dort, und darunter wird auch die sein, welche Ihnen bestimmt ist. (HKG I, 6, 162)

Über diesen Vorschlag des Doktors lassen sich zwei Bemerkungen machen: erstens, daß er unerwartet ist. „Sie müssen reisen", „Sie müssen erwerbstätig werden", „Sie müssen eine interessante Freizeitbeschäftigung aufnehmen", „Sie müssen mit Menschen in Kontakt kommen" — all dies wären näherliegende Lösungen für den Fall Tiburius. Zweitens muß man sich darüber im klaren sein, was mit „heiraten" gemeint ist. Denkt man an die normalen Assoziationen des Wortes: mit jemandem gemeinsam leben, für jemanden sorgen, einen Haushalt gründen, Kinder zeugen und großziehen, dann kann man nur sagen, daß Tiburius dafür denkbar ungeeignet ist und daß eine Ehetragödie bevorsteht, wenn er heiratet. Diese Aspekte der Ehe kommen, meiner Meinung nach, hier eigentlich nicht in Betracht. Der Doktor diagnostiziert die Krankheit des Patienten als rein sexuelles Problem und schlägt eine sexuelle Lösung vor.

Wenn wir von diesem Standpunkt aus auf die Entwicklung und die Persönlichkeit des Tiburius zurückschauen, erkennen wir, mit welcher Sorgfalt uns Stifter auf diese Lösung vorbereitet hat. In Tiburius haben wir einen jungen Mann, der seine Sexualität so sehr verdrängt, daß sie kaum mehr existiert.

Modelle für ein normales Verhältnis zwischen Mann und Frau fehlen ihm in seiner Kindheit. Seinen Vater kann man sich kaum als zärtlichen Ehemann vorstellen, seine Eltern haben nur ein Kind — ihn selber —, sein Onkel bleibt unvermählt, sein Lehrer nimmt aus prinzipiellen Gründen keine Frau. Tiburius gerät dann in Zweifel über seine eigene sexuelle Zugehörigkeit: es wird von ihm berichtet, daß er „immer lieber Mädchen- als Knabenspiele trieb' (HKG I, 6, 147). Es ist deshalb kein Wunder, daß Tiburius vor dem anderen Geschlecht Angst empfindet. In der Nachbarschaft, so heißt es, „gab es sehr viele Mädchen, welche den Herrn Tiburius geheirathet hätten, er erfuhr es auch immer, aber er fürchtete sich, und that es durchaus nicht" (HKG I, 6,

151). „Er that es durchaus nicht" — ein ungewöhnlich knapper und aktiver Ausdruck an dieser Stelle, der zu denken gibt. Diese Stelle ist übrigens viel direkter als in der *Journalfassung,* wo es heißt: „Als die Erzieher wegfielen, . . . wollten ihn alle Mädchen heiraten, aber sie waren ihm nur abgeschmackt" (HKG I, 3, 114).

Man fragt sich, ob er seine äußere Erscheinung so sehr vernachlässigt, um die gefürchteten Mädchen abzuschrecken. Er geht in den Gängen seines Hauses in „gelbledernen herabgetretenen Pantoffeln herum" (HKG I, 6, 153), „hatte . . . meistens lange Bartstoppeln auf dem Kinne, wirrige Haare auf dem Haupte, und den Schlafrock wie ein Büßerhemd um die Lenden" (HKG I, 6, 154). Daß diese Vernachlässigung nicht zufällig ist, beweist die Tatsache, daß er einen großen Stehspiegel in sein einziges Wohnzimmer tragen läßt, um seine Gestalt, schäbig und unattraktiv wie sie ist, zu betrachten.

Wenn er dadurch die Frauen von sich abhalten will, erzielt er das gewünschte Resultat bei der einzigen Frau, mit der er fast in Kontakt kommt, nämlich bei der Frau des Doktors, die sich weigert, ihn überhaupt kennenzulernen. Dies tut sie auf Grund seiner Erscheinung, denn mehr von ihm kennt sie nicht. Von ihrem Entschluß erfahren wir unmittelbar nach einer Beschreibung seiner Kleidung, die mit der des Arztes kontrastiert wird. Bei seinem ersten Besuch findet Tiburius den Doktor „in Hemdärmeln und einen breiten gelben Strohhut auf dem Haupte im Garten" und „mit lauter grober ungebleichter luftiger Leinwand bekleidet" (HKG I, 6, 158). Tiburius dagegen ist „gegen die Luft mit einem sehr diken Anzuge verwahrt" (HKG I, 6, 158). Dieser Kontrast wird später noch einmal hervorgehoben:

Da standen nun die zwei Männer, welche von den Menschen Narren geheißen wurden, manchmal in dem Garten beisammen; der eine in einem Strohhute und in einem grobleinenen Anzuge, daß ihm der Wind bei den Oeffnungen hinein ging und durch alle Glieder strich: der andere mit einer Filzkappe auf dem Haupte, die er bis über die Ohren herab zog, mit einem langen Roke, der fast die Erde kehrte, über die andern Kleider zusammen geknöpft war, und oben unter dem Kragen noch ein großes zusammengebauschtes Tuch sehen ließ, daß der Hals warm sei, und endlich mit großen weiten Stiefeln, in denen er doppelte Strümpfe an hatte, daß sich die Füsse nicht erkälten. (HKG I, 6, 160)

Der leicht und luftig gekleidete Doktor lebt im Einklang mit der Natur und mit einem jungen und sehr schönen Weib, während Tiburius sich gegen die Natur und den körperlichen Kontakt mit anderen Menschen abschirmt. Die obenzitierte Bemerkung: „Man konnte nicht sagen, wie er wurde: weil er sich nicht zeigte" (HKG I, 6, 150) trifft nicht nur auf seine Persönlichkeit zu.

Seinen Körper versteckt er nicht nur vor anderen, sondern auch vor sich selbst. Schon in seiner Kindheit wurde auf seine Unterwäsche großer Wert gelegt:

Er hatte sehr schöne gestrikte Unterleibchen, Strümpfchen und Aermlein, die alle außer dem Nuzen noch manches sehr schöne rothe Streifchen hatten. Eine Strikerin war das ganze Jahr für das Kind beschäftigt. (HKG I, 6, 147)

Im Kontext der anderen soeben zitierten Äußerungen Stifters über Kleidung gesehen, deutet dieses an sich unscheinbare Detail auf ein verklemmtes sexuelles Verhältnis zum eigenen Körper.

Soweit die Darstellung der Krankheit, die das erste Drittel der Erzählung einnimmt. Die letzten zwei Drittel stellen die Genesung dar, die aus zwei gleich langen Phasen besteht: nämlich aus dem Erlebnis im Walde und aus der Bekanntschaft mit Maria.

Das Abenteuer des Tiburius, als er sich auf dem Waldweg verliert, ist psychologisch ebenso richtig und treffend gewählt, wie die anderen vorher diskutierten Einzelheiten. Zum ersten Mal wird Tiburius mit etwas außer sich selbst konfrontiert, muß sich mit dem Gegebenen abfinden und sich ihm fügen, während alle seine früheren Hobbys unter seiner Kontrolle standen: Er hat sie gewählt, hat ihre Grenzen bestimmt und hat sie dann aufgegeben, als sie anfingen, schwierig zu werden. Neu ist auch, daß das Erlebnis im Walde ein starkes körperliches Moment enthält. Schon am Anfang seines Spazierganges empfindet er die Lieblichkeit des Waldes sehr sinnlich: die Wärme der Sonne, die Farben der Blätter und Steine, den Duft, die Stille. Als er sich verliert, spürt er nicht nur Angst, sondern auch Kälte, Hitze, Müdigkeit, nasse Füße, Schwitzen usw. Daß er überhaupt mit seinem Körper zu tun hat, ist ihm neu und stellt sich später als entscheidend heraus. Als Folge dieses einen Erlebnisses schiebt er die Badeordnung des Kurortes, die er ohnehin nicht nötig hatte, beiseite und beschäftigt sich mehr und mehr mit dem Walde.

Oder besser ausgedrückt, er beschäftigt sich mit dem Wald*steig,* der eine treffende Metapher für seine persönliche Entwicklung darstellt.[4] Daß unsere Erzählung „Der Waldsteig" heißt und nicht etwa „Der Hochwald" ist kein Zufall. Tiburius lernt einen Weg kennen. Er geht immer auf dem gleichen Waldweg in der gleichen Richtung spazieren. Es fällt ihm nicht ein, im Walde loszuwandern — vom Pfad abbiegen wird er zum ersten Mal in Begleitung Marias. Es fällt ihm auch nicht ein, einen anderen Pfad zu untersuchen, geschweige denn, einen anderen Teil des Waldes. Später, als er anfängt zu zeichnen, zeichnet er nicht den Wald, sondern wieder den Waldsteig. „So bekam er schier alle Theile des dunklen Pfades in sein Zeichenbuch", heißt es (HKG I, 6, 187). Tiburius ist nicht ganz so neurotisch wie früher, aber sein Verhalten hat immer noch den Charakter einer *idée fixe.*

Eine andere Eigenschaft des Waldsteiges ist ebenfalls sehr wichtig, nämlich, die Verbindung zwischen dem Naturhaften und dem Menschlichen, die er darstellt. Der Waldsteig geht durch einen Wald, ist aber von Menschen für Menschen gemacht und führt von Menschen zu Menschen hin. Der Pfad, wird öfters betont, ist sehr deutlich und wohlausgetreten. Um so merkwürdiger ist es, daß Maria die einzige Person ist, die unser Held je darauf sieht, und dies zweimal zufällig. (Der Holzknecht, der ihm beim ersten Walderlebnis hilft, erscheint ganz am anderen Ende des Pfades, jenseits der sogenannten Glockenwiese. Tiburius geht immer auf dem Teil des Pfades spazieren, der von der Andreaswand zur Glockenwiese führt.) Auf diesem wohlausgetretenen Pfad also erscheinen niemals andere Menschen. Maria und Tiburius haben ihn für sich allein. Der Pfad bildet das Gemeinsame, man könnte sagen, das einzig Gemeinsame zwischen den beiden. Vielleicht ist Tiburius gerade deshalb so bereit, Maria gleich bei der ersten Begegnung nach Hause zu begleiten.

Dies ist nicht das einzig Erstaunliche an seiner Reaktion bei dieser Gelegenheit. Als Tiburius Maria zum ersten Mal erblickt, hält er sie

von ferne für ein altes Weib, wie sie immer auf Zeichnungsvorlagen in Wäldern herum sizen, namentlich, weil er etwas weißes auf dem Pfade liegen sah, das er für einen Bündel ansah. Er ging gemach zu dem Dinge hinzu. (HKG I, 6, 187)

Obwohl ihre Kleidung an dieser Stelle detailliert beschrieben wird, achtet Tiburius kaum darauf, denn, als er ihr im darauffolgenden Sommer wieder begegnet, weiß er nicht, „Ob sie gekleidet war, wie im vergangenen Jahre, ob anders . . . denn er hatte es sich nicht gemerkt" (HKG I, 6, 202). Ihr Gesicht schaut er auch nicht an, wie ausdrücklich berichtet wird, sondern richtet seine ganze Aufmerksamkeit auf ihren Korb und auf die darin enthaltenen Erdbeeren, die vom Tuch halb verdeckt werden. Maria ist für ihn, so könnte man es drastisch ausdrücken, lediglich ein Ding mit Erdbeeren und einem Korb. Tiburius beschäftigt sich ausschließlich und sehr intensiv mit den Erdbeeren. Dies paßt alles genau zu seinem psychologischem Zustand, wie wir ihn bisher kennengelernt haben. Wenn man aber bedenkt, daß die Erdbeeren und ihre Attribute, der

Korb und das weiße Tuch, für das Mädchen gewissermaßen stellvertretend sind, gewinnt die ganze Erdbeerszene eine eigentümliche, und wie ich meine, stark sexuelle Resonanz. Die Röte, die Reife und der Duft der Erdbeeren werden betont, das Ver- und Enthüllen des Korbes mit dem weißen Tuch sowie das zeremoniöse Verhandeln der beiden um das Obst werden umständlich beschrieben. Die Erdbeeren, und wie und wo sie gesammelt und gegessen werden, bilden weiterhin den eigentlichen Inhalt des Verhältnisses. Manche Details geben uns zu denken: die Tatsache, daß die beiden ihre Erdbeeren nicht vor Marias Vater essen (mindestens nicht im ersten Sommer ihrer Bekanntschaft), die Taschen, die Tiburius machen lernt, da er keinen Korb wie Maria hat.

Bei allem Humor dieser unvergleichlichen Darstellung der Bekanntschaft wird man an die Stelle in *Kalkstein* erinnert, wo das Enthüllen eines ebenfalls von einem weißen Tuch bedeckten Korbes und das Schenken eines Pfirsichs die zentrale Episode im Liebesverhältnis des späteren Pfarrers bilden und unverkennbar sexuell zu deuten sind, wie John Reddick 1976 so überzeugend gezeigt hat.[5] Die Erdbeeren und der Korb funktionieren also für Tiburius auf zwei Ebenen: an der Oberfläche, d. h. in seinem Bewußtsein, sind sie genau das, was sie zu sein scheinen. Auf einer anderen Ebene, in seinem Unterbewußtsein, wie wir heute sagen würden, haben sie eine sexuelle Bedeutung. Als das Einzige von Maria, was Tiburius registriert, sind sie auch ein *pars pro toto*. Maria selber muß ihn dann sowohl auf den Zusammenhang zwischen den beiden Ebenen aufmerksam machen, als auch vom *pars pro toto* zum Ganzen, d. h. zu sich selber, hinüberleiten.

Darum geht es letzten Endes: um die sexuelle Erweckung des Tiburius. Er trifft Maria viermal im ersten Sommer, ohne überhaupt gewahr zu werden, daß sie eine Frau ist, geschweige denn eine außerordentlich hübsche Frau. Er konzentriert sich, wie gesagt, auf die Erdbeeren — obwohl er schon angefangen hat, bei der vierten Begegnung das Erdbeersammeln für zu „kindisch" (HKG I, 6, 199) zu halten. Im nächsten Sommer verbringt er noch mehr Zeit mit ihr, entweder bei ihr zu Hause oder im Wald, und hat sie immer noch nicht als Frau, d. h. als sein sexuelles Gegenüber, aufgefaßt — ein Schritt, den der Leser natürlich schon längst gemacht hat.[6] Maria selber muß seine Aufmerksamkeit auf ihre eigene Sexualität richten. Sie tut es natürlich an einem Nachmittag, „als schon längstens wieder Erdbeeren waren" und mit dem „volle[n] Erdbeerkörbchen neben sich gestellt" (HKG I, 6, 205).[7] Sie tut es, indem sie betont, wie anders er ist, als die anderen Männer im Kurort. (Die Reaktion eben dieser Männer, als Tiburius später seine Braut heimführt, beweist dies auch).

Ihre Bemerkung verfehlt ihre Wirkung nicht. Er blickt sie zum ersten Mal an, er und wir, die Leser, sehen ihr Gesicht zum ersten Mal. Sofort existiert sie für ihn als Frau, als sexuelles Wesen. Er wird scheu und ängstlich und schämt sich, sie zu duzen. Er hat sich selbst aber noch nicht als ihren Partner aufgefaßt, sich selbst noch nicht als Mann gesehen. Wenn er diesen gedanklichen Schritt vollzogen hat, so könnte man meinen, sind seine Entwicklung als Mensch und seine Heilung abgeschlossen. Er braucht dann nur noch einen Heiratsantrag zu machen und angenommen zu werden, und der Gewinn einer Gefährtin fürs Leben wird sein Glück vervollkommnen.

Stifter aber hört dort nicht auf. Denn eine glückliche Ehe besteht nicht aus Gedanken und Worten, wie wichtig diese auch sind. Taten sind nötig, und allem Anschein nach ist Tiburius noch nicht soweit. Die Naivität Marias ist nirgends so sichtbar, wie da, wo sie ihrem Vater erklärt, warum sie bereit ist, Tiburius zu heiraten. Sie sagt:

er ist so gut, wie gar kein einziger anderer ist, er ist von einer solchen rechtschaffenen Artigkeit, daß man weit und breit mit ihm in den Wäldern und in der Wildniß herum gehen könnte. (HKG I, 6, 209)

Man kann aber zu artig sein. Tiburius hat sich Maria immer noch nicht als Mann vorgestellt. Seinen Heiratsantrag macht er durch ihren Vater, sein Verlobungsgeschenk trägt er mehrere Tage mit sich in der Tasche herum und legt es dann heimlich auf den Tisch, statt es ihr direkt zu geben. Er faßt sie überhaupt nicht an, nicht einmal einen Kuß gibt er seiner Braut. Er hat sich so ausschließlich auf die Erdbeeren konzentriert damals, so scheint es, weil er wenigstens wußte, was man mit Erdbeeren zu machen hat. Was berechtigt uns, Tiburius als sexuell unwissend oder gar als noch impotent zu betrachten?

Die Nachschrift, die der Buchfassung neu angehängt ist. Sie lautet wie folgt:

In dem Augenblike, da ich dieses schreibe, geht mir die Nachricht zu, daß der einzige Kummer, das einzige Uebel, der einzige Harm, der die Ehe Marias und Tiburius getrübt hat, gehoben ist — es wurde ihm nehmlich sein erstes Kind, ein lustiger schreiender Knabe, geboren. (HKG I, 6, 213)

Viele Erzählungen und Romane des 19. Jahrhunderts enden so, es ist reine Konvention, könnte man einwenden. Man bedenke aber die Zeitspanne, die zwischen Ehe und Geburt verläuft: Das Ehepaar verbringt drei Jahre auf Reisen, läßt sich dann in Marias Vaterland nieder, wo der Doktor „schon mehrere Jahre in der Nähe von Tiburius" wohnt (HKG I, 6, 211), bevor wir von der Ankunft des Kindes hören. Drei plus „mehrere", das sind mindestens fünf, wenn nicht sechs oder sieben Jahre. Was, ein etwa achtzehnjähriges gesundes Bauernmädchen und ein sechsundzwanzigjähriger ebenfalls gesunder Mann und ein Kind erst nach so vielen Jahren? Da stimmt etwas nicht.

Im *Waldsteig* erzählt uns Stifter keineswegs bloß eine harmlose Liebesgeschichte, sondern beschreibt auf erstaunlich moderne Weise die Genese und dann die Genesung eines Neurotikers, dessen Zwangsvorstellungen und hysterische Erkrankung von seinem Arzt als ein sexuelles Problem diagnostiziert werden, das allerdings erst einige Jahre nach seiner Heirat völlig verschwindet. Das Unterdrückungsprinzip, das für Stifters Prosa so charakteristisch ist, gilt auch hier: das Erzählte muß vom Leser erst entziffert und dann gedeutet werden, um die psychologischen Mechanismen der Figuren zu verstehen.

Darin liegt die Nutzanwendung der Erzählung, denn eine solche verhofft sich der Erzähler ganz am Anfang des Werks: die zentrale Begebenheit wird erzählt, „zum Nuzen und zum Frommen aller derer . . ., die große Narren sind; vielleicht schöpfen sie einen ähnlichen Vortheil daraus, wie er" (HKG I, 6, 145). *Der Waldsteig* ist also eine Art lustspielhaftes Besserungsstück, wie schon in der Forschung bemerkt worden ist.[8] Aber wer ist der Erzähler eigentlich? Der Arzt, der Tiburius heilt, natürlich. Dies hat Marlene Norst schon 1967 überzeugend gezeigt.[9] Der erfolgreiche Arzt also, dessen Einsicht in die Tiefen der Psyche seines Patienten ihm zur ähnlichen Einsicht verhilft, erzählt uns, eventuellen Narren und somit potentiellen Patienten, seine Krankengeschichte. Wenn wir sie deuten können, sind wir auf dem Weg (oder gar auf dem Waldsteig!) zur Heilung.

Anmerkungen

1 Thomas Mann, *Die Entstehung des Doktor Faustus* (Amsterdam, 1949), S. 124.
2 Joachim Müller, in seinem Aufsatz: „Stifters Humor. Zur Struktur der Erzählungen *Der Waldsteig* und *Nachkommenschaften*", *VASILO*, 11 (1962), S. 1—20, erkennt das oberflächlich Humoristische, übersieht völlig, was dahinter liegt.
3 Sigmund Freud, *Gesammelte Werke* chronologisch geordnet, Bd. V: Werke aus den Jahren 1904—1905, (London, 1942, repr. 1949), S. 202, Note 1.
4 In der nachfolgenden Diskussion hat mich Alfred Doppler auf die Bedeutung des Wortes „Waldsteig" in Österreich aufmerksam gemacht, nämlich, als ein sehr schmaler Weg, auf dem nur einer gehen kann oder, wenn zwei, dann sehr eng nebeneinander!
5 John Reddick, „Tiger und Tugend in Stifters *Kalkstein*: eine Polemik", *ZfdP*, 95 (1976), S. 235—255.

[6] Dieses schmunzelnde Besserwissen des Lesers paßt mit dem lustspielhaften Charakter der Erzählung zusammen, der von Jürgen Hein in seinem Aufsatz: „Die Heilung des Narren. Zum lustspielhaften Aufbau von Stifters *Waldsteig*", *VASILO*, 16 (1967), S. 84—89, bemerkt worden ist.

[7] Peter Branscombe hat in der nachfolgenden Diskussion auf die sexuelle Bedeutung der „langstielige[n] hohe[n] Feuerlilie", die in dieser Szene „neben ihnen prangte", hingewiesen (HKG I, 6, 205).

[8] Hein, op. cit.

[9] Marlene J. Norst, „Sinn und Bedeutung der Namengebung bei Adalbert Stifter, dargestellt an Hand einer Untersuchung der Novelle *Der Waldsteig*", *VASILO*, 16 (1967), S. 90—99.

Summary

Stifter's *Waldsteig* is not merely the harmless love-story it appears on the surface and Stifter's talent for depicting the psychologically disturbed personality, the formative influence of an unhappy childhood and the difficulties and failures inherent in sexual relationships is shown here to the full.

Tiburius, the rich young hero, is completely alone at the beginning of the story, since his parents and uncle have died and his tutor has entered a monastery. These four have all contributed to the young man's disturbed psychological state by their lack of love and emotional warmth and by the way in which they systematically strangle his spontaneity, his imagination and his ability to communicate. Tiburius tries to fill the emptiness in his life in the only way he knows — by acquiring possessions and pursuing various fruitless hobbies. He becomes odd and isolated, obsessive and neurotic and finally takes refuge in what Freud later termed 'the flight into illness'. He attempts to cure himself and fails, but eventually finds a doctor who provides the solution to his problem. 'You must marry', says the doctor and tells him to go to a spa where he will find a wife. Once one has understood that Tiburius's problem is being diagnosed as a sexual one which needs a sexual solution one sees that Stifter has prepared us for this by depicting Tiburius as a sexually repressed personality. Tiburius is frightened of girls, is in doubt about his own sexuality, makes himself deliberately unattractive, swathes his body in extravagantly thick layers of clothing etc.

The latter part of the story then shows how Tiburius is cured in two stages of roughly equal length. The first depicts his getting lost on the forest path of the title. He is here confronted for the first time with a reality he cannot control and is made aware of his own body by way of the discomforts he has to endure. He becomes fascinated by the path and begins to visit it frequently and to draw it — behaviour which still has an obsessive quality about it. Here he meets Maria, the country girl who later becomes his wife.

At their first meeting Maria is not even a person for Tiburius, let alone a woman. He concentrates on the wild strawberries she has with her in a basket covered with a white cloth, objects which have a strong sexual undertone, as has the whole encounter. It is not until late in the next summer, however, that Tiburius becomes conscious of Maria as a sexual being — a development which she brings about herself. Tiburius still has to see *himself* as a sexual being, then as Maria's partner and finally to consummate the relationship. All these steps are shown as delayed or disturbed, e. g., the postscript tells us that it takes the couple from between five to seven years to produce a child.

In *Der Waldsteig* we are shown, with a wealth of detail reminiscent of the psychoanalytic literature of fifty years later, a repressed personality whose problem is sexual. This case history, for such it resembles, is furthermore narrated by the doctor who provided the cure. The reader must learn to interpret the case history and in doing so, cure himself, as the opening of the story hopes.

The Image of Childhood in *Bunte Steine*

Hans R. Klieneberger

In literature prior to the mid-eighteenth century, the child is to be found, if at all, only as a marginal figure in a world of adults. It was with the appearance of Rousseau's *Émile* in 1762, that the child for the first time came to occupy a central position in a work of fiction; and so a genre was inaugurated to which major novelists of the nineteenth century, Dickens and George Eliot, Stifter and Keller, were to contribute. In his cult of the autonomous child, Rousseau saw himself in conflict both with that Christian tradition which regarded the child as tainted from birth by original sin, and with the Enlightenment for which the child was an incomplete being, to be educated towards adulthood. It was the supposed innocence, the spontaneity of the child which Rousseau saw as constituting its superiority, qualities which he attributed also to primitive peoples. Rousseau's concept of childhood was promoted in Germany by disciples of his like Pestalozzi and Campe, more generally by writers of the 'Sturm und Drang' movement, and subsequently by leading Romantics. Although no German Romantic concerned himself as intensively with the nature of the child as Blake and Wordsworth did, the concept of 'Kindlichkeit' has a crucial function in the work of Novalis, of Tieck and Wackenroder, and especially of Brentano. All these writers see the imaginative, the creative man, the artist, as someone who has succeeded in preserving his 'Kindlichkeit' into adulthood. A note of nostalgia for a lost childhood paradise had been audible in the work of Rousseau. And in a German fiction of the Romantic period, devoted to the presentation of childhood, Brentano's *Chronika eines fahrenden Schülers,* it becomes apparent that the assertion of the child's autonomy can have an effect other than the positive, liberating one with which it had been credited in the later eighteenth century; as a longing for idyllic conditions, devoid of conflict and responsibility, it can take on regressive, escapist features.

Escapism is, indeed, dominant in the sentimentalized childhood-scenes in the works of many minor nineteenth century writers; and with the growth of psychological interest and awareness at the end of the century, the Romantic mythicization of the child culminates in the brilliant and morbid evocations of childhood in Rilke's verse and prose. In *Die Aufzeichnungen des Malte Laurids Brigge,* Rilke attributes metaphysical significance to Malte's antagonism towards his father and the adult world, his oscillation between a passionate love of his mother and a narcissistic withdrawal into himself, at the very time when the same phenomena were investigated scientifically by Sigmund Freud, in his essays on infantile sexuality of 1905 and his paper 'Zur Einführung des Narzißmus' of 1914.

What is the position of Adalbert Stifter and his *Bunte Steine* within this tradition, stretching from Rousseau to Freud, which focussed on the nature of childhood? Stifter's debt to the Romantics in his portrayal of the child has been emphasized by a number of critics. Frederick Stopp, in his study 'Die Symbolik in Stifters Bunten Steinen', has spoken of 'das Kind als Verkünder des Göttlichen'[1] and, in this connection, traced a parallel with Wordsworth's 'Heaven lies about us in our infancy' in the 'Ode: Intimations of Immortality from Recollections of Early Childhood'[2], a parallel which Alexander Stillmark has now enlarged upon in a profoundly illuminating fashion. For Stifter as for his predecessors, the special significance of the child was constituted in part by its innocence which is referred to many times in *Bunte Steine.* And Stifter's concept of innocence was the mid-nineteenth century concept which differed in its narrowness from that which had prevailed earlier as well as from that which was again to prevail later on.

For Sigmund Freud's view of the child was in conflict only with the Victorian view of innocence as a state which excluded sexual awareness, but not with the eighteenth century view as it had been formulated, for instance, in the works of William Blake where the child is characterized by an innocent, that is guilt-free, sexuality. If in this respect Stifter is representative of his period, the Biedermeier, or early Victorian age, it is above all his reiterated emphasis on the child's need of instruction and formal schooling that differentiates him from Rousseau and from Rousseau's German Romantic followers. The work of Friedrich Sengle has accustomed us to regard a symbiosis of Romantic and Enlightenment tendencies as typical of Biedermeier literature, and Stifter's portrayal of children, in *Bunte Steine,* may, I think, be cited as evidence of such a symbiosis. We know that after his disillusionment with the events of 1848, Stifter, like many of his contemporaries, placed his faith for a time in general education as a necessary precondition for the establishment of democratic institutions. And in the light of what Alexander Stillmark has told us about the affinity between Wordsworth and Stifter, we may, perhaps, point here to yet another, although a minor, parallel between the two writers: Wordsworth's expression of opposition to the Great Reform Bill of 1832 was also accompanied by pleas for the improvement of elementary education in England as a prerequisite for any extension of the parliamentary franchise. Stifter's faith in schooling was articulated in essays which he contributed to Austrian newspapers in 1849, in various comments of his on his work as Inspector of Schools in 1850 and, last but not least, in the final drafts of the stories, published as *Bunte Steine* in 1853, where the pedagogic strain is far more marked than it had been in the earlier versions.

In the book-version of *Bunte Steine,* Stifter links the child's 'Unschuld', repeatedly and emphatically, with its 'Unerfahrenheit' and 'Unwissenheit' which make it dependent on adults for information and protection. The children of *Kalkstein,* for instance, are unaware that 'die Gefahr bei den Überschwemmungen der Zirder sehr groß (ist), und . . . bei der Unwissenheit der Kinder unberechenbar groß werden (kann). Aber sie kennen den Tod nicht' (HKG II, 2, 93). In *Turmalin,* the narrator is struck by the fact that there is no trace 'von einem Verständnisse, was Tod . . . heiße' (HKG II, 2, 177) in the essays of the daughter of the 'Rentherr'. In *Bergkristall,* too, the children are unaware of the deadly threat which the glaciers pose. 'Mit dem Starkmuthe der Unwissenheit kletterten sie in das Eis hinein . . .' (HKG II, 2, 220). The 'Unwissenheit' is certainly touching and meant to be found so by the reader; it has been referred to as a 'heilige Unwissenheit'[3] and, in particular, where ignorance of death is concerned, we are reminded of the note to the 'Ode: Intimations of Immortality' which Wordsworth dictated to Isabella Fenwick in 1843:

Nothing was more difficult for me in childhood than to admit the notion of death as a state applicable to my own being. I have said elsewhere (i. e. in the poem 'We are Seven' in *Lyrical Ballads,* 1798):
    — A simple child
    That lightly draws its breath,
    And feels its life in every limb,
    What should it know of death?
But it was not so much from (feelings) of animal vivacity that *my* difficulty came as from a sense of the indomitableness of the spirit within me.[4]

Nevertheless, 'Unwissenheit' is not presented as an unambiguously positive quality by Stifter. It is because of his ignorance, that the boy in *Granit* allows the 'Pechbrenner' to smear his feet with cart-grease, for which he is reproved not only by his censorious mother, but even by his grandfather: '"Du bist ein kleines Närrlein", sagte der Großvater . . .' (HKG II, 2, 31). Stifter, then, is the heir of the Enlightenment in so far as he presents the children as ignorant and therefore in need of adult guidance, as well as of exhortation which is, indeed, amply supplied by the mentors who associate with them in *Bunte Steine*. The grandfather, in *Granit*, having shown the boy how to walk on the slippery grass without falling, reminds him and the reader: 'Siehst du, alles muß man lernen, selbst das Gehen' (HKG II, 2, 41). And Stifter's children are the model children of post-Enlightenment pedagogic literature who submit to adult instruction in an obedient and wholly trusting spirit. We are, at times, in the world of *Sandford and Merton;* for, as in Thomas Day's fiction, the older children in *Bunte Steine* copy the adults to become the precocious educators of younger children. The son of the 'Pechbrenner' takes care of the little girl he finds in as earnest and considerate a way as does Konrad of Sanna in *Bergkristall,* and this in the context of a severely hierarchical family-structure:

Der Knabe Konrad hatte schon das ernste Wesen seines Vaters, und das Mädchen Susanna, nach ihrer Mutter so genannt, oder, wie man es zur Abkürzung nannte, Sanna, hatte viel Glauben zu seinen Kenntnissen, seiner Einsicht und seiner Macht, und gab sich unbedingt unter seine Leitung, gerade so wie die Mutter sich unbedingt unter die Leitung des Vaters gab, dem sie alle Einsicht und Geschiklichkeit zutraute. (HKG II, 2, 200—201)

Peter Branscombe has pointed out that Stifter's peasants do not speak as peasants in real life do; the same holds true of Stifter's children: nowhere in *Bunte Steine* is there an attempt at realistic children's dialogue such as we find, say, in the fiction of Stifter's contemporary, George Eliot.

   In *Bunte Steine,* personal tuition by relatives and friends supplements but does not replace the need for formal schooling which is repeatedly insisted upon. When the priest in *Kalkstein* has told the children what they should do in order not to catch cold, he adds: '. . . "Sie . . . sollen dann in die Schule gehen und dort sehr sittsam sein." "Ja, das werden wir thun", sagten sie. Sie folgten der Weisung auch sogleich . . .' And for good measure, the narrator reinforces the priest's injunction: 'Ich rief den Kindern zu, sie sollten recht fleißig sein, sie riefen zurück: "ja, ja" . . .' (HKG II, 2, 92). And in *Bergkristall,* the grandfather of Konrad and Sanna 'fragte sie um ihre Schulgegenstände aus, und schärfte ihnen besonders ein, was sie lernen sollten' (HKG II, 2, 201). What is stated about the father of Konrad and Sanna, in a peculiarly revealing passage, holds true also of most other adults in *Bunte Steine:* 'Er spielte und tändelte selten mit den Kindern, und sprach stets ruhig mit ihnen gleichsam so, wie man mit Erwachsenen spricht' (HKG II, 2, 199). The only exception is the grandmother in *Katzensilber* who is said to play with the children on occasions, as well as instructing them and transmitting to them the folklore which prepares them for the appearance of the brown girl. The 'Vorrede', too, bears witness to an Enlightenment legacy in that it expresses confidence in reason and progress, with an implicit disparagement of the childhood state, whether of the individual or of the race:

Da die Menschen in der Kindheit waren, ihr geistiges Auge von der Wissenschaft noch nicht berührt war, wurden sie von dem Nahestehenden und Auffälligen ergriffen, und zu Furcht und Bewunderung hingerissen: aber als ihr Sinn geöffnet wurde, da der Blick sich auf den Zusammenhang zu richten begann, so sanken die einzelnen Erscheinungen immer tiefer, und es erhob sich das Gesetz immer höher . . . (HKG II, 2, 1f).

Stifter's hope was to provide a book for the young as well as about the young, although he was uncertain as to which age-group he wanted to address. In a letter to Heckenast of March 6th, 1849, in which his pedagogic intention is linked explicitly to his rejection of revolution, he has children and their mothers in mind. He would soon be sending his publisher 'zwei oder drei Bändchen für Kinder . . . Kinder revolutionieren nicht und Mütter auch nicht, also schauen Sie auf das Werk' (SW XVII, 324). This intention is modified in the 'Einleitung' where he writes: 'Freilich müssen meine jungen Freunde zu dieser Sammlung bedeutend älter sein, als ich, da ich mir meine seltsamen Feldsteine zur Ergözung nach Hause trug' (HKG II, 2, 18); and the title-page of the first edition — it was originally to have appeared in time for Christmas 1852 — was 'Ein Festgeschenk für die Jugend'. Julian Schmidt's much quoted comment in *Grenzboten,* that Stifter fell between two stools, is not, of course, a fair one:

> Herr Stifter hat der Angabe nach seine Erzählungen vorzugsweise für reifere Kinder eingerichtet; aber wir sind überzeugt, daß ein tüchtiger Junge auch nicht eine halbe Seite in diesen Geschichten lesen wird, ohne darüber einzuschlafen, für Erwachsene aber paßt wieder der kindliche Ton nicht.

That *Bunte Steine* is suitable for adults has not been seriously questioned by more recent critics, and it is arguable that two of the stories, *Granit* and *Bergkristall,* are suitable for children, and as likely to hold their interest as any of the edifying material that was produced for the children's book-market in Victorian times. But whether or not Stifter thought primarily of children, of young adolescents or of adults as the readers of his work, his ambivalence towards the child is apparent in the way in which a pedagogic attitude, rooted in the Enlightenment, interacts in *Bunte Steine* with a Romantic ideal of childhood which would seem to be in contradiction to it.

For in contrast with his domesticated 'Musterkinder' who derive from post-Enlightenment literature, Stifter introduces others who are in varying degrees children of nature, and of Romantic provenance. The outstanding example is the brown girl in *Katzensilber* who, like Goethe's Mignon and the corresponding figures in the fictions of the German Romantics, is mysterious because she emerges from a context which remains intransparent, and because she proves unassimilable into the bourgeois society which seeks to adopt her. Stifter followed the German Romantics in claiming that the artist shared the 'natürliche Kindlichkeit' of the uncorrupted child, that, as he expressed it in a letter to Aurelius Buddeus of 21st August 1847, 'die höchsten Künstler die lieblichste kindlichste Naivität haben'.[6] Like her literary prototypes, the brown girl could therefore serve him as a symbol of that sensibility and imaginativeness which, in the Romantic view, condemned the artist to tragic isolation in a philistine world. And to the extent to which pity is lavished on her, she becomes the focus for the author's and, indeed, the reader's vicarious self-pity. As a Rousseauistic child of nature, the brown girl is devoid of formal schooling, when first encountered, but has an affinity with and understanding of natural forces which enable her to save her patrons from the hail-storm and the fire which threaten them.

The daughter of the 'Rentherr' in *Turmalin* is akin to the brown girl in *Katzensilber* in that she too is an outsider to bourgeois society; but Stifter achieves a higher degree of detachment, indeed, of ambiguity, in portraying her by emphasizing that she is marred by mental and physical defects. That she, too, in her isolation, represents a higher, a poetic power is apparent from the fact that the words she has written appear not merely obscure to the narrator, but 'erhaben' and that her recitations have a 'Reiz für das Mädchen, dem es sich schwärmerisch hingab', and 'wir kamen dahinter, daß die leisen Worte, die es zur Dohle sagte, ähnliche Dinge enthielten, so wie die Weisen, die es der Flöte des Vaters abzuloken suchte, in demselben Geiste erschienen' (HKG II, 2, 177).

The son of the 'Pechbrenner' in the grandfather's story in *Granit* is not really domesticated either and shares the strenghts of the brown girl in *Katzensilber*:

> Aber siehe, die Pechbrennerknaben sind nicht wie die in den Marktflekken oder in den Städten, sie sind schon unterrichteter in den Dingen der Natur, sie wachsen in dem Walde auf, sie können mit dem Feuer umgehen, sie fürchten die Gewitter nicht, und haben wenig Kleider, im Sommer keine Schuhe und auf dem Haupte statt eines Hutes die berußten Haare. (HKG II, 2,50—51)

It is his intimacy with nature which enables the boy to survive alone in the wilds and to save the little girl he finds there. The children of *Bergkristall* occupy a half-way position between the fully domesticated children in *Bunte Steine* and the children of nature: they go to school and live in a village but are made to feel half alien there, and they are able to respond to the spectacle of the Northern Lights as a transcendent phenomenon with such intensity that they stay awake until dawn breaks and so avoid freezing to death.

The ambiguity which characterizes the children of nature, corresponds closely to the ambiguity with which Stifter presents the eccentric figures in *Bunte Steine*. While the children are not yet integrated into the adult world and its processes, and the grandparents who in *Granit*, in *Katzensilber*, appear as repositories of wisdom, are no longer integrated into that world, the eccentrics are detached from it by their isolation and are, therefore, able to share with the grandparents the role of special 'Kinderfreunde'. And just as Stifter refrained from idealizing, in Rousseauistic fashion, the children of nature, showing them to be in varying degrees handicapped as well as specially gifted, so he presents his eccentric 'Kinderfreunde' in a mixed light. The saintly priest of *Kalkstein* who is willing to sacrifice his life for the children of the Kar, totally misjudges the effectiveness of his thrift and shows a neurotic obsession with precious linen and laundry which contrasts with the self-abnegation he practises in all other respects. The pathological features of the 'Rentherr' in *Turmalin* are much more marked still, while he, too, displays a touching protectiveness: 'bei aller Unbeholfenheit und Unglüklichkeit war der Mann doch noch beflissen, das Mädchen zu leiten, mit ihm den fahrenden Wägen auszuweichen, und es vor dem Zusammenstoße mit Personen zu hüthen' (HKG II, 2, 150). An affinity with nature goes in the eccentrics, just as it does in the Mignon figures, with an aestetic-spiritual distinction; the strange nocturnal flute-playing of the old man leaves the listener 'beinahe gerührt' (HKG II, 2, 153). The 'Rentherr' of *Turmalin* and the priest of *Kalkstein* derive, after all, equally from the 'armer Spielmann' of Grillparzer for whom Stifter conceived so intense an admiration. The eccentric 'Schloßherr' of *Bergmilch* has, like the other eccentrics of *Bunte Steine*, 'ein so reines Herz, im Alter fast noch knabenhaft rein' (HKG II, 2, 322), and therefore shares an 'Unschuld' which according to Stifter characterized both artists and children. Stifter's ambivalence towards him, as towards the other eccentrics and the 'Naturkinder', shows in that he presents him as marred by the ineffectiveness of his artistic endeavours as well as by an exaggerated patriotism that issues in an unjust hate of Austria's enemies, a hate of which he is eventually cured by his foster-child Lulu.

Stifter's *Bunte Steine*, therefore, express a Biedermeier vision where the one-sidedness of Rousseau and his Romantic followers which had opposed the innocence of the child of nature and of the childlike artist to a corrupt society, is modified. The child, in *Bunte Steine*, is once again found to be in need of schooling and adult guidance towards social maturity; and while the domesticated child is at a disadvantage in comparison with the child of nature who is able to save it from natural calamities, the latter suffers handicaps in other respects because of its social isolation, handicaps which it shares with the eccentrics who are inwardly akin to it. The unresolved conflicts — the 'irresolution', to use Erika Swales's term — in *Turmalin*, in *Katzensilber* and *Bergkristall*, reflect in part unresolved contradictions between influences which Stifter attempted to integrate, an attempt which achieves fullest success in *Granit* and, especially, in *Bergkristall*, where the forces of nature and of society, the values of Romanticism and of the Enlightenment, coalesce in a precarious harmony.

Notes

[1] *DVJS*, 28 (1954), 165—193 (p. 192).

[2] Stopp, p. 171.

[3] Stopp, p. 179.

[4] *The Poetical Works of William Wordsworth*, ed. by T. Hutchinson, O. U. P. (Oxford, 1923), p. 83.

[5] Moriz Enzinger, *Adalbert Stifter im Urteil seiner Zeit* (Wien, 1968), p. 174.

[6] SW XVII², 249.

Zusammenfassung

Erst seit dem Erscheinen von Rousseaus *Émile* im Jahre 1762 gibt es Erzählwerke, in denen das Kind eine zentrale Stellung einnimmt. Rousseau und seinen Nachfolgern galten Unschuld und Spontaneität als Merkmale des Kindes, die dann von deutschen Romantikern auch dem Künstler zugeschrieben wurden, von dem es hieß, daß er seine Kindlichkeit ins Erwachsenenalter hinübergerettet habe. Die Kritik hat wiederholt darauf hingewiesen, daß Stifter beim Zeichnen seiner Kinderfiguren romantischer Tradition verpflichtet ist. Es fragt sich jedoch, ob die von Friedrich Sengle im literarischen Biedermeier festgestellte Symbiose von Aufklärungstendenzen und romantischem Gedankengut nicht auch das Kindheitsbild in den *Bunten Steinen* auszeichnet. Im Gegensatz zu Rousseau und dessen romantischen Nachfolgern wird nämlich in den *Bunten Steinen* betont, daß das Kind auf Unterweisung durch Erwachsene und auf den Schulunterricht angewiesen ist — so vom Erzähler und dem Priester in *Kalkstein,* den Großeltern in *Granit* und *Bergkristall,* und anderen. Auch wird die Unschuld der Kinder wiederholt zu deren Unwissenheit in Bezug gesetzt, durch die sie Irrtümern und Gefahren ausgeliefert werden. Die Buchfassung der *Bunten Steine* ist ja zu einer Zeit entstanden, als Stifter große Hoffnungen auf das Erziehungswesen setzte und als Schulinspektor selber darin tätig war; und in der Vorrede wird sogar abschätzig von der Kindheit des Menschen und der Menschheit als einer Zeit der Unreife gesprochen.

Dem Kinde gegenüber nimmt Stifter eine ambivalente Haltung ein, indem ein in der Aufklärung verwurzeltes pädagogisches Ideal sich in den *Bunten Steinen* mit einem romantischen Kindheitsbilde überschneidet, das im Widerspruch dazu zu stehen scheint. Denn seinen im Geiste der Aufklärung sozialisierten Musterkindern stellt Stifter Naturkinder romantischer Herkunft gegenüber. Wie seine romantischen Vorgänger mißt Stifter den „höchsten Künstlern die lieblichste kindlichste Naivetät" bei, sodaß ihm eine Gestalt wie das braune Mädchen in *Katzensilber* zum Symbol des künstlerischen Menschen werden kann, der in der Philisterwelt zu tragischer Isolierung verurteilt ist. Als Rousseausches Naturkind hat das braune Mädchen keine Schulerziehung genossen, aber besitzt eine intime Kenntnis der Naturkräfte, die es befähigt, ihre sozialisierten Gönner vor Gewitter und Feuersbrunst zu schützen. Auch der Sohn des Pechbrenners in *Granit* ist wegen seiner Naturnähe in der Lage, sich in der Wildnis am Leben zu erhalten und das Mädchen, das er dort auffindet, zu retten. Die Tochter des Rentherrn in *Turmalin* ist als Außenseiterin eine Verwandte des braunen Mädchens; aber ihr gegenüber bewahrt Stifter größeren Abstand, indem er ihr nicht nur dichterisches Wesen, sondern auch geistige und körperliche Gebrechen zuschreibt. Ganz ähnlich läßt er auch seine den Kindern innerlich verwandten und als Kinderfreunde auftretenden Sonderlinge in einem zweideutigen Lichte erscheinen.

Die Stiftersche Ambivalenz geht zum Teil auf Widersprüche zwischen literarischen Tendenzen zurück, die Stifter zu verbinden suchte, einem Unternehmen, das ihm in *Granit,* und vor allem in *Bergkristall* geglückt ist, wo die Kräfte der Natur und der Gesellschaft, die Werte der Romantik und der Aufklärung, zu einer prekären Harmonie gelangen.

Konstitution und Selbstbeherrschung.
Zum Verhältnis von Lebensgeschichte und Zeitgeschichte in Stifters *Mappe*

Hubert Lengauer

In einem Brief an Moritz Hartmann berichtet der österreichische Schriftsteller und Essayist Hieronymus Lorm im April 1845 über Stifter. „Er wohnt wie ein Poet und scheint auch wie ein solcher zu leben. Eine Dachstube, die keine andere Aussicht zuläßt, als auf den Himmel, an den Wänden Landschaften von ihm mit dem Pinsel statt mit der Feder, freilich nicht in gleicher Vortrefflichkeit gemahlt, . . . Auch hab' ich nie einen Menschen gesehen, der so identisch wäre mit seinen Büchern, er lebt und ist und spricht, als wäre er nichts als eine Novelle, die er selber geschrieben . . . Ihn zu sprechen und ihn zu lesen ist fast dasselbe . . . Dennoch ist es nicht angenehm, in einem Menschen nichts als eine Novelle zu finden, denn so abgeschloßen von der Zeit, ihren Tendenzen und den momentanen Strebungen der Menschheit, wie seine Schriften, ist er selbst. Politik kümmert ihn gar nicht, ich mußte ihn mit Gewalt darauf zu sprechen bringen. . . . Mit dem Radicalismus erklärte er sich nicht einverstanden, weil er das Gewaltsame haßt. Als ich ihm erwiederte, daß der Radicalismus nicht das Gewaltsame sey, sondern nur ein unwillkürlicher Schrey den der gewaltsame Druck hervorbringt, daß wenn *er* das Gewaltsame wäre, der Druck längst aufgehört hätte, schwieg mein lieber Stifter und dachte wahrscheinlich an die Mappe des Urgroßvaters, die er jetzt bearbeitet!"[1]

Resultat der Bearbeitung ist die *Studienmappe,* wie sie 1847 als dritter Band der *Studien* erschien. Sie befriedigt den Kritiker Lorm nicht, er kann darin nur die „erstaunliche Borniertheit" erkennen, „daß Stifter, in seinen Werken noch ganz subjektiv, der Zeit doch so gänzlich den Rücken zuwendet, als wären alle in ihr entfesselten Geister, alle neuen Richtungen, in welche die Schönheit sich heute teilt und auf denen sie sich unter den verzweifelten Kämpfen zu behaupten sucht, nicht würdig, von ihm betrachtet zu werden", und lediglich die österreichischen Bedingungen der Zensur entlasten ihn teilweise in seiner Verantwortlichkeit.[2] In der Kritik Lorms dominiert schließlich der kulturpolitische Eifer, das aufgeregte literarisch-politische Interesse (wie es sich auch in seinem Büchlein *Wiens poetische Schwingen und Federn,* 1847, dokumentiert) und macht blind für Erkenntnisse, die gerade an der *Studienmappe* zu gewinnen gewesen wären, wenn Lorm seine Fragestellungen im Brief an Hartmann nur aufrechterhalten hätte: Denn: Handelt nicht die *Mappe* von jenem Verhältnis zwischen Werk und Person, „Aufschreibung" und gewonnener Identität, wie sie Lorm an der Person Stifter feststellt? Handelt nicht die *Mappe* in eben diesem Rahmen von den Themen der Gewalt, von ihren Bedingungen und den Bedingungen ihrer Überwindung? Liegt also nicht eine gewisse Konsequenz darin, daß Stifter auf die zudringlichen Fragen und Thesen über Gewalt und (revolutionäre) Gegengewalt „schwieg" wie es im Bericht heißt, und an die „Mappe des Urgroßvaters" dachte?

Es wäre also zu prüfen, ob dieser Hinweis den Problemstellungen der *Mappe,* auch ihren verschiedenen Versionen, angemessen ist. Begnügt man sich nicht mit dem Hinweis auf die poetische Idylle, die Dachstübchen-Existenz des Unpolitischen, wie sie in der zeitgenössischen Stifter-Rezeption notorisch ist, so wäre zunächst einmal das Verhältnis des Schreibenden zur Gewalt bei Stifter zu überprüfen und schließlich wären, in einem zweiten Schritt, die Auswirkungen zu analysieren, die dieses Thema auf die Versionen der *Mappe* zeitigt. Die unterschiedlichen Gestaltungen könnten so als zeitlich verschieden gelagerte und also unterschiedliche Antworten zum Thema aufgefaßt werden. Indem das Thema immer bezogen ist auf die gleichzeitig auftretenden Formen öffentlicher Gewalt, werden die Versionen deutbar als jeweilige Antworten auf die historische Situation; indem das Prinzip der Korrektur durch Aufschreibung, wie es Stifter als Schriftsteller exerziert, zugleich das persönliche, Identität verbürgende Moment anspricht und als Resultat das Identischwerden mit sich selbst, den (Kunst-)Werk-Charakter des Menschen wie seiner Aufschreibungen postuliert, verweisen die Versionen wiederholt und differenziert auf Kunstbegriff und Rollenbewußtsein des Schriftstellers Stifter. So wird vermieden, daß Person, Kunst und Zeiterfahrung als unabhängige Kategorien auseinanderfallen; die Verfassung der Individualität und ihre Realisierung, biographisch wie poetisch, ist immer schon begriffen als Aufarbeitung von Öffentlichkeit und Gewalt, Widerstand gegen sie oder Überwindung.[3]

Es lassen sich aus den Äußerungen Stifters Belege dafür zusammenstellen, die zeigen, wie auf den unterschiedlichen Niveaus persönlicher Mitteilung oder begrifflich-programmatischer Aussage, Identitätskonzept und öffentlich-politische Erscheinungen, gerade unter dem Aspekt der Gewalt vermittelt sind und schließlich den Zugang zu dichterischen Manifestationen eröffnen können. Der Aufforderung zur Gegen-Gewalt, wie sie Lorm referiert, begegnet Stifter nicht bloß durch schweigende Verweigerung. In einem Brief an Heckenast vom 9. 1. 1845 (SW XVII, 137—141) bezieht er sich (wohl nicht auf das *Gespräch* mit Lorm, aber doch) auf die *Grenzboten*-Rezension Lorms (die mit dem Gespräch zusammenhängen mochte) und bestimmt seine Position aus der Distanz zu den Intentionen des „Jungen Deutschland", „die Tagesfragen, und Tagesempfindungen in die schöne Literatur zu mischen" (SW XVII, 138); er sondert die anerkannt notwendige politische Kompetenz vom „ledigen Enthusiasmus" (SW XVII, 139), der die Vermischung von Politik und Literatur auf der Grundlage des Gefühls in unzulässiger Weise hervorbringen will. Die Entscheidung gilt nicht nur prinzipiell, sondern wird auch inhaltlich näher bestimmt in der Ablehnung des Gewalttätigen, die in den Übergriffen des Enthusiasmus enthalten ist: „. . . ich gehöre nicht zu denjenigen, . . . die, wo sie sehen, daß ein Kind noch keine Zähne hat, die Zange nehmen, um denselben hervor zu helfen" (SW XVII, 139—140).

1848, als sich die Frage nach dem rechten Augenblick der Gewalt so unvermittelt gelöst hatte, mahnt Stifter — durchaus in Anerkennung des neu geschaffenen Zustands — zu Stabilisierung und Mäßigung. Am 25. Mai, also aus der Erfahrung des „zweiten Aufstands", der Sturmpetition der Nationalgarden, Studenten und Arbeiter und den damit verbundenen Straßenkämpfen, schreibt er an Heckenast über Möglichkeiten und Notwendigkeiten schriftstellerischen Eingreifens: „Jeder Mißstand, jedes Übel (von jeder Seite) wird nur durch das gesänftigte, edle, ruhige aber allseitig beleuchtende Wort gut — durch dieses wird es aber ganz gewiß gut und das Wort, diesen ‚sanften Ölzweig', so heiß ersehnt, endlich errungen, gebrauchen wir jetzt so selten recht . . .". (SW XVII, 284) Verstärkt mußten diese Anforderungen im Sommer und Herbst dieses Jahres an den Schreibenden herantreten. In der Beobachtung der politischen Vorgänge tritt für Stifter, wie er an Joseph Türck schreibt (28. 6. 48), selbst die Natur aus dem Blickfeld: „ich selber kann sie nicht genießen, wie sie es ihrer heurigen besonderen Schönheit wegen verdient; meine Gedanken sind ausschließlich (ich kann fast mit gutem Gewissen sagen *ausschließlich*) in Wien, . . . meine Gedanken sind dort, und meine Besorgniße auch. Ich bin nicht genug unterrichtet, um darüber urtheilen zu können, ob alles Geschehene *nothwendiges* Geburtswehe war, oder ob manches, ohne der guten Sache zu schaden, hätte unterbleiben können." (SW XVII, 291) Die Einschätzung der Ereignisse als einer epochalen Wende schlägt nun auf die Schreibintentionen durch, der historische Romanstoff wird in Angriff genommen, und zwar unter der Perspektive, die den Zeitgenossen erfahrbare Gewalt zu bearbeiten: „da mir aus der Stimmung der ganzen Welt und der meines eigenen Innern klar war, daß Dichtungen in jeziger Zeit ganz andere Motive bringen müssen, wenn sie hinreißen sollen, als vor den Märztagen: so warf ich mich ganz auf den historischen Roman der Ottokarszeit, die gewaltthätig und groß war, wie die heutige, und die daher selbst mitten in Krieg und Umsturz gelesen würde, so wie ich sie mitten in heftigen politischen Gefühlen zu arbeiten vermochte." (SW XVII, 302—303) Die Schönheit, so scheint es, bedarf nun selbst der Gewalt, und auch ihre Gegner sind benennbar:

Wenn einmal die Welt im Grimme aufstehen wird, um all das Bubenhafte, das in unseren äußeren Zuständen ist, zu zertrümmern, dann wird die geschändete Schönheitsgöttin auch wieder mit ihrem reinen Antlize unter uns wandeln, ja statt der bisherigen blos lieblichen oder naiven Mienen wird sie das höhere würdigere und siegesreichere Angesicht der wahren Göttin tragen. Geschähe das nicht, so wären wir alle ohnehin verloren, und das Proletariat würde, wie ein anderer Hunnenzug, über den Trümmern der Musen- und Gottheits- tempeln in trauriger Entmenschung prangen. Das ist aber heute und im heutigen Europa unmöglich — eher bricht die Knute über uns herein. (SW XVII, 304)

Durch die Vorgänge seit dem Mai konnte sich Stifter zu dieser Prognose berechtigt fühlen. Das Proletariat hatte in den Reichsratswahlen nicht zuletzt durch die restriktive Wahlordnung eine Niederlage erlitten; die Niederschlagung des Pariser Arbeiteraufstandes (23.—26. Juni) durch Cavaignac war vom überwiegenden Teil der Wiener Presse euphorisch begrüßt worden; im August schließlich wurden in Wien die Arbeiterdemonstrationen anläßlich der Lohnkürzun- gen für Erdarbeiter blutig niedergeschlagen; die Revolution hatte durch die Aufspaltung von Bürgertum und Arbeiterschaft ihre entscheidende Wende genommen. Auf dieser Basis auch erhält die Kennzeichnung der Zeit: „gewaltthätig und groß", ihre nähere Abgrenzung. Doch es kommt auch die ungleichzeitige, vormärzliche Sanftheit zu ihrer Bestimmung: „. . . auch stilleres einfacheres aus früherer Zeit wird noch seine Leser finden. Druken Sie jezt recht rasch Nro. 6 [i. e. der Studien, 2. Aufl., H. L.] (ich werde Manuscript in hinreichender Folge senden) der Adel und viele Reiche bleiben in diesem Winter auf dem Lande, und da lesen sie wohl etwas aus Stifters früherer Zeit." (SW XVII, 304) Im Frühjahr 1850, bei den Honorarverhandlungen mit Heckenast, streicht Stifter die Stellung der *Studien* wieder deutlich hervor:

denn trotz Angriffen, die viel Größeren namentlich Göthe und Schiller geschehen sind, troz der Fehler in den Studien, von denen niemand lebhafter durchdrungen sein kann, als ich selber, werden doch dieselben in ihrer Einfachheit und Natürlichkeit noch existiren, wenn die gesammte Revolutionspoesie Tendenzroman Partheidichtung Cotterieansicht etc. untergegangen ist, . . . denn Dichtung ist in diesen Dingen keine, und in den Studien (die natürlich nur kleine harmlose Dinge sein sollen) ist ein warmes Gefühl ist Sittlichkeit ist menschlich dauerndes Benehmen . . . (SW XVIII, 37)

Das war wiederum auf Hieronymus Lorm gemünzt, der zu Bd. 5 und 6 der Studien seine Kri- tik der Borniertheit wiederholt und seinerseits mit dem Feuilletonroman *Eine Ehe der Zukunft* (*Die Presse*, 25. Oktober bis 1. Dezember 1849) ein Beispiel jener Tendenzliteratur geliefert hatte.

Äußerungen der Folgezeit zum Verhältnis von Dichtung und Zeitverhältnissen, besonders Po- litik, lassen sich lesen als Zeichen zunehmender Selbstgewißheit und Bestätigung in der Rolle des Dichters; die selbstgestellten Ansprüche werden als Pflicht aufgefaßt und den Irritationen durch die Zeitereignisse entgegengehalten. Der politische Kommentar, der die Selbstbestä- tigung begleitet, engt sich zumeist ein auf österreichpatriotische Behauptungen. Im Herbst des Jahres 1850, unter dem Eindruck der preußisch-österreichischen Konfrontation in Kurhessen, bestärkt sich Stifter gegenüber Heckenast in der Konzentration auf das Literarische („Wir wollen — denn ich glaube nicht an die Unvernunft eines Krieges — recht nach der Literatur sehen, ihre

Flügel in dieser trüben schmuzigen Zeit rein zu erhalten suchen, uns ihrer Größe ihrer Schäze ihrer seelenerhebenden Kraft recht versichern, und dies umso mehr, je abgeschmaktere widrigere Dinge sie in der Außenwelt treiben (SW XVIII, 52) und preist Österreich als „das Land der Lerchen, das es in neuer Zeit geworden ist, der fühlenden unbefangenen Lerchen, welche, die wenigen schreienden Sperlinge abgerechnet, auf die niemand hört, mit dem alten goldenen Klange ihren Landsleuten in das Herz singen" (SW XVIII, 53). Die Beurteilung des österreich-sardischen Krieges von 1859 erfolgt unter den ethischen Kategorien, die sonst als höchste Leitlinien seiner Dichtung fungieren: „Sitte, Recht, Familie, Männlichkeit" (SW XVIII, 162). Die militärische Niederlage löst jenen innenpolitischen Prozeß aus, der Österreich endgültig zum Verfassungsstaat macht und also fortsetzt, was 1848 begonnen wurde. Gerade diese innenpolitische Wendung läßt bei Stifter noch einmal die Versuchung aufkommen, sich politisch zu betätigen. Er löst jedoch den Gewissenskonflikt zugunsten der Kunst:

Selbst wenn meine Freunde, welche jezt Minister sind, mich zu irgend etwas auf Dortbleiben [i. e. in Wien, H. L.] riefen, ginge ich unter den jezigen Umständen nicht. Möge Gott meinem von mir sehr hochgeachteten Freunde Schmerling die Kraft geben, das Wirrsal zu bewältigen. Wenn ich nicht einen andern Lebensinhalt bereits gewählt hätte, so könnte es sein, daß, wenn die Gelegenheit es wollte, ich mein Leben wagte, um an den Staatwagenrädern zu schieben, selbst auf den Fall hin, daß es nicht gelänge, aber mein ganzes Wesen drängt zur Kunst, ihr habe ich schon einen Theil meiner Kraft geopfert und entsage ihr nicht auf ein zweifelhaftes lokendes Ungefähr hin. (SW XIX, 271)

Trotz der Ablehnung unterläßt er es nicht, den politischen Einsatz heroisch zu totalisieren, als könnte es um Leben und Tod gehen: „wenn mein Leben mein geschmähtes aber doch herrliches Volk retten könnte, zuvörderst Österreich . . . so gebe ich es augenbliklich hin. Meine Gattin würde ihr Witthum an meiner That hinleben können, wenn auch das Vaterland gegen sie undankbar wäre." (SW XIX, 272) Im Angesicht des preußisch-österreichischen Krieges, März 1866, und zugleich mit der Arbeit am *Witiko* und der Vorfreude auf die „Mappe, die sogleich folgen soll" (SW XXI, 244), fühlt sich Stifter neuerdings zu zeitgeschichtlicher Stellungnahme herausgefordert. Der Sieg, der mit dem Vertrauen auf die metaphysische Gerechtigkeit erwartet worden war, stellt sich nicht ein, Stifter regrediert auf den Bereich, in dem das Metaphysische unvermittelt und umfassend gegeben erscheint, Gott in den Fluren, in dem Erholungsort Kirchschlag, wohin er sich im Bewußtsein der Pflicht zur Selbstbewahrung zurückgezogen hatte. „Ich hielt die Unruhe und Verwirrung, die herrschte, nicht aus und floh auf meinen Berg Kirchschlag, las keine Zeitung und es durfte mir niemand vom Kriege reden. Dies stimmte mich ruhiger." (SW XXI, 311) Der „Stokung der Pflichterfüllung" (SW XXI, 315), welche das Erlebnis des Krieges verursacht hatte, weil er es existenzbedrohend im physischen Sinn empfunden hatte, mochte sich Stifter fortan nicht mehr aussetzen: „Von meinen Staatsbürgerpflichten und dem Verfolgen des Staatslebens habe ich mich ganz zurük gezogen", resümiert er Anfang 1867 (SW XXII, 105).

Eine gleichartige Lösung des Verhältnisses zwischen Schriftsteller und staatlich-politischer Öffentlichkeit durch die gerade an Irritationen gewonnene Bestimmung der Pflicht zur Kunst war nur wenigen Zeitgenossen möglich. Schriftstellern, die nach der Beteiligung an der Revolution ihren Status als Revolutionäre aufrechterhalten wollten, bot das nachrevolutionäre Europa wenig Möglichkeit zur Selbstbestätigung, vielmehr hatten sie mit Identitätsverlusten zu kämpfen. Ein Wiener Chronist der Emigration beschreibt die dabei auftretenden Phänomene eindringlich: „wohl aber fehlte es uns fast Allen an der nöthigen Selbstverläugnung, die größere oder geringere Popularität, welche unsere Namen erlangt hatten, weniger unsern Fähigkeiten als vielmehr dem Zufalle zuzuschreiben, der in Zeiten stürmischer Bewegung die Einen emporschnellt, Andere hinunterreißt".[4]

Das Ansinnen, den Schein historischer Bedeutsamkeit aufrechtzuerhalten, und aus der Revolution einen Beruf zu machen, scheitert, das Lager der Exilierten splittert sich auf in Dünkelhafte, Märtyrer, Praktiker und Opportunisten. Der abrupte Rollenverlust produziert Streitigkeiten, phantastische Auswanderungspläne und dergleichen. Auch Exilredaktionen wie die der Wienerboten in Leipzig boten nur vorübergehend Möglichkeiten der Selbstbestätigung und Solidarisierung. An Einzelfällen von Schriftstellern und/oder Revolutionären wie Franz Schuselka, Isidor Heller, Moritz Hartmann, Adolf Meißner, Josef Rank, Ferdinand Kürnberger, um nur einige zu nennen, wäre diese Entwicklung in ihren Auswirkungen zu studieren.

Kennzeichnend erscheint jedenfalls, daß sich der aus dem Identitätsverlust erwachsende Drang zur Selbst-Vergewisserung in zahlreichen Memoiren und Erlebnisberichten niederschlägt. Die Rekonstruktion der Identität in der Autobiographie versperrt dabei meist den Weg zur historischen Analyse der realen Grundlagen und treibenden Kräfte der Revolution, so daß sich das Moment des Zufalls und der bloßen ästhetisch-politischen Exaltation, des Enthusiasmus, wie es Stifter nannte, in den Vordergrund drängt. Im öffentlichen Bewußtsein der Folgezeit verschwimmt denn auch die Erinnerung an die Revolution zu einem diffusen Syndrom, zu einer Fama von den „alten Achtundvierzigern", die von der politischen Entwicklung eingeholt und überholt werden und die Impulse der Revolution höchstens partiell, im aufkommenden Nationalismus, wirksam werden lassen konnten.

Es erhebt sich jedoch darüber hinaus noch die Frage, wieweit die Ereignisse von 1848 überhaupt individuell erfahrbar und zugleich repräsentativ sein konnten, wie das von den Schriftstellern beansprucht wurde.

Stifter hat brieflich und in seinem Aufsatz *Über Stand und Würde des Schriftstellers* die Wünschbarkeit und die Bedingungen einer solchen Repräsentativität erörtert. Diese Darlegungen erscheinen uns zentral, weil sie sowohl die politische Situation — das Entstehen der parlamentarischen Verfassung — betreffen und die Rolle des Schriftstellers dabei, als auch generell den „Einsatz des Individuums als Hypothese sinnvoller Wirklichkeit"[5] besprechen, wie er für die *Mappe* als zentraler Themenkomplex herausgearbeitet wurde.

Auch in dem Brief an Heckenast, in dem er sich als „Mann des Maßes und der Freiheit" (SW XVII, 284) selbst kennzeichnet, wird das Problem angesprochen. Es stellt sich dar als Notwendigkeit des Auffangens und der Beherrschung der in der unmittelbaren Gegenwart freigewordenen und noch freiwerdenden politischen Kräfte. Die Erreichung einer politischen Konstitution bzw. ihre Vollendung erfordert „Männer, die sich selbst zügeln können und die ihnen im Übermaße zuströmende Gewalt als Gleichgewicht in irgend eine andere Schale zu legen vermögen" (SW XVII, 284—285), sie erfordert „Selbstbeherrschung bis zur Opferung des Lebens, Maß bis zur Verläugnung der heißesten Triebe" (SW XVII, 286). In Konsequenz dieser Überlegung hebt sich das konstitutionelle Prinzip bei seiner Vollendung durch die selbstbeherrschten Charaktere selbst wieder auf; indem das, worauf das parlamentarische System hinauswill: die Vertretung partikularer Interessen und die Lösung der daraus erwachsenden Konflikte im Konsens der Mehrheit, zurückgenommen wird in die charakterliche Konstitution des Einzelnen, ihn also verpflichtet, die divergierenden Interessen schon in sich auszutragen, erscheint ihre öffentliche Austragung entbehrlich, die Legislatur des „großen Menschen" bleibt identisch: „Er gab sich auch im alten System seine Gesetze selber, und diese bestehen noch" (SW XVII, 286). Diese Invarianz der Gesetze ist allerdings nur möglich auf der Abstraktionsebene der „Triebe" und der sie einschränkenden begrifflich-zerebralen Kontrolle („das Wort und der Grund", SW XVII,

286), die den „Freien" kennzeichnet; gegen den „Angreifer", der für Stifter außerhalb dieser Bestimmung steht, ist das „Schwert" einzusetzen. Stifter bekennt sich ausdrücklich zu diesem Abkürzungsverfahren, das in der „konstitutionellen" Vororganisation der Psyche und des Charakters der Einzelnen besteht, und glaubt auch, historische Modelle dafür zu kennen: „durch Überwachung seiner selbst durch fleißiges Studiren der Engländer, die die längste Schule haben, und durch Ergründung der Ursachen mancher Gleichgewichtsanstalten der Geschichte können wir den Lernweg abkürzen, sonst wird er lang, und enthält alle Fehler, die unerfahrene Vorgänger schon früher gemacht und gebüßt haben" (SW XVII, 285). Die Neuartigkeit und Unübersichtlichkeit der revolutionären Situation setzt aber der Anwendung des Gelernten Grenzen. Für sich selbst muß Stifter trotz erworbener begrifflicher Kompetenz die Einschränkung der Urteilsfähigkeit anerkennen und eingestehen, „daß entweder vieles, was ich mir als Resultat aus den Geschichten und Verfaßungen der Völker gezogen habe, falsch ist, oder daß vieles andere, was jezt praktisch oder theoretisch gilt, irrthümlich sei. Bis ich diesen Zwiespalt in meinem Innern ausgeglichen habe, muß ich ebenfalls das Urtheil aufschieben" (SW XVII, 284—285). Daß ein solcher Aufschub des Urteils und der Handlungsfähigkeit öffentlich nicht durchführbar war, zeigt die Grenzen der Gleichsetzung von konstitutioneller Organisation des Staates und individuell-charakterlicher Verfassung des Einzelnen deutlich auf. Der Verlauf der Ereignisse im Frühjahr 1848 zeigt dann auch, daß die Regierung nach Vorlage der oktroyierten Verfassung (die vom Juridisch-politischen Leseverein mit einem Fackelzug begrüßt wurde) durch den Widerstand der Straße völlig gelähmt und in seiner Handlungsfähigkeit eingeschränkt wurde und schließlich, nach den Barrikadenkämpfen des Mai, einem „Ausschuß" der Bürger, Nationalgarde und Studenten zur Aufrechterhaltung der Ordnung und Sicherheit und für Wahrung der Volksrechte" („Sicherheitsausschuß") die exekutive Gewalt weitgehend überlassen mußte. Die ausdrücklich mitformulierte „Wahrung der Volksrechte" weist dabei auf die Vertretung des kleinbürgerlich-demokratischen Elements, das in der Pillersdorfschen Verfassung nicht als politischer Faktor einkalkuliert worden war. In der Polemik gegen diese Verfassung kommt auch das englische Modell zur Sprache, auf das Stifter angespielt hatte. Der Student und nachmalige Schriftsteller Ferdinand Kürnberger schreibt darüber: „Das Zweikammernsystem ist eine Ungerechtigkeit, ein Unsinn! Ein Volk, Eine Kammer, Ein konstitutioneller Monarch! Jede andere Form wie in England ist nur ein vergoldeter Zopf, ein gutgemachter Fehler und widerspricht der Aufgabe des modernen Staates".[6] Erst durch die Niederschlagung der Arbeiterschaft im August konnten die Legislative und das Ministerium ihre Entscheidungsfähigkeit gewinnen, der „Sicherheitsausschuß" wurde aufgelöst, die „Wahrung der Volksrechte" mußte auf Vereinsbasis weitergeführt werden.[7]

Bei allen diesen Vorgängen war auch die Rolle der Intellektuellen entscheidend. Sie ist belegt durch den Anteil der Studenten, Ärzte und Juristen und auch der Schriftsteller in den einzelnen Phasen der Revolution. In dem Aufsatz *Über Stand und Würde des Schriftstellers* vom 2. und 7. April 1848 sucht Stifter sie in besonderer und intensiver Weise zu bestimmen. Es liegt nahe, diese Äußerungen in den Kontext der durch das Pressegesetz vom 1. April erregten öffentlichen Diskussion zu legen.[8] Eine Anspielung im Text deutet besonders darauf hin, aber zeigt auch die Art und Intention der Behandlung, die Stifter diesem Gegenstand angedeihen lassen wollte. Anstelle der von den Kritikern des Gesetzes heftig angegriffenen Rechtsprechung in Sachen Presse durch ein „Collegium von rechtsgelehrten Richtern"[9] fordert Stifter keine Jury von Geschworenen, sondern das Ehrenwort der Zunftgenossen untereinander, „alles Große, Ehrenhafte und Verantwortliche unseres Standes getreu in's Auge zu fassen und in Wirksamkeit zu setzen, . . . alles Unehrenhafte (wenn es auch nicht gesetzwidrig wäre), Alles, was durch die Schrift niedrige

Zwecke anstrebt oder die hohen auf niedrige Weise, . . . wie durch ein unsichtbares Ehrengericht von uns zu verbannen, daß wo es noch auftaucht, es sogleich von den Lesern als ein solches anerkannt werde, das mit unserem Stande nichts gemein hat und aus ihm herausfällt" (SW XVI, 10). Eine Partialität der Interessen kommt in diesem Konzept des Schriftstellers nicht in Betracht; sein Stoff „ist die Menschheit und alles auf sie Einfließende — also fast die ganze Welt" (SW XVI, 7). Er habe die „Dinge in ihrer objektiven Giltigkeit (nicht in einseitigen Beziehungen zu unsern Leidenschaften)" (SW XVI, 7) zu kennen, „er muß die umgebende Natur befragen" (SW XVI, 7). Als Resultat des Klärungsprozesses steht die „ganze Innerlichkeit" des schriftstellerischen Charakters für die Ganzheit eines *Werkes* ein, das nicht „aus zerstreuten Theilen, welche in der Gesellschaft gangbar sind und Anklang hoffen lassen" (SW XVI, 9) besteht, sondern das „Einheitssiegel und das der Vollendung" (SW XVI, 10) an sich trägt. Gefährdet ist diese Einheit nicht nur von einem möglichen Mangel des Wissens her („daß er die Dinge in ihrer Wesenheit sehe, so muß er nicht nur in seinem Fache, sondern in jeder Wissenschaft bestmöglichst erfahren sein"; SW XVI, 7), sondern von der Irritation des Sinnlichen, der „Leidenschaft": „Sie strebt nach Thierischem, sei es die Erfüllung einer Körperempfindung (Wollust), sei es die Gewalt oder Alleingeltendmachung (Herrschsucht, Eifersucht, diese furchtbaren Geister der Menschheit, die sie leider mit dem Thiere, z. B. dem Hunde, gemein hat), und in diesem Streben aufgehalten, wird sie zum fanatischen Affecte, der blind gegen die Schranke stürmt." (SW XVI, 15) Mit diesem anthropologisch-moralischen Modell war ein Erklärungsmuster gegeben, das für die Beurteilung der Revolution gängig werden sollte. Es setzt der Wirklichkeit einen Stoizismus entgegen, der eine revolutionäre Ungeduld nicht aufkommen läßt, weil er ihren Ursprung, die Leidenschaft, in sich schon abgetötet hat, bevor er das Forum der politischen Auseinandersetzung betritt. In der Formulierung dieser Haltung ist die Geschichte angesprochen, die die *Mappe* erzählt, nicht nur in einzelnen Wendungen, wie sie auch in der *Mappe* vorkommen, sondern in der Absolutheit und Allgemeinheit der Forderung, die so das Verhalten der Figuren Margarita, Augustinus und des Obristen begrifflich umschließt: „Wer sich so herausgebildet hat, daß er seine Leidenschaften beherrscht, ja daß er gar keine mehr hat, wer daher gegen sich strenge ist und einfach das Rechte thut, der ist auch gegen Andere gerecht, er gibt ihnen den Raum ihrer Entwicklung und verfällt nicht sogleich in Ungeduld und Anmaßung, wenn sie auf diesem Wege noch weit hinter ihm sind." (SW XVI, 15)

Sieht man ab von der Frage, wieweit die „niederen Zwecke", „auch der kleinlichste unter allen, der Neid" (SW XVI, 15—16) als bloß moralische Defekte für die in der Revolution entstehenden Forderungen oder die Form ihrer Durchsetzung verantwortlich gemacht werden können, so läßt sich aus den hohen Ansprüchen Stifters vor allem die Suche nach der Handlungsfähigkeit und Geschichtsfähigkeit des Individuums herauslesen. Sie konnte nur abstrakt bestimmt werden, die Zeitgeschichte bot dafür kein Beispiel. Die wechselnden Kräfteverhältnisse ließen weder auf Seiten der Regierung noch auf Seiten der Opposition Persönlichkeiten aufkommen, die das Jahr 1848 in einer ähnlichen Weise repräsentierten wie „Metternich" die ganze Ära davor, so illusionär auch immer die Personalisierung der Vormärzpolitik auf seine Person gewesen sein mag. Auf Repräsentativität gegenüber den uneinheitlichen Zielen der Revolution zielt schließlich auch Grillparzers Radetzky-Lied, welches das Ungenügen des Zustandes der Auflösung deutlich benennt („Wir Andern sind einzelne Trümmer") und Einheit wie Handlungsfähigkeit („führe den Streich") im „Lager", das zugleich „Österreich" ist, und in der Figur des Feldherrn repräsentiert sieht („In denen, die du führst zum Streit, Lebt noch Ein Geist in Allen").[10]

Die Rekonstruktion des handlungsfähigen, geschichtsfähigen Individuums blieb auch nach der Revolution ein Problem der Literatur. Von den verschiedenen Lösungsmöglichkeiten seien zwei herausgegriffen und exkursorisch skizziert. Berthold Auerbach, den Hebbel zusammen mit Stifter zu einer Sorte Schriftsteller rechnete, konstruiert in dem Roman *Neues Leben* (1851) einen Helden größtmöglicher Repräsentativität auf additive Weise und stattet ihn mit messianischen Zügen aus. Er ist Sproß eines adeligen Seitensprungs mit einer Tochter aus dem Volk, Revolutionär, nach der Revolution unter falschem Namen Lehrer in einem Dorfe, wo er Begriff und Realität, Intellekt und Volkstum pädagogisch bearbeitet, bis er schließlich wiederum eine Tochter aus dem Volk heiratet, von der adeligen Gesellschaft wohlwollend aufgenommen und aufgrund der Intervention einer adeligen Schönen amnestiert wird. Die zeitgenössische politische Problematik wird von Familie und Pädagogik, Reflexion wie Praxis, aufgesaugt und konsumierbar gemacht.

Eine andere Lösung präsentiert Lorm in dem schon erwähnten Roman *Eine Ehe der Zukunft*. Lorm hatte sich nach anfänglichem Enthusiasmus für die Revolution auf ein kontemplatives Verhältnis zu Politik und Natur zurückgezogen und dabei die Ertragsseite des schriftstellerischen Geschäfts nie aus den Augen verloren, wie der Briefwechsel mit seinem Schwager Auerbach in den fünfziger Jahren beweist. Der Roman war anstößig für Stifter, vordergründig wohl durch die ausgeprägt sinnlich-sexuelle Komponente, die er ausbreitet, in zweiter Linie jedoch auch durch die Abwesenheit dessen, was er als „menschlich dauerndes Benehmen" (SW XVIII, 37) für die *Studien* beanspruchte. Lorm stellt die dem Roman zentrale Liebesbeziehung nicht als kontinuierliche Entwicklung dar, sondern als Folge von punktuell auftretenden Epiphanien oder raptus-artigen Aktionen, die im Augenblick Totalität einfordern. Ohne daß damit dem Roman besondere Qualität zugesprochen würde, läßt sich doch hier eine Problematik der Diskontinuität menschlicher, individueller Existenz erkennen, wie sie später für die österreichische Literatur der Jahrhundertwende typisch wurde.

Die Übertragbarkeit und interpretatorische Effizienz der Begriffe von Gewalt, Selbstbeherrschung und personaler Identität, wie sie im vorangegangenen Abschnitt durch gezielte Auswahl der Belege vorbereitet wurde, soll nun beispielhaft an der *Mappe meines Urgroßvaters* nachgewiesen werden. Die Betrachtung signifikanter Unterschiede zwischen den Versionen könnte dann zur Unterscheidung und historischen Kennzeichnung der drei Versionen zurückführen.

Wenn es richtig ist, wie für das Gesamtwerk Stifters behauptet wurde, daß seine erzählerische Bemühung generell dahin gehe, die „Grunderfahrung des Identitätsverlustes zu beheben, die Verknüpfung von Ich und Umwelt also neu und positiv zu vollziehen"[11], so zeigt die *Journalfassung* das relativ geringste Maß dieser Anstrengung. Sie geht spielerisch mit den Relikten der Vergangenheit um und verzichtet für die innerhalb des Rahmens mitgeteilte Lebensgeschichte auf Beobachtung der Chronologie wie auf Geschlossenheit der biographischen Darstellung. Konsequenterweise wird auch darauf verzichtet, eine Verbindlichkeit in moralischer Hinsicht für den Nachgeborenen herauszustellen. Für den Urenkel, den Leser und Herausgeber der Fragmente, bleibt der Lebensentwurf des Urgroßvaters schwer lesbar und offen, die Geschlossenheit, wie sie dem Roman zukäme, wird ausdrücklich verneint. (HKG I, 2, 68) Das Außerordentliche des präsentierten Lebenszusammenhangs erscheint, wenn auch nicht beliebig, so doch inkommensurabel, als „Närrisches" wird es von der Erzählperspektive dem Leser freigegeben und seiner synthetisierenden Phantasie anheimgestellt.

Die Korrektur zur *Studienmappe* macht nun gerade diese Offenheit rückgängig, und zwar unter bewußter Kalkulation inhaltlicher, formaler und rezeptionsästhetischer Gesichtspunkte. So treten Kunstbegriff und biographische Vollendung näher aneinander und sind im Konzept des „Werkes" vermittelt. Der „sanftmüthige Obrist", an dessen Figur das Prinzip der Aufschreibung zum Zweck der Vervollkommnung zuerst und beispielhaft durchgeführt wird, so daß mit Fortschreiten seines Lebens seine Aufschreibungen immer ähnlicher werden, der Lebensvollzug also repetierbar wird, ist in der Korrektur als Exempel der Geschlossenheit konzipiert. An ihm wird das Formprinzip der Reduktion wirksam: „aus einem Bogen Material ist ein Blatt Text geworden, damit mir die Figur so eisenfest bleibe, wie ich ihre Form beabsichtigte" (SW XVII, 133). Diese Festigkeit äußert sich zum einen formal, sie wird als Beispiel von „geschlossenem Erzählen" (SW XVII, 132) umschrieben, sie muß „graniten" sein; die formale Vollendung führt aber zugleich die inhaltliche mit sich und soll in dieser Entsprechung Klassizität erreichen: „In anspruchsloser Einfachheit und in massenhaft gedrängtem Erzählen, muß ein ganzes Leben, und einer der tiefsten Charaktere liegen." (SW XVII, 133) Dieser Anspruch des „ganzen Lebens" und der Charaktertiefe wird auch in der Realität der Leser verfolgt und bestätigt. Stifter ist bestrebt, „durch immer ernstere Arbeiten den Beifall von solchen Männern mit abgeschlossenem Geiste zu verdienen" (SW XVII, 134), wie er ihm von seiten eines Lesers der *Narrenburg* zuteil geworden ist. Zu diesem Zeitpunkt sieht er sich auch noch imstande, die Geschichte der „zween Bettler" seinen Intentionen zu unterwerfen, sie fällt aber, zumindest für die *Studienmappe,* schließlich doch der Reduktion zum Opfer.

Der Anlaß zu dieser bemerkenswerten Kürzung könnte dabei durchaus im Vordergrund der biographischen Situation Stifters gesehen werden. Schließlich war er Ende 1843 und Anfang 1844 noch selbst „Bettler", d. i. Hauslehrer, bei Metternich, und die Aggressivität, mit der der „Bettler" Eustach der *Journalfassung* diesen Stand bedenkt, hätte wohl in der sich politisch verschärfenden Situation Mitte der vierziger Jahre Anlaß zu Mißverständnissen geben können. Doch selbst eine Aufarbeitung und Korrektur dieser Aggressivität aus dem Motiv sozialer Ungerechtigkeit, wie sie die *Letzte Mappe* durch Übertragung der rabiaten Anklage von Eustach auf Augustinus vorsieht, mochte Stifter der *Studienmappe* nicht zumuten. Vielmehr sieht er sich veranlaßt, die Manifestationen sozialer Gewalt aus der Lebensgeschichte des Augustinus auszulagern; lediglich in der Biographie des Obristen bleiben sie bestehen, allerdings als schon bewältigte, zeitlich distanziert und auch inhaltlich, mit ihrem Bezug auf Krieg, adelige Erbfolge und Duellwesen, weitgehend außerhalb der Erfahrungswelt des Augustinus. Die Nutzanwendung für die Gegenwart, welche die Bettlergeschichte konkret hätte leisten können, wird aber ersatzlos gestrichen; sie wird vielmehr aufgehoben auf die Ebene der Sentenzen und geschichtsphilosophischen Spekulationen, die den Beginn der *Studienmappe* kennzeichnen und dort den Verlauf und Sinn der Erzählung begrifflich vorstrukturieren. Auf diese Weise hoffte Stifter, das Problem der Gewalt, das, wenn Lorm sein Gespräch mit ihm richtig wiedergegeben hat, ihn bestürmte, prinzipieller und umfassender zu lösen. Der Realgeschichte des Hasses und der Gewalt wird die Gegengeschichte der Liebe als das umfassendere, wenn auch in der Historiographie unterdrückte Prinzip vorangestellt. Auch im Verhältnis von Rahmen und Binnengeschichte wird dieser Gedanke forciert: Der Erzähler trennt sich nicht mehr von den sonderbaren Erfahrungen des Urgroßvaters ab, sondern läßt sich tragen von dem Strom der Liebe und Rührung, der ihm vom Vorfahren zufließt. Konsequenterweise bleiben auch die „Dinge" nicht wunderliches, herrenloses Strandgut, sondern werden Vehikel der Rührung und als solche durch Gelöbnisse und Erbverpflichtungen in ihrem Bestand und in ihrer Tragfähigkeit abgesichert.

Es ist zu diesem Konzept bemerkt worden, daß die Gegengeschichte der familiären Liebe als Umkehrung der realen diese Realgeschichte immer schon voraussetzt und auch von ihr begrenzt wird, daß also realgeschichtliche Gewalt und familiär isolierte Liebe durch ein Bedingungsverhältnis aneinandergekettet seien als Phänomene desselben Zustands.[12] Werk-intern belegt dies die Geschichte des sanftmütigen Obristen, der eben durch Duelle, Krieg und Gewalt zu seinen Mappen-Aufzeichnungen, zu seiner Familie, zu seiner Sanftmut gekommen ist. Für den Augustinus der *Studienmappe* werden diese Momente auslösender Gewalt reduziert auf den Eifersuchtskonflikt. Auf die Stellung der *Studienmappe* im Vergleich zu den anderen Fassungen und bezogen auf den Kontext der Zeit legt dies die Vermutung nahe, daß die verstärkte familiäre Innerlichkeit und Tilgung von Gewalt mit einer Verhärtung der politisch-öffentlichen Situation korreliert sei. Um das Modell der Gegengeschichte der Liebe dennoch als überlegenes nicht nur fordern, sondern auch erweisen zu können, sind Beschränkungen und Begründungen besonderer Art nötig. Auf einige Phänomene dieser Beschränkung soll im folgenden eingegangen werden.

Die Beschränkung ist zum einen positiv beschreibbar als deutliche Konzentration auf die Ursprünge und anfänglichen Bedingungen der Zivilisation, aus der die menschliche Vervollkommnung des Augustinus, seine ärztliche Praxis und sein Verhältnis zu Margarita entwickelt werden. Sie ist negativ beschreibbar als Absenz des großen Anteils an gesellschaftlich-zivilisatorischen Faktoren, welchen die *Letzte Mappe* zu integrieren imstande ist und bearbeitet, so daß dort die *auch* vorhandenen Momente der Urbarmachung, Meliorisation, Verbesserung der Infrastruktur (Straßen- und Brückenbau) immer schon eingelagert sind in eine aufgefächerte Sozialstruktur mit bestehenden, ausführlich besprochenen Rechts- und Besitzverhältnissen, mit etablierten Verwaltungsinstanzen, wie der Gemeinde; die Einschränkung wird also in der *Letzten Mappe* weniger wirksam, umso überzeugender kann dort die Menschwerdung des Augustinus (sein errungener Verzicht auf Gewalt) dargestellt werden, weil sie sich auch in bestehenden Verhältnissen (oder gegen sie) durchsetzt und er gegenüber dem Bettler Tobias wie gegenüber dem Prager Patriziertum wie in der Begegnung mit dem Fürsten besteht, sich aber auch an diesen verschiedenen Bereichen herausbildet.

Die *Studienmappe* nimmt also das Thema der „Anfangsfähigkeit" wieder auf, wie es auch in der *Narrenburg* auftritt und dort schon in Form von Neugründung des Geschlechts der Scharnaste, Blutauffrischung durch Einheirat ins „Volk" und neue Inbesitznahme der Güter dargestellt wird; die Aufschreibung des Lebens ist ebenfalls von dorther bekannt, allerdings in kennzeichnender Abwandlung, die dem Nachfahren und Neugründer größeren Spielraum im Umgang mit den Schriften, Bildnissen und Gebäuden der Ahnherrn einräumt. Die *Studienmappe* begründet in Augustinus auch dieses Prinzip der Aufschreibung neu, indem der Obrist von seiner genealogischen Verbindung mit den Scharnasten (die noch in der *Journalfassung* besteht) abgekoppelt wird und das Aufschreiben in seiner moralisch verbindlichen Form (nicht als wunderliche Fideikommißbestimmung, wie in der *Narrenburg*) bürgerlich vererbbar wird.

Der Bürger der *Studienmappe* ist jedoch ein Wald-Bürger. Der Zustand, den der heimgekehrte Augustinus vorfindet, trägt noch deutlich die Spuren der Urbarmachung und Rodung in der „Einöde der Wälder" (HKG I, 5, 73); die „graue Hütte" (HKG I, 5, 73) des Vaters steht auf einem Hügel, „wie es alle die Waldhäuser gewöhnlich sind, die man auf den Hügel hinbaute, wo man zu reuten angefangen hatte, daß sich um sie herum Wiesen und Felder ausbreiten" (HKG I, 5, 73). Im Rückblick beschreibt Augustinus den sozialen Zustand als einen der Vereinzelung, der mit dem Fortschreiten seines Lebens, nicht zuletzt durch seine Tätigkeit als Förderer des Straßenbaues und der Landwirtschaft, kontinuierlich aufgelöst wird. Die Anfänge liegen jedoch bei den einsamen Kolonisatoren, die durch Armut, Herrschaft und Gewalt hinausgetrieben worden waren, etwa dadurch, daß

ein mächtiger Kriegsfürst oder anderer Herr große Stücke Eigenthum in dem Walde erhalten, und Leute hin geschickt hat, daß sie an Stellen, die sehr bequem lagen, Holz fällen und aufschlichten sollen, damit er aus seinem Besitze Nutzen ziehe — oder ein armer Mann um weniges Geld in der Wildnis sich einen Platz gekauft hat, den er reutete, auf dem er sich anbaute, und von dem er lebte, — oder ein Theerbrenner, ein

Pechhändler die Erlaubniß erhielt, an abgelegenen Orten . . . seine Beschäftigung zu treiben, . . . oder einem Wildschützen, einem Wanderer, einem Vertriebenen ein Plätzchen gefiel, an dem er sich ansiedelte, und von dem er aus wirkte. Es soll auch einen Mann gegeben haben, der eine Wünschelrute besaß, mit der er Metalle und Wasser in der Erde entdecken konnte; er ist aber sehr arm geblieben, und nachdem sie ihn hatten steinigen wollen, ist er in die fernste Tiefe des Waldes entflohen. (HKG I, 5, 78—79)

Von dem gerade noch sichtbaren Rand der Negativität bewegt sich aber das Leben im Wald vorwärts. Der Einzelne wirkt von seiner Stelle aus positiv zivilisatorisch: „Dort lichtete er den Wald um die Hütte, legte sich eine Wiese an, davon er ein paar Rinder nährte, ließ seine Ziegen und Lämmer in das Gesträuche des Waldes gehen, . . . So eine Hütte war auch die meines Vaters . . ." (HKG I, 5, 79). Die Rückkehr des Sohnes Augustinus ist nur positiv bestimmt, als Heimkehr zur Familie, als ästhetische Sehnsucht: „Wer einmal Berge, auf denen die geselligen Bäume wachsen, dann lange dahin ziehende Rücken, dann das bläuliche und dunkle Dämmern der Wände und das Funkeln der Luft darüber lieb gewonnen hat, der geht alle Male wieder gerne in das Gebirge und in die Wälder. Ich kam nicht in die Gegend meiner Heimat zurück, um mich da zu bereichern, sondern um in all diesen Thälern, wo die Bäche rinnen, und auf den Höhen, wo die Tannenzacken gegen die weiße Wolke ragen, zu wirken, und denen, die da leben, Wohlthaten zu erweisen." (HKG I, 5, 72) Auf diesem unverdächtigen Grund der ethischen und ästhetischen Einschätzung wird der Wohlstand errichtet, die Landschaft in Besitz genommen. Noch das Nachwort nimmt diesen Bezug zur Kolonisierung auf; einmal in dem Hinweis, wie der Doktor „bei der Einführung der Kartoffeln so viele Hindernisse gehabt habe" (HKG I, 5, 233), zum andern und in befremdlicher Weise in der Charakteristik der Handschrift, in der spätere Glossierungen die verblichenen Partien überlagerten „wie übermüthige Ansiedler und Anbauer, welche die armen Ureinwohner fast zu verdrängen strebten" (HKG I, 5, 232). Auf den Obristen und Augustinus kann dies nicht gemünzt sein, jedenfalls spart die *Studienmappe* diese, wie der Vergleich zeigt, immerhin vorhandene Denkmöglichkeit in der Gestaltung aus.

Aber auch die in gesellschaftlicher Hinsicht reduzierten Zustände schließen die Gewalt nicht aus; gerade dort erscheint sie elementarer, die „Natur" ist der Bereich, der ihr Maß und Legitimation gibt. Margarita weicht zurück „vor dem harten Felsen der Gewaltthat" (HKG I, 5, 187), die der Obrist dem Augustinus zuschreibt, die diesem aber nicht ansteht. In der Aggression des Augustinus gegen sich selbst, die nichts mehr zu tun hat mit dem lächerlich-rabiaten Liebeskummer der *Journalfassung* (aber dennoch nicht so weit zurückgenommen ist wie in der *Letzten Mappe*) „kommentiert" die Natur die intendierte Gewalttat: ihre Gegen-Gewalt ist die des furchtbaren Schweigens: „Die Grille zirpte nicht", heißt es in der entscheidenden Szene (HKG I, 5, 34). Als sich die Spannung gelöst hat — „Siehe, da klang auf einmal hell und klar, wie ein Glöcklein, die Stimme der Grille, und klopfte mit einem silbernen Stäblein an mein Herz — gleichsam mit einem feinen, silbernen Stäblein klopfte das mißachtete Thier an mein Herz, als sagte es mir deutliche menschliche Worte. Beinahe hätte ich mich gefürchtet." (HKG I, 5, 36) Der Begriff von Natur, der hier eintritt, strengt Umdeutung und Revision gängiger Vorstellungen an, setzt Größe und Wirkung, Geräusch und Gewalt in ein neues Verhältnis. Am eindrucksvollsten geschieht dies in der Darstellung des Eisbruchs, in der Anschein und reale Wirkung, Gewalt und Geräusch (im lösenden Tosen des Föhnwindes) kontrastiert werden. In einer sehr allgemeinen Weise und ohne daß die Darstellung konkret funktionalisiert werden könnte, ist hier noch einmal das Thema von scheinbarer Gewaltsamkeit und eigentlicher, stiller Gewalt aufgenommen.

Die „geschreilose Schlacht" (HKG I, 5, 115) des Eisbruchs entzieht sich menschlicher Einwirkung, ihr Ende ist aber gut. „Ich kann euch nicht helfen, Gott ist überall groß und wunderbar, er wird helfen und retten" (HKG I, 5, 115), so tröstet Augustinus die Waldbewohner. Durch die Betonung des Individuellen und seiner Herausbildung an der Natur bis zur Gesellschaftsfähigkeit (am Ende steht das Fest des Scheibenschießens in Pirling) entsteht so der ästhetische Schein der *Robinsonade,* die das isolierte „naturgemäße Individuum . . . nicht als ein geschichtlich entstehendes, sondern von der Natur gesetztes", nicht „als ein historisches Resultat, sondern als Ausgangspunkt der Geschichte" behauptet.[13] Indem allerdings der Beruf des Arztes und nicht, wie in den Robinsonaden des 18. Jahrhunderts, der Jäger oder Fischer zugrundegelegt wird, ist das Verhältnis von Naturbeherrschung und Entwicklung sozialer Kompetenz immer schon enger vermittelt als beim urtümlichen Warenproduzenten, der Warencharakter von Diagnose und Therapie stärker verdeckt. Dennoch bereitet gerade dieser Punkt Schwierigkeiten, in der *Letzten Mappe* noch stärker als in der *Studienmappe,* wo der ökonomische Anfang und Aufstieg des Doktors unproblematisch bleibt. Darauf ist zu einem späteren Zeitpunkt noch einzugehen. Auch die Betonung des Individuellen in der *Studienmappe* ist im Vergleich mit der *Letzten Mappe* ersichtlich.

Den Rückschlag in der Beziehung zu Margarita verarbeitet Augustinus durch verstärkte Konzentration auf sich selbst, und zwar im Sinne des beschriebenen „kolonistischen" Ausbaues seiner Person (HKG I, 5, 195), seiner Naturkenntnis, durch Besitznahme und Ausbau des Besitzes:

So will ich denn nun Thal ob Pirling, dachte ich, über dem der traurige Himmel ist, ausbauen, und verschönern, hier will ich machen, was meinem Herzen wohl thut, hier will ich machen, was meinen Augen gefällt — die Dinge, die ich herstelle, sollen mich gleichsam lieben; ich werde mich mit dem umringen, was mir Freude macht, ich werde immer hier bleiben, und werde die Menschen lieben, die in meinem Haus sind, und werde die Thiere lieben, die mir dienen, oder die sonst bei mir erzogen werden. Dann sollen diejenigen, die, wenn sie den Namen Thal ob Pirling aussprechen, immer nur mein Haus allein dabei im Auge haben, nicht aber die Gruppe von Hütten, die früher diesen Namen trugen, noch mehr Recht bekommen, wenn sie nur das Haus so benennen. (HKG I, 5, 195)

Dem Knaben Gottlieb, dem er ein Grundstück kauft, ist ein ähnlicher Lebensentwurf vorgezeichnet. (HKG I, 5, 196) Das heißt: Gerade die intensive Bezogenheit auf sich selbst, das ist das Paradox dieser Gesellschaftsauffassung, bringt ein Sozialverhältnis hervor, das sich zunächst, wie zitiert, in Ehre und Ansehen äußert, schließlich aber auch Verständigung ermöglicht. Isolation und Kommunikation bleiben aber dennoch in einem prekären, unaufgelösten Verhältnis. Zwar erkennt Augustinus, „daß viele um mich wohnen, die ich zu beachten habe", „aber alle bauen sie an einem kleinen Orte der Fluren einen Wohnplatz, wie ich, über dessen Rand sie kaum hinaus sehen auf die andern, die überall leben". (HKG I, 5, 198) So kann der Arztberuf mit seiner umfassenden sozialen Verpflichtung wohl die Vereinzelung in gewisser Weise auflösen, aber gerade darin besteht wiederum sein Besonderes und Partikulares, das den anderen Vereinzelten nicht nachvollziehbar ist. Demgemäß wäre auch das Prinzip der Aufschreibung, das Augustinus aus seiner Einsamkeit heraus befolgt und als Denkmal des individuellen Lebensgangs anzielt, in geringerem Maße zu allgemeiner Nachfolge geeignet.

Die *Letzte Mappe* verändert diesen Ansatz auf charakteristische Weise. Die Zurückweisung durch Margarita trifft einen Augustinus, der über weitaus größere Erfahrung und größere gesellschaftliche Kompetenzen verfügt. Er hat die Beziehung zwischen Eustach und Christine (in aufgeschriebener Form) vor sich, er ist durch Feste, Besuche und Einsprachen bei den heiratsfähigen Töchtern der Industriellen in der Umgebung gesellschaftsfähig. Anläßlich der Reisen nach Prag kann er auch seinen Status als „Waldbürger" gegenüber dem städtischen Patriziat formulieren und als *Fülle* darstellen. „Das ist ja viel zusammen", „Ach, das ist ja eine Menge", sagt

Jakoba, die Tochter des Bürgermeisters, der er berichtet.[14] Die Fülle ist nicht nur eine der Naturdinge, die „da" sind, sondern der bürgerlichen Eßkultur (Porzellan, Silber, Kristall), wie anläßlich des Besuchs des Obristen berichtet wird (GW 12, 169), die die „schöne Ordnung von Gaben: Kuchen, Weißbrot, Milch, Honig, Butter, Käse, Obst, Waldfrüchte, feinen Hausschinken, Wasser und Wein" (GW 12, 169) erhöht zur Geltung bringt. So ist auch die Reaktion des Augustinus auf die Zurückweisung weniger elementar; von Selbstmord ist nicht mehr die Rede. Die Gründe des Versagens werden von Augustinus in einer langen Reflexion ausgebreitet. Dabei tritt im Resümee der Gewalttaten und Mängel die Defizienz in bezug auf Bildung und Aneignung kultureller Werte besonders hervor. Augustinus bezichtigt sich, die Dichtung nicht genügend gewürdigt zu haben wie Eustach, keine Bücher oder Bilder zu besitzen, wie der Obrist, keine ökonomische oder soziale Wirkung ausgeübt zu haben, wie die Industriellen und Kaufleute seiner Gegend. „Wie habe ich nun unter diesen Leuten gelebt? Ich bin nur so unter ihnen gewesen, wie es meine Art ist, wie es mir zufällig in den Sinn kam und wie so viele hier untereinander leben." (GW 12, 244) Der Obrist, der Webereibesitzer Ferent, der Freiherr von Tannberg, der Fürst mit seinem Garten sind ihm in dieser Beziehung voraus, zu ihnen will er aufschließen. Am Beispiel Keplers ist es ihm erwiesen, daß er solche, ja sogar welthistorische Geltung auch auf seinem eigenen Gebiet, der Naturbeobachtung, erreichen kann. In Anbetracht dieser Ziele rückt das bloß Private in den Hintergrund. „Und wenn du deinem Herzen wehe getan hast, daß es zucket und vergehen will oder daß es sich ermannt und größer wird, so kümmert sich die Allheit nicht darum und dränget ihrem Ziele zu, das die Herrlichkeit ist. Du aber hättest es vermeiden können oder kannst es ändern, und die Änderung wird dir vergolten; denn es entsteht nun das Außerordentliche daraus." (GW 12, 248—249)

Weit größere Mühe als das Außerordentliche möglich erscheinen zu lassen, bereitet es dem Dichter der *Letzten Mappe,* das Ordentliche, der Gesellschaftsordnung Gemäße, wirklich werden zu lassen. Wie kommt es, daß der Arzt Augustinus in der *Letzten Mappe* solche Mühe hat, seine ärztliche Praxis zu begründen? Unter den vergleichsweise urtümlichen Verhältnissen der *Studienmappe* hatte sich schon beim Auspacken nach der Heimkehr der erste Patient eingefunden und war nach seiner Gesundung unaufgefordert mit dem Honorar erschienen. (HKG I, 5, 74 u. 78) In dem zivilisierten Zustand der *Letzten Mappe,* der Fabrikanten, Freiherrn, eine funktionierende Gemeindeverwaltung und also wohl auch Ärzte kennt, gelingt dies nicht. Eine Kuh aus dem Besitz des Vaters muß verkauft werden, „[d]ie weißen Papiere zu Krankenbemerkungen waren unbeschrieben, die Schwester hatte an dem Feuer nur die Speisen zu kochen, der Inhalt der Arzneigläser minderte sich nur durch Verderben, und die getrockneten Kräuter neigten sich dahin, Staub zu werden". (GW 12, 77) Zur Gründung der Praxis, ja überhaupt zum öffentlichen Bewußtsein dessen, was ein Arzt sei, bedarf es des Bettlers Tobias, einer Figur mit mythischen Zügen. Sie leistet im Gesamt der Erzählung zweierlei. Zum einen hilft sie, die ärztliche Praxis vom sozialen Grund her, von der untersten Stufe aus zu begründen und legt den Anfang zu einem Weg, der an der Spitze der sozialen Hierarchie endet: bei der Heilung Isabellas, der Tochter des Freiherrn von Tannberg, durch Gesprächstherapie. Dadurch ist sowohl die soziale Skala seines Wirkungsbereichs ausgeschöpft, wie auch die therapeutische, die, nach der chirurgischen Operation an einem Waldbewohner durch die heilende Gewalt des Skalpells wie des Wassers, zur Psychotherapie vorstößt. Zugleich langt sie dort an, wo der Bettler Tobias immer schon war, wenn er bei seinen Besuchen und Gesprächen mit den Leuten seine Funktion erfüllte. Zum zweiten leistet Tobias eine Revidierung des Begriffs vom „Bettler", der in der Geschichte von den „zween Bettlern" ein Potential des Widerstands in der Wohlstandsgesellschaft der *Mappe* aufgezeigt hatte. Durch die Figur des „wahren" Bettlers Tobias gelingt es, den „Bettler" des studentischen Aufbegehrens zu metaphorischem Unernst zu relativieren. Was dort Redensart im Rotwelsch der Studenten war, ausgesprochen unter der Einwirkung des Melniker Weines, wird hier „richtig" dargestellt. Nicht nur durch Augustinus selbst wird diese Phase des Aufbegehrens überwunden, indem er in den Wald geht und schließlich diejenigen erreicht, denen er sich in der Stadt unterlegen fühlte, sondern auch durch Tobias, der das Betteln nicht aus Depravation, sondern als soziale Aufgabe ausübt: er tröstet und gibt zugleich den Menschen Gelegenheit zur Ausübung der Mildtätigkeit, die sonst, in einem Zustand, in dem alle prosperieren, überflüssig würde. So stabilisiert er, als ein anderer Arzt mit weitem Wirkungsbereich, den psychischen Haushalt der Ansässigen in einer Weise, die Aggressivität auf beiden Seiten nicht aufkommen läßt. Im Kontrast dazu steht das Verhalten des Augustinus gegenüber dem Prager Juden, mit dem er zu unterschiedlichen Malen in Geschäftsverbindung tritt. Der Jude wird als Personifikation unredlichen Erwerbs so lange der Härte und Aggressivität des Augustinus ausgesetzt, bis dieser in der Lage ist, den geforderten Preis (für den Schreibtisch) zu zahlen, ja er bezahlt selber einen höheren Preis, als der Jude fordert; die Aggressivität weicht unter den gesicherten ökonomischen Bedingungen und im Bewußtsein, selbst die Normen setzen zu können, der bloßen Gleichgültigkeit gegenüber dem (sozial und wissensmäßig) inferioren Geschäftspartner.

Es zeigt sich also, daß der erheblich verbreiterte und ausdifferenzierte Gesellschaftsentwurf der *Letzten Mappe* an den prekären Rändern der dargestellten Gesellschaft Problematisches und Unaufgelöstes behält, wie die Figur des Juden, oder es, wie die Figur des Bettlers Tobias bzw. die Fundierung des ökonomischen Aufstiegs bei Augustinus, die mit Tobias so charakteristisch verknüpft ist, durch den starken formalen Zugriff der Allegorisierung bändigt. Die größere Differenzierung der gesellschaftlich-positiven Aspekte und ihre souveräne erzählerische Behandlung, wie sie die *Letzte Mappe* von den anderen Fassungen abhebt, kommt gerade an diesen Punkten auf ästhetische Lösungen zurück, die stark abschließenden, postulativen Charakter haben. Schließt man von hier auf die pragmatische Situation der *Letzten Mappe* zurück, so kann vermutet werden, daß unter den sonst relativ gesicherten, stabilen Verhältnissen der nachrevolutionären Epoche gerade die Momente gesellschaftlich-ökonomischen Aufstiegs und des damit verbundenen Konfliktpotentials besonderer Sorgfalt und Intensität bedurften. Der stark thesenhafte Charakter der *Studienmappe* wird hier punktuell wieder erreicht.

Auf der anderen Seite der sozialen Skala, im Bereich des Fürsten, leistet die Kunst, wie sie im „Garten" repräsentiert ist und die Gegensätzlichkeiten von Ökonomie (Landbau), Natur (Wald) und ästhetisch-menschlichen Ansprüchen (die ästhetische Erfahrung und die Erinnerungen des Augustinus) vereinigt, diesen Abschluß im Sinne vollendbarer Wirklichkeit. Augustinus kann durch den Garten Eustach wieder erreichen und gliedert sich ein in die Gesellschaft derer, die den Park erkennend benützen.

So ist der Bereich, in dem die Linien der Handlungsführung zusammenlaufen und der auch begrifflich in den Gesprächen zwischen Augustinus und dem Fürsten verhandelt wird, ästhetisch geschlossen, wenn auch ein restriktiv ausgrenzender Begriff von Kunst dafür als nichtzureichend erachtet wird. „Kunst und Natur, Bildung und Praxis sind jeweils ident, eine einheitliche Substanz; an den Unterschieden liegt nichts, an der Identität alles."[15]

Die Mappen des Augustinus, als sich vervollständigende Aufschreibungen des Lebens, sind ein solches Werk von Natur und Kunst zugleich und stellen sich den anderen Manifestationen gleichen Ursprungs, wie dem Garten oder den Zeichnungen des Eustach, in denen er selber erkennbar wird, zur Seite. In diesem Bereich der totalen Ordnung ist also das „Außerordentliche" als Werk, das Werk der Biographie als außerordentliche Abschließung des Lebens möglich und jener Zufälligkeit entkleidet, die noch die *Journalfassung* in ihrer spielerischen Zurückweisung des „Romans", in dem sich alles wiederfindet, zugelassen hatte. Jenseits der politischen Forderungen, die Stifter aus aktuellen Anlässen an das handlungsfähige Subjekt gestellt hatte, ist also vollendete Ordnung nachdrücklich und grundlegend gefordert. An den fragwürdigen Ausgrenzungen, die das Erzählte gegen die ihm aufgesetzten Postulate der Totalität durchscheinen läßt, ist die Anstrengung ersichtlich, die nötig war, sie gegen die andringende historische Realität zu behaupten.

Anmerkungen

1 *Briefe aus dem Vormärz,* hg. von O. Wittner (Prag, 1911), S. 342—343.
2 Hieronymus Lorm, „Das literarische Dachstübchen", *Europa,* 1847, Nr. 28, S. 706—707.
3 Vgl. Thomas Luckmann, „Persönliche Identität und Lebenslauf — gesellschaftliche Voraussetzungen", in: *Biographie und Geschichtswissenschaft,* hg. von G. Klingenstein, H. Lutz und G. Stourzh, Wiener Beiträge zur Geschichte der Neuzeit, 6 (München, 1979), S. 29—46.
4 Max C. Gritzner, *Flüchtlingsleben* (Zürich, 1867), S. 76.
5 Friedbert Aspetsberger, „Die Aufschreibung des Lebens. Zu Stifters *Mappe",* VASILO, 27 (1978) 1/2, S. 11—38, S. 13.
6 Ferdinand Kürnberger, „Keine Zweikammer-Verfassung", *Der Freimüthige,* 27. 4. 1848, S. 95; vgl. Wolfgang Häusler, *Von der Massenarmut zur Arbeiterbewegung* (Wien, München, 1979), S. 220.
7 Häusler, S. 306—307.
8 Zur Entschärfung dieses Gesetzes trugen u. a. auch Moritz Saphir, Friedrich Hebbel, Karl Moering, Adolf Bäuerle, Ludwig August Frankl, Joseph Rank und Siegmund Engländer durch Ausschußarbeit bei. Vgl. Josef Alexander Helfert, *Die Wiener Journalistik im Jahre 1848* (Wien, 1877), S. 52.
9 Helfert, S. 50.
10 Franz Grillparzer, *Sämtliche Werke.* Historisch-kritische Gesamtausgabe, hg. von A. Sauer und R. Backmann (Wien, 1909—1948), I, 13, 10, 130. Die Realität hielt dem nicht stand, nicht einmal was die moralische Qualität des Feldherrn betraf. „Ich hatte mir ihn als einen ächten Menschen gedacht", schreibt Grillparzer nach einem Besuch bei Radetzky, „und muß ihn nun, unbeschadet der Dankbarkeit für seine Verdienste als einen Schlaukopf betrachten, der alles zu seinen Zwecken benützt, selbst die Poesie, so lang er sie braucht." II, 11, 197.
11 Christoph Buggert, *Figur und Erzähler. Studie zum Wandel der Wirklichkeitsauffassung im Werk Stifters* München, 1970), S. 91.
12 Aspetsberger, S. 19.
13 Karl Marx, Friedrich Engels, *Werke* (Berlin,1956), 13, 615.
14 Adalbert Stifter, *Gesammelte Werke in vierzehn Bänden,* hg. von K. Steffen (Basel und Stuttgart, 1963), 12, 102—103 (GW 12, 102—103). Für die letzte Fassung wurde diese an der Handschrift revidierte Edition der in der Prag-Reichenberger Ausgabe vorgezogen.
15 Aspetsberger, S. 30—31.

Summary

Because it exists in various versions, Adalbert Stifter's *Mappe meines Urgroßvaters* occupies a special place in Stifter's total oeuvre. The many re-workings, with which Stifter continued up to the end of his life, mean that the *Mappe* has functioned as a key text for scholarly studies concerned with Stifter's stylistic and artistic development. The present paper is a contribution to this discussion, and seeks to follow a thematic complex such as violence through the process of its artistic treatment and to link it to contemporary manifestations of violence in the public realm. The various versions of the *Mappe* emerge as responses to political and social events — not as direct political commentary, but rather as the artistic transformation of these issues. In order to illustrate the possibilities of mediation between art and sociopolitical experience reference is made to Stifter's statements in letters, to his programmatic observations on the function of art and the role of the writer.

As becomes clear from remarks made by the contemporary critic Hieronymus Lorm, Stifter found himself, precisely during the period when he was re-casting the *Journalfassung* into the *Studienfassung*, challenged by demands for politicized literature from the 'Vormärz' writers who insisted that art should take account of the tense political situation of the 1840's. But Stifter is emphatic in asserting the divorce between art and the concerns of the day. Even so, the problem of violence appears as a moral issue in the *Studienmappe* — especially in the Obrist's story and in the relationship between Augustinus and Margarita. It is taken up in the mode of 'recording' a life: this process, which is one of reflection and memory, makes possible a distancing from — and also a consolidation of — the fulfilment of a life, so that capricious expressions of impatience or violence disappear, and the biography, in the form of notebooks ('Mappen'), gains in consistency and exemplary character. This form of 'recording' should be linked with the particular consciousness of the rôle of the writer which Stifter develops. Stifter's principled statement on this issue is the essay *Über Stand und Würde des Schriftstellers* which was written in response to the revolutionary events of March 1848 and the attainment of freedom of the press. In that essay Stifter demands that artistic statements should be representative of the totality of contemporary political and social events — and anchors that representativeness in the character and disposition of the writer. But the radicalism of this postulate collides with the radically changed circumstances which make consistent and unambiguous parameters of judgment and behaviour appear desirable — but not attainable. A constitution and parliamentary representation were advocated as the political means for integrating the various divergent interests. But this demand came to nothing. Stifter transfers the enactment of these conflicting claims and interests into the characterological and psychological constitution of the individual, and thereby, given the success of such integration, he implies that the public, political conflict is largely irrelevant. His statements from the post-revolutionary period reveal an increasingly resigned attitude towards the opportunities for any kind of political effectiveness: and he goes on to assert a greater concentration on the demands of art as a separate realm which both accounts for and transcends everyday reality.

It is illustrative of this that the rewriting process which culminates in the *Studienmappe* reveals a weightier invocation of the inventory of 'things' with reference to the central figure of Augustinus who, like the figure of the Obrist, thereby acquires greater unity and representativeness. The writings lose the fragmentary, contingent character of the *Journalfassung* and acquire a binding function, one which touches the heart of his successor and commits him to a rôle within a story which concerns familial bonds. And, in conceptual and intellectual-historical terms, this story countermands the reality of history with its hatred and violence. Nature, in which gentleness and violence coexist in primal unity, reveals the criteria for right action. Thereby the *Studienmappe*, in that it traces events and activities back to primal causes, both natural and man-made, and thereby legitimizes them, takes on the aesthetic mode of the 'Robinsonade'. This can be seen most clearly in the descriptions of clearing the forest, of taking possession of the land and founding a new community — all of which are central to the biography of Augustinus. The omission of the 'Geschichte der zween Bettler' is particularly striking, because this account in the *Journalfassung* of the student days in Prague embodies a challenge to the existing social order.

The *Letzte Mappe* takes up this story again, but integrates it into the social context which is broader and more differentiated and in which the elements of the founding of a new community and the beginnings of civilized life play a less conspicuous rôle. But particularly in the transformed figure of the beggar Tobias these themes re-appear. Thanks to him, Augustinus can establish his medical practice and lay the foundations of his subsequent prosperity. At the same time the quasi-mythic conception of this figure suggests that 'beggardom' is not a depraved condition, but rather a socially legitimized form of existence which offers comfort to the other members of society on the one hand, and on the other gives them the opportunity to communicate, and to express their caritative needs. In this version, the contradictory impulses of the Prague story are overcome and transcended by means of the allegorical statement.

The realm upon which all the strands of the action converge is an aesthetic one, as expressed in the Prince's park, in which, according to the putative conclusion of the *Letzte Mappe,* the completed life stories of Eustach and Augustinus should come together again. In the utopia of the garden, which, being designed according to the plans of Eustach, will reconcile function and beauty with no hint of conflict, the biography is rounded off as a 'work' of self-mastery which is also attainable in retrospective terms, through the empirical process of recording one's life. The *Letzte Mappe,* within the privileged conditions of the aesthetic, urgently postulates that perfected constitution of the individual which was so called into question by the political and social events of the time.

Adalbert Stifters „Österreichisch".
Die Sprache des Erzählers in der Deutung Rilkes

Joachim W. Storck

I

Als sich der neunzehnjährige Rilke im Wintersemester 1895/96 an der Prager deutschen Universität immatrikulierte, belegte er unter anderem die Hauptvorlesung August Sauers, der dort seit 1886 den Lehrstuhl für deutsche Literaturgeschichte innehatte. Thema der Vorlesung war die „Geschichte der deutschen Literatur in der ersten Hälfte des 19. Jahrhunderts".[1] Ob Sauer in diesem Rahmen, neben der ausführlichen Behandlung Franz Grillparzers, dessen Werke er seit 1892 herausgab, auch noch den frühen Stifter, den Verfasser der *Studien*, behandelt hat, läßt sich nicht mehr feststellen. Beim jungen Rilke sind jedenfalls keine Spuren hiervon zu entdecken. Diesem stand ohnehin der Sinn vornehmlich nach der neuesten Literatur und dem Treiben der poetisierenden Prager Jugend. So war es auch die Lyrikerin Hedda Rzach — sie wurde damals die Frau August Sauers —[2], über die eine persönliche Beziehung des verseschmiedenden Studenten zu dem einflußreichen germanistischen Ordinarius zustande kam, die auch nach Rilkes Fortgang von Prag anhielt und in gelegentlich gewechselten Briefen bestätigt wurde. Sauers maßgeblicher Einfluß auf die „Gesellschaft zur Förderung deutscher Wissenschaft, Kunst und Literatur in Böhmen"[3] verschafften dem Studenten wie dem werdenden Dichter gelegentlich finanzielle Unterstützungen, wofür sich Rilke dann auch mit der Widmung seines 1899 erschienenen Gedichtbandes *Mir zur Feier* erkenntlich zeigte.[4] Von Stifter, dessen Erforschung August Sauer sich um die Jahrhundertwende zugewandt hatte, war in den Briefen zu jener Zeit nie die Rede.

Tatsächlich begegnete Rilke diesem, für ihn ja „landsmännischen" Erzähler aus dem Böhmerwald erst im Jahre 1910, als ihm bei einem Besuch der Geschwister Nádherný auf Schloß Janowitz in Mittelböhmen die Erzählung *Der Condor* in die Hände fiel, die es ihn sogleich seinen Gastgebern vorzulesen drängte.[5] Die Erinnerung an diese, in der Zeit seiner Schaffens- und Lebenskrise erfahrene Lesebegegnung war es dann, die zwei Jahre später, in der Mitte des in Spanien verbrachten Winters 1912/13, bei dem lesehungrig gewordenen Rilke das Bedürfnis weckte, den Umgang mit dem ihm damals noch so gut wie unbekannten Werk Stifters zu vertiefen. „Stifter, lieber Freund, möchten Sie mir ein paar Bände Stifter schicken lassen": mit diesem Wunsch wandte er sich am 7. Januar 1913 an seinen Verleger Anton Kippenberg nach Leipzig, nachdem er in der südspanischen Gebirgsstadt Ronda eine Zuflucht und Winterbleibe gefunden hatte.[6]

Was sich in den nun folgenden Wochen, im Anschluß an eine großzügige Wunscherfüllung durch den Verleger[7], innerlich und äußerlich während und infolge dieser Lektüre bei Rilke begeben hat, macht ein Brief deutlich, den der Dichter ein Jahr später, am 11. Januar 1914, aus seinem Pariser Domizil an seinen alten Lehrer und Förderer August Sauer richtet.[8] Die Tatsache, daß er in diesem nun auch den Herausgeber der historisch-kritischen Stifter-Ausgabe, die 1901 zu erscheinen begonnen hatte[9], zu entdecken vermochte, veranlaßt ihn zu einer Anfrage und Bitte, die sich nicht scheut, weit auszuholen. Rilke beginnt dabei mit folgendem Rückblick:

Seit meinem vorigen Winter ist mir Stifter zu einem ganz eigenen Gegenstand der Liebe und der Erbauung geworden: nie werd ichs vergessen, wie ich dort, im südlichen Spanien, von einem unerklärlichen Gefühl der Fremdheit gleichsam von allen Seiten angefallen, die ausgesprochenste Not empfand, mich zu etwas Vertraulichem zu retten; wie mir zu solchem Beistand kein Buch recht eigentlich auszureichen schien; wie ich mir schließlich, aus den Bänden, die der Insel-Verlag mir nach und nach zugesendet hatte, die schöne Sammlung „Deutsche Erzähler" in meine Abende vornahm und, mich damit einlassend, auch wirklich einen freundlichen Umgang voraus sah, der mir die nächsten Wochen mildern und innerlich aneignen dürfte; wie ich aber dann plötzlich, eines solchen Abends, meinem kleinen Kaminfeuer gegenüber, von dem unvergleichlichen „Gegenbild" in den „Hagestolzen" hineingerissen wurde und nun auf einer solchen Neigung meines Wesens diesen Blättern zustürzte, daß ich gewissermaßen ganz in ihre Strömung mündete und aufging. Worauf es wirklich Stifter wurde, der mich Abend für Abend den Einflüssen einer mich großartig überholenden Natur entzog, um mir in seiner verhältnismäßigen Welt reine Unterkunft und geschützte Erfreuung zu bieten.

Im weiteren Verlauf dieses Briefes berichtet Rilke, wie er zunächst die *Studien,* später den *Nachsommer* gelesen habe, und wie es ihm nun darum zu tun sei, auch die *Briefe* Stifters und die *Bunten Steine,* möglichst sogar in Erstausgaben, zu erhalten. Nachdem er nun aber, auf Grund seiner Beschäftigung mit Stifter, von der Herausgabe von Stifters *Sämtlichen Werken* durch Sauer erfahren habe, dränge es ihn auch, diese Ausgabe zu subskribieren.

Rilke beschließt seinen Brief, indem er versucht, dem einstigen Lehrer und jetzigen Stifter-Editor gegenüber eine Art Summe seiner bisherigen Beschäftigung zu ziehen. Sie enthüllt auf erstaunliche Weise, was das Stifter-Erlebnis des Lesers Rilke — ein Rezeptionsphänomen besonderer Art — auch für dessen eigenes Selbstverständnis bedeutete, und sie vermittelt zugleich eine Stifter-Deutung von eigenwilligem Gepräge, von der wir einige Aspekte näher betrachten wollen.

Rilke resümiert an der genannten Stelle[10]:

Irr ich mich, oder ist er wirklich eine der wenigen künstlerischen Erscheinungen, die uns dafür entgelten und darüber trösten, daß Österreich, dem eine eigentliche Durchdringung seiner Bestandteile in keinem Sinne beschieden war, zu einer ihm eigenen Sprache nicht hat bringen dürfen? Je älter ich werde, je schmerzlicher führe ich diesen negativ vorgezeichneten Posten mit, er steht gleichsam als Schuldübertrag auf jeder neuen Seite meiner Leistungen oben an. Innerhalb der Sprache, deren ich mich nun bediene, aufgewachsen, war ich gleichwohl in der Lage, sie zehnmal aufzugeben, da ich sie mir doch außerhalb aller Spracherinnerungen, ja mit Unterdrückung derselben aufzurichten hatte. Die unselige Berührung von Sprachkörpern, die sich gegenseitig unbekömmlich sind, hat ja in unseren Ländern dieses fortwährende Schlechtwerden der Sprachränder zur Folge, aus dem sich weiter herausstellt, daß, wer etwa in Prag aufgewachsen ist, von früh auf mit so verdorbenen Sprachabfällen unterhalten wurde, daß er später für alles Zeitigste und Zärtlichste, was ihm ist beigebracht worden, eine Abneigung, ja eine Art Scham zu entwickeln sich nicht verwehren kann. Stifter, in der reineren Verfassung des Böhmerwaldes, mag diese verhängnisvolle Nachbarschaft einer gegensätzlichen Sprachwelt weniger wahrgenommen haben, und so kam er, naiv, dahin, sich aus Angestammtem und Erfahrenem ein Deutsch bereit zu machen, das ich, wenn irgend eines, als Österreichisch ansprechen möchte, so weit es nicht eben eine Eigenschaft und Eigenheit Stifters ist und nichts anderes als das. Erstaunlich ist aber die Stärke der Gültigkeit, mit der es sich durchsetzt, auch wo es nur im persönlichen Bedürfnis seinen Ursprung hat, für das in der Beschränkung so weite Erlebnis dieses Geistes die lautere Gleichung aufzustellen. Wenn man, nach der einen Seite hin, den Dichter daran ermessen mag, wie weit sein Ausdruck auch noch den unzugänglichsten Verhältnissen seiner Seele entgegenkommt, so wird man Stifter zu den, in diesem Verstande, glücklichsten und somit auch größten Erscheinungen zu rechnen haben . . .

In diesem Deutungsversuch Rilkes vermischen sich, kaum unterscheidbar, persönliche Bekenntnisse des — gegenüber Sauer — zeitgenössischen Dichters und Stifter-Lesers mit vorsichtig umschriebenen Einsichten in das, was ihm als das Wesen der Erzählkunst Stifters und damit, als deren Mitte und Medium, seiner Sprache erscheint. Dabei wird sogleich deutlich, daß Stifter in dieser Sicht Rilkes eine besondere, in einem bestimmten historischen und ästhetischen Kontext repräsentative Bedeutung zugemessen erhält. Wir wollen versuchen, diese etwas genauer zu beleuchten und ihre wechselseitige Funktion für den produzierenden wie den produktiv aufnehmenden Partner dieses Rezeptionsverhältnisses herauszuschälen.

II

Die beiden entscheidenden Schwerpunkte des soeben zitierten Brieftextes betreffen ohne Zweifel den sowohl historisch wie kultursoziologisch verstandenen Begriff „Österreich" und den Problemkreis der Sprache. In ihrem Spannungs- und Bedeutungsfeld versucht Rilke ganz offensichtlich sein Verständnis Adalbert Stifters anzusiedeln. Bezeichnend erscheint dabei, daß er den Zugang hierzu von der existentiellen Position seines eigenen Entbehrens aus gewinnt. Und da sind es gerade das Verhältnis zum alten Österreich — also zum Umkreis seiner Herkunft — und die Problematik der Sprache im Geflecht von regredierender Muttersprache, Sprachwechsel und Ausdruckskrise, worin sich dieses Entbehren am gründlichsten und schmerzhaftesten konkretisiert.

Wenn Rilke auch immer wieder die deutsche Sprache als das ihm „angemessene herrliche . . . Material" zu rühmen wußte[11], so war und blieb doch sein Grundproblem das Auseinandertreten von sprachlicher Behausung und nationaler oder gesellschaftlicher Identität. In einem Brief an Ilse Erdmann vom Spätsommer 1915 betonte er einmal, daß er, obwohl er nicht „deutsch" empfinde und im Österreichischen erst recht kein Zuhause habe, dennoch „dem deutschen Wesen nicht fremd sein" könne, da er „in seiner Sprache bis an die Wurzeln ausgebreitet" sei. [12] Nach den Kriegserfahrungen jedoch ist sein Anklageregister gegenüber der zeitgenössischen Erscheinung Deutschlands so sehr angewachsen, daß er allein dessen „verborgene Wurzel" noch zu lieben vermag, und daß ihm, wenige Einzelmenschen ausgenommen, eine Identifikation nur noch mit der deutschen *Sprache* möglich erscheint. [13]

Mit dieser — ausdrücklich so genannten — „Bitterkeit" spricht Rilke eine neue Variante jenes „negativ vorgezeichneten Postens" aus, der ihm, wie es sein Brief an August Sauer erläuterte, aus der fehlenden Übereinstimmung von nationaler und sprachlicher Beheimatung erwachsen war, und der nun gleichsam als Schuldübertrag auf jeder neuen Seite seiner Leistungen obenan stehen mußte. Eine solche „neue Seite" war für Rilke erst wieder im Februar 1922 aufgeschlagen worden. Sie hatte den Dichter, nach langem, durch den kritischen Zweifel an jeder sprachlichen Aussagemöglichkeit verschärftem Schweigen, wiederum der „Verfügbarkeit" seines sprachlichen „métiers" versichert und eine erneute „Übereinstimmung" mit seiner Sprache hergestellt — mit der Sprache als seinem Mittel und Medium, nicht aber mit dem „Gebrauch", den seine Zeitgenossen von ihr machten. Diesen kennzeichnet er als ein Deutsch, das „meist so widerwärtig schlecht und faul gesprochen" werde. Und er rechtfertigt sein „Wohnen im Auslande" gerade auch damit, daß er bei seiner Arbeit jenes mißbrauchte und verdorbene Deutsch nicht um sich hören könne, sondern es dann vorzöge, von einer anderen, ihm als Umgangsmittel vertrauten Sprache umgeben zu sein. [14]

Daneben aber gewinnt Rilke sein so geartetes sprachliches Selbstverständnis, das sich jeder staatlich-politischen oder gesellschaftlichen Einfügung entzieht, aus einer Abhebung des Deutschen vom Französischen, von einer „selbstbewußten und selbstsicheren Sprache" also, an der er vor allem ihre soziale Autorität hervorhebt[15]:

Sie akademisiert, um mich so auszudrücken, den in sie geprägten und eingelassenen Beitrag, aber damit gibt sie ihm auch wirklich das Aussehen einer edlen Verständigung. Das deutsche Wort, dichterisch gesteigert, entschwebt der Gemeinsamkeit und muß erst von ihr irgendwie eingeholt werden . . .

Diese Erwägungen Rilkes, die Überprüfung der deutschen Sprache als seines Ausdrucksmittels, das Bedenken ihrer gesellschaftlichen Inkongruenz, aber auch seiner eigenen antinomischen Stellung zwischen bejahter Sprache und verneinter Nation: all dies entzündete sich an seinem Erlebnis der Sprache und der Erscheinung Adalbert Stifters und damit an seinem Versuch, diesen ihm zum „ganz eigenen Gegenstand der Liebe und der Erbauung" gewordenen Dichter inmitten des disparaten Geflechts von historischen Gegebenheiten und persönlichen Erfahrungen gültig anzusiedeln. Damit aber wird das Stifter-Erlebnis Rilkes, weit über eine beglückende Lese- und Bildungserfahrung hinaus, zu einem Wendepunkt seiner eigenen Entwicklung; es offenbart sich als jene entscheidende Wegmarke, an der er sich, vom „Gegenbeispiel" Stifters angeregt und zugleich herausgefordert, seines eigenen Verhältnisses sowohl zu der Sprache selbst, deren er sich bedient, als auch zu ihrer gesellschaftlichen, historischen und nationalen Bedingtheit kritisch inne zu werden sucht. Dies geschieht in dem zitierten Brief an August Sauer, der somit Rilkes ersten Versuch einer Gesamtwertung Stifters mit einer gleichzeitigen, bekenntnishaften Erhellung seiner persönlichen Sprachproblematik verbindet. [16]

Rilke geht bei der Darlegung dieser eigenen Sprachproblematik, die er als ein Äquivalent seiner Heimat- und Vaterlandslosigkeit erkennen läßt und zugleich als Ausdruck einer spezifisch „österreichischen Existenz" deutet, vom Entwurf einer imaginären „eigenen Sprache" aus, die eine innere Integrierung Österreichs hätte ermöglichen können, und für deren Fehlen gerade die künstlerische Erscheinung Stifters zu entgelten und zu trösten habe. Wie sehr es sich dabei um eine ihn selbst betreffende Entbehrung handelt, macht der Fortgang seiner Überlegungen deutlich, die sich an das Eingeständnis jenes beständigen, „negativ vorgezeichneten Postens" in der metaphorischen Buchführung seiner „Leistungen" anschließen. Rilke greift dabei, um vor einem solchen Hintergrund das Andersgeartete und zugleich das unverwechselbar Besondere an der Sprache und an der dichterischen Gestalt Adalbert Stifters erkennbar zu machen, auf seine eigene Entwicklung zurück, auf jene so bezeichnend ungünstigen Voraussetzungen, deren er sich, aufwachsend, zu entschlagen hatte. Dabei begründet er die nationale und gesellschaftliche Distanz seines Sprachbewußtseins aus seinen eigenen Kindheitserfahrungen, die für ihn zugleich entstellende und behindernde Spracherfahrungen waren. Natürlich vermischen sich hier subjektive Erlebnisse, deren Wurzeln in außersprachlichen Bezirken liegen, mit objektiven Gegebenheiten, zu denen etwa das hier angesprochene „Prager Deutsch" [17] gehört. Rilke greift es gleichsam als ein negatives Beispiel für die „österreichische Mehrsprachigkeit" heraus, ein Beispiel allerdings, das für ihn mit so vielen Kindheitsverdrängungen belastet ist — woraus sich dann, aus tiefenpsychologischen Gründen, „eine Abneigung, ja eine Art Scham" entwickeln mußte —, daß ihm ein gerecht abwägendes Urteil in diesem Falle kaum möglich war.

Dennoch benennt Rilke in der zitierten Briefstelle einige zutreffende Kennzeichen der damaligen böhmischen Sprachsituation. Was er dabei an Beschädigungen der eigenen Sprache beobachtet, das erscheint ihm ebenso anwendbar auf den anderen, mehrheitlichen Sprachkörper Böhmens: das Tschechische. Diese Sprache wurde durch jahrhundertelange Überlagerung durch das Deutsche nicht weniger entstellt als später das inzwischen regressiv gewordene Deutsche selbst. Aus diesen Bedingungen konnte sich dann, in den Mischsprachen des „Kuchelböhmischen" und des „Kucheldeutschen" [18], jenes von Rilke gerügte „fortwährende Schlechtwerden der Sprachränder" ausbreiten.

Für Rilkes eigene Sprachentwicklung, die erst im Augenblick der Begegnung mit der Dichtung Stifters auf sich selbst zu reflektieren begann, war jedoch, mehr noch als das „Kuchelböhmisch", die Erfahrung des eigentlichen „Prager Deutsch" als der Hochsprache der deutschen Minderheit in der böhmischen Hauptstadt von Bedeutung. [19] Dabei ist zu bedenken, daß Rilkes

Erfahrungen auch in diesem Punkte auf „die achtziger Jahre des vorigen Jahrhunderts" zurück-
gehen, von denen er bei anderer Gelegenheit einmal bemerkte, daß es „die geschmacklosesten
gewesen sein möchten, die die Geschichte aller Zeiten aufzuweisen hätte".[20] In ihnen aber gab
es ein „Schlechtwerden" nicht nur an den „Sprachrändern", sondern auch inmitten der einzelnen
„Sprachkörper" selbst — durch das Vordringen der Sprachklischees in einer epigonalen Bil-
dungssituation, durch die Oberflächlichkeit und Willkür im Sprachgebrauch, die aus der Ausbreitung des journalistischen Jargons ihren Nutzen zogen; durch die „Veräußerlichung" des
deutschen Lebens überhaupt.[21]

III

Daß Rilke sehr wohl zwischen seiner persönlichen Erfahrung, die er in dem Brief an August
Sauer zu verallgemeinern trachtete, und andersgearteten Möglichkeiten zu unterscheiden
wußte, beweist sein Verhältnis zu einem jüngeren Dichter, der aus dem gleichen Umkreis des
„Prager Deutsch", aus der gleichen „unseligen Berührung von Sprachkörpern, die sich gegenseitig unbekömmlich sind", hervorgegangen war: zu Franz Kafka. Die Prosa Franz Kafkas hat
Rilke etwa zur gleichen Zeit wie diejenige Stifters zu lesen begonnen.[22] Er war, wie er noch
1922 Kurt Wolff in seinem Dankbrief für den Erzählungsband *Ein Landarzt* versicherte, von Anfang an „nicht sein schlechtester Leser" gewesen.[23]

Seine dabei geäußerte Empfindung, jede Zeile Kafkas sei „auf das eigentümlichste" ihn „an-
gehend oder erstaunend", hat mehrere Wurzeln und Bedeutungen. Dazu gehört Rilkes „Erstaunen" darüber, daß dieser Dichter aus der gleichen Umgebung heraus, in der man von früh auf
mit „verdorbenen Sprachabfällen unterhalten" wurde, zu seiner Leistung aufwachsen und zur
Bemeisterung seiner Sprache gelangen konnte, von der Rilke wohl vermutet hat, sie sei gleichfalls „außerhalb aller Spracherinnerungen, ja mit Unterdrückung derselben" aufgerichtet worden. Beiden „in Prag aufgewachsenen" Autoren wurde, wenn auch in unterschiedlichen Gra-
den, jene Entbehrung eines genuinen „Österreichisch" zugemutet, die Rilke in seinem Brief an
den Prager Lehrer beklagte. Daraus, und wegen der „verhängnisvollen Nachbarschaft einer gegensätzlichen Sprachwelt", die zum „Schlechtwerden der Sprachränder" verführte, erwuchs ihnen auch die Notwendigkeit einer eigenen, gleichsam „sentimentalischen" Sprach-Schöpfung,
die zudem bei beiden Autoren, wenn auch in verschiedener Ausprägung, aufgehört hatte, „Ge-
fährt der Verständigung zwischen einem Ich und einem Du zu sein".[24] Dies war eine geschichtlich unabwendbare Entwicklung, in der gerade die beredt gewordene Entbehrung, ihre besondere Ursache durchaus übersteigend, eine repräsentative Gültigkeit gewinnen konnte.

Aus dem Bewußtsein dieser Entbehrung heraus speiste sich aber auch bei beiden Dichtern
ihre, nur auf den ersten Blick erstaunliche Bewunderung für Adalbert Stifter, den gemeinsamen
Landsmann aus vorangegangener Zeit.[25] Ihre eindringliche Zuneigung galt ebenso dessen „reiner" Gegen-Welt eines erhöhten Seins, wie seiner Sprache, die sich noch innerhalb unangefoch-
tener Spracherinnerungen aufrichten konnte. Für Rilke und Kafka war diese auch in der Sprache
noch „durchsichtige klare Welt" bereits verloren; doch konnte sie auch bei Stifter nur noch „unter Ausschlüssen"[26] zustandekommen. Denn auch der Dichter des *Nachsommers* stand schon
an der Grenze zwischen gestern und morgen, im Abendschatten eines ausklingenden Zeitalters.
Er ahnte die einfallende Dunkelheit, aus der, nach einer anderen Briefäußerung Rilkes über Stifter, „fremdartige" und „gefährliche" Dinge in den Lampenschein seiner Kunst traten, um dort
für eine Weile „besänftigt" zu werden.[27] Seine Dichtung hatte dabei noch den Anschein des
„Naiven" und war doch schon ein sehr bewußtes und stilisiertes Kunstprodukt; seine Sprache,

zunächst verschwenderisch und aus ungefährdet erscheinenden Traditionen gespeist, drängte im Spätwerk des Dichters — spürbar schon im *Nachsommer,* beherrschend jedoch im *Witiko* und im *Frommen Spruch*[28] — immer mehr zur Vereinfachung, ja zur Kargheit, die der von Kafka erstrebten Sprache „ohne Schnörkel und Schleier und Warzen"[29] bereits nahe kam.

Die geheime Grenzlage Stifters klingt, wenngleich verhüllt, auch in jenem Abschnitt von Rilkes Brief an August Sauer an, wo Rilke, im Anschluß an die Schilderung vom „Schlechtwerden der Sprachränder" in den österreichischen Ländern, das Gegenbeispiel des Böhmerwälder Dichters aufzurichten sucht. Dessen Herkunft und Kindheitsumgebung erscheinen Rilke zwar, verglichen mit seiner eigenen, ungleich begünstigter; doch spricht er dies nur vorsichtig, in der Möglichkeitsform, aus:

Stifter, in der reineren Verfassung des Böhmerwaldes, mag diese verhängnisvolle Nachbarschaft einer gegensätzlichen Sprachwelt weniger wahrgenommen haben, und so kam er, naiv, dahin, sich aus Angestammtem und Erfahrenem ein Deutsch bereit zu machen, das ich, wenn irgend eines, als Österreichisch ansprechen möchte, so weit es nicht eben eine Eigenschaft und Eigenheit Stifters ist und nichts anderes als das.

Wenn Stifter auch die „verhängnisvolle Nachbarschaft einer gegensätzlichen Sprachwelt" weniger wahrgenommen haben mag, so konnte sie ihm doch, als einem Böhmen, nicht völlig verborgen bleiben. Sie hat nur seine eigenen „Spracherinnerungen" nicht angetastet. Dennoch mußte zu dem „Angestammten" seiner sprachlichen Ausbildung — wozu auch die heimatliche Mundart zählte, während eine solche innerhalb des „Prager Deutsch" sich schon aus sozialen Gründen nicht ausbilden konnte[30] — noch das „Erfahrene" treten, damit sich Stifter aus beidem, „naiv", seine ihm eigene Dichtersprache „bereit machen" konnte: ein „Deutsch", welches Rilke als „Österreichisch" meinte ansprechen zu können.

„Naiv" und „bereit machen": ein auffallendes, fast antinomisches Gegensatzpaar, welches Rilke an der Erscheinung Stifters abzulesen weiß. Es weist einmal auf die Wurzeln der Stifterschen Sprache zurück, zum anderen deutet es den Ablauf ihrer künstlerischen Verwandlung an. Stifter i s t also noch, verglichen mit den „sentimentalischen", um die Reinigung ihrer Sprache — bis zur Möglichkeit ihres zehnmaligen Aufgebens — ringenden Dichtern aus dem sprachgefährdeten Prag der Jahrhundertwende, gleichsam „naiv". Er ist „naiv" durch seine ursprüngliche Verwurzelung im sprachlich „Angestammten", dessen zunächst mundartliche Beeinflussung weder von „schlechtwerdenden Sprachrändern" noch vom gehetzten Jargon der Zeitungen „verdorbene Sprachabfälle" beziehen mußte. Von solchen starken Spracherinnerungen unterstützt, bleibt dann auch sein erwachsenes sprachliches Ausgreifen im Sinne Rilkes „naiv", das heißt in aller Mühsal des Erlernens und „Feilens" ohne einen, den Sinn aller Sprache und jeder Ausdrucksmöglichkeit in Frage stellenden Zweifel — wiewohl Stifter der Zweifel an sich selbst, das Ungenügen an der eigenen Leistungsfähigkeit und am nicht aufzuholenden Abstand zwischen Einbildung und Realisation fast ständig begleitet hat.[31] Ein Dichter aber wird der durch sein „Angestammtes" Begünstigte erst durch das Hinzutreten des Artefaktischen, durch das mit Bewußtheit vollzogene „Bereit-machen" einer „gesteigerten" Sprache.[32] Hierfür entscheidend wird ihr zweiter, durchaus „erworbener" Bestandteil, den Rilke das „Erfahrene" nennt.

Zum „Erfahrenen" in Stifters Sprache zählte zunächst die Ausweitung seines Sprach-Umgangs, die ihm durch das Einleben in andere landschaftliche und soziale Sprachräume zuwuchs. Am Anfang stand hier die in Kremsmünster vermittelte Bildungssprache, wie sie den Erziehungsmaßstäben einer solchen Anstalt, aber auch der sprachlandschaftlich gemischten Zusammensetzung ihres Lehrer- und Schülerkörpers entsprach. Dazu trat sodann die für den einstigen Dörfler höchst bedeutsame Spracherweiterung durch einen weltstädtisch-urbanen

Umkreis, in welchem Stifter, vom Beginn seines Studiums in Wien (1826) an, über zwanzig Jahre lang verweilte. Es waren die beiden Jahrzehnte, in denen sich seine eigentliche Dichtersprache ausbildete — in einem Prozeß der sprachlichen Selbsterziehung, der sich an der Textgeschichte der verschiedenen Fassungen seiner frühen Erzählungen bis zu ihrer gesammelten Herausgabe als *Studien* (1844—1850) mit exemplarischer Deutlichkeit verfolgen läßt.[33]

Die sprachbereichernde Erfahrung Stifters war in Wien vor allem gesellschaftlicher Natur. Sie gewann an Breite durch seinen sprachlich verfeinernden Umgang mit den „höheren Ständen", in die er durch seine adeligen Studienfreunde (Adolf Freiherr Brenner von Felsach, Joseph Graf Colloredo-Mannsfeld, Sigmund Freiherr von Handel u. a.) Eintritt fand; ebenso durch seine — in sozialer Hinsicht allerdings zwiespältig bleibende — Tätigkeit als Privaterzieher im Hause des gleichen Grafen Colloredo-Mannsfeld, des ebenfalls befreundeten Alexander Ritter von Lebzeltern und endlich des Fürsten Metternich; sodann, als angehender Schriftsteller, durch seinen Besuch der — teilweise jüdischen — ästhetisch-politischen Salons des sich emanzipierenden, frühkapitalistischen Bürgertums und Neuadels, so in den Häusern der Baronin Henriette Pereira-Arnstein, des Sozialpolitikers und Philanthropen Joseph Wertheimer und der Familie von Spaun. Dazu gesellte sich sein Verkehr mit Literaten und Schauspielern im „Silbernen Kaffeehaus" in der Plankengasse. Doch auch die mundartliche Umgangsprache der „niederen Stände" in der Großstadt blieb ihm nicht unbekannt, begegnete sie ihm doch gerade bei der hübschen Putzmacherin und Unteroffizierstochter Amalie Mohaupt, die seine Frau werden sollte.[34] Wenn man allerdings Stifters beständiges und sorgfältiges Bemühen um den besten sprachlichen Ausdruck bedenkt, und wenn man die Frauen- und Mädchenbriefe in seinen Dichtungen — etwa in der Geschichte *Von den zween Bettlern* aus der *Mappe meines Urgroßvaters*[35] — jenen orthographisch und syntaktisch fehlerhaften, stark dialektgefärbten, ausschließlich alltagsbezogenen Briefen von Amaliens Hand gegenüberhält, dann mag man, bereits im Raum der Sprache, etwas von dem Abgrund ahnen, den Stifter in seiner Ehe später zu verbergen suchte.

Das Wichtigste des „Erfahrenen" jedoch, aus dem sich Stifter, zusammen mit dem „Angestammten", sein Deutsch bereitete, wuchs ihm durch die Literatur zu, welche er sich als Leser aneignete. In seiner Frühzeit liegen die Spuren des auf diese Weise Aufgenommenen noch einigermaßen offen zutage. Dies gilt vor allem für die empfindungsselige Spontaneität einer vom Erlebnis Jean Pauls geprägten Sprache, welche die Erstfassungen der frühen *Studien* und die Jugendbriefe durchpulst. Später, mit zunehmender Reife, verschwinden die unmittelbaren Einflüsse des „Erfahrenen", oder sie werden durch die „Feile" des Dichters getilgt. Was ihm nun nahe ist — Grillparzer und vor allem der alte Goethe —, zeigt sich nicht mehr in Anklängen an Übernommenes, sondern verhält in den tieferen Bezirken der inneren Analogie und der geistigen „Verwandtschaft".

Eine aus „Angestammtem" und „Erfahrenem" bereit gemachte Sprache ist natürlich eine *Kunstsprache*, auch wenn ihr Schöpfer, wie im Falle Stifters, dabei aus einem noch unangefochten erscheinenden Sprachvertrauen und einer vermögenden Sicherheit heraus gleichsam „naiv" vorzugehen vermag. Dieses „erzogene" Sprachprodukt aber, dieses rein geläuterte und doch, aus seinen oberösterreichisch-rustikalen, wienerisch-urbanen und literarisch-klassischen Wurzeln heraus eigengesichtige Deutsch bezeichnet Rilke, typisierend, als „Österreichisch". In diesem Stifterschen Sprachmuster, und damit im Medium seiner Dichtung, erscheint nach Rilkes Auffassung für einmal jene „eigentliche Durchdringung seiner Bestandteile" gelungen, welche dem politisch-staatlich-gesellschaftlichen Gebilde „Österreich" versagt bleiben mußte. Allerdings schränkt Rilke diese Bestimmung mit einem Nachsatz sogleich wieder ein: „so weit es nicht eben eine Eigenschaft und Eigenheit Stifters ist und nichts anderes als das". Doch auch diese teilweise Zurücknahme einer, der lebendigen Erscheinung gegenüber vielleicht zu eindeutigen Bezeichnung und die Erwägung der völligen „Eigenheit" von Stifters Sprache läßt sich aus Stifters dichterisch-sprachlicher Entwicklung heraus begründen. Denn bis zu einem gewissen Grade nimmt Rilkes angedeutete Einschränkung bereits den Weg des späten Stifter vorweg. In seinen letzten Werken tritt das spezifisch „Österreichische", wie es Rilke aus „Angestammtem" und „Erfahrenem" zusammengesetzt sah, ja überhaupt alles regional und individuell Ausgeprägte zurück zugunsten einer noch reineren, noch stärker stilisierten Kunstsprache, die, besonders in der archaisierenden Monumentalität der *Witiko*-Sprache, ganz eine „Eigenschaft und Eigenheit Stifters" geworden ist.

Wie immer jedoch Stifters Sprache auch zu bezeichnen wäre — ob als ein idealtypisches „Österreichisch" oder ein nur Stifter eigenes und eigentümliches „Deutsch" —: bewundernswert erscheint Rilke in jedem Falle, wie diese Sprache, in Übereinstimmung mit der aus einem — so ein anderes Briefzitat Rilkes über Stifter — „scheinbar so hausbackenen Umkreis" zusammentretenden, wiederum „ganzen" Welt, zu einer vollkommenen „Stärke der Gültigkeit" gelangt.[36] Nicht also nur das „Bereit-machen" des Stifterschen „Österreichisch" aus „Angestammtem" und „Erfahrenem", sondern erst seine künstlerische „Durchsetzung" bestimmt, in Rilkes Sicht, Stifters sprachliche Leistung, die für das Entbehren eines durch eine „eigene Sprache" in seinen Bestandteilen durchdrungenen Österreich zu entgelten habe. So fährt Rilke an der genannten Stelle seines Briefes fort:

Erstaunlich ist aber die Stärke der Gültigkeit, mit der es sich durchsetzt, auch wo es nur im persönlichsten Bedürfnis seinen Ursprung hat, für das in der Beschränkung so weite Erlebnis dieses Geistes die lautere Gleichung aufzustellen.

Die „Stärke der Gültigkeit", womit sich Stifters Sprache nach Rilkes Empfindung durchsetzt, verleiht der individuellen Sprachleistung des Böhmerwälder Dichters einen verbindlichen Rang. Erst daraus leitet Rilke die Berechtigung her, ihr gleichsam eine Gattungsbezeichnung, eben „Österreichisch", zuzulegen. Sie hat diese Gültigkeit nicht durch die Usurpation eines kanonischen Anspruchs durchgesetzt, sondern auf einem, in der Begrenzung scheinbar bescheidenen, dichterisch jedoch legitimen Wege. Das „Bereitmachen" wie das künstlerische „Durchsetzen" von Stifters Dichtersprache entsprang tatsächlich „im persönlichsten Bedürfnis . . ., für das in der Beschränkung so weite Erlebnis dieses Geistes die lautere Gleichung aufzustellen".

IV

Daß der dichterische Gestaltungsprozeß — das Aufstellen dieser Gleichung — seinen Ursprung „im persönlichsten Bedürfnis" hat, gilt nicht nur für Stifter; es entspricht einer wichtigen Maxime von Rilkes Ästhetik, mit der er die „Gültigkeit" jedes sprachlichen Kunstwerks mißt. Schon 1907, auf der Schaffensstufe seiner *Neuen Gedichte*, versucht er einmal, den Objektivierungsvorgang eines „Erlebnisses" zum vollendeten Kunstding nachzuzeichnen[37]:

. . . Je weiter man geht, desto eigener, desto persönlicher, desto einziger wird ja ein Erlebnis, und das Kunstding endlich ist die notwendige, ununterdrückbare, möglichst endgültige Aussprache dieser Einzigkeit . . .

Dies ist eine Rilkesche, dem „sachlichen Sagen" jener Jahre entsprechende Variante für die Aufstellung einer „lauteren Gleichung", dem zugrundeliegenden „Erlebnis" gegenüber. Das „persönlichste Bedürfnis" jedoch bleibt ihm bis in die Spätzeit hinein der eigentliche Grund

und Ursprung jeder schöpferischen Hervorbringung. Besonders eindringlich spricht er dies in einem Brief vom 21. März 1921 aus. Darin erhält jenes „nur", welches, bei der Kennzeichnung des „Ursprungs" von Stifters sprachlicher Gestaltung, das „persönlichste Bedürfnis" nach dem Ungemäßen und Ambitionierten hin abgrenzt, in einem anderen Zusammenhang den gleichen, durchaus positiven und wertbegründenden Sinn. Rilke schreibt[38]:

Auch das Hervorbringen, selbst das produktivste, dient ja nur der Schaffung einer gewissen inneren Konstanten, und Kunst ist vielleicht nur deshalb so viel, weil einzelne ihrer reinsten Bildungen eine Gewähr geben für die Erreichung einer zuverlässigeren inneren Einstellung — — (et encore!). Gerade in unserer Zeit, da die meisten aus Ambition zur künstlerischen (oder scheinkünstlerischen) Leistung angetrieben werden, kann man gar nicht genug auf diesem letzten, ja einzigen Grunde der Kunstwertung bestehen, der so tief und heimlich ist, daß der unscheinbarste Dienst an ihm erst recht diesem scheinbarsten und berühmten (:der wirklichen Produktion) gleichzusetzen ist.

Auf diesem „letzten, ja einzigen Grund der Kunstwertung" besteht Rilke auch bei Stifter, der in der Tat, wie Rilke es aus jeder Zeile des Erzählers zu erschließen vermag, nicht „aus Ambition" zur künstlerischen Leistung angetrieben wurde, sondern aus dem persönlichsten Bedürfnis, seinem inneren Erlebnis „die lautere Gleichung aufzustellen". Rilke präzisiert die erste Seite dieser Gleichung als „das in der Beschränkung so weite Erlebnis dieses Geistes". Auch für die Welt-Erfahrung Stifters gilt also, was Rilke an der dichterischen Welt-Schöpfung des Erzählers erfuhr und bewunderte: daß ihr eine in der Beschränkung erlebte Weite, eine trotz Ausschlüssen zustandegekommene Ganzheit eigne. Die „Beschränkung", welche Stifters Leben bestimmte und zu der sich der Dichter in seinem Werk zusammennahm, ist, in Rilkes Sinne, leicht auszumachen: räumlich etwa in der Eingrenzung seiner Heimat- und Lebenswelt auf das donaunahe Österreich und, enger noch, auf das böhmisch-bayerisch-österreichische Grenzland, den Spiel-Raum zugleich für einen Großteil seiner Dichtung; im Bereich des persönlich-sozialen Lebens die „Beschränkung", welche durch die Ehe mit Amalie Mohaupt (mit dem schmerzlichen Schicksal der Kinderlosigkeit) gesetzt war; sodann die Beschränkung der späteren Lebensjahrzehnte auf das Wohnen und Wirken im „kunst- und wissenschaftslosen Böotien" von Linz[39]; die Bindung an die schulrätliche Amtstätigkeit, die — für den Künstler — immer „unersprießlicher" wurde und endlich sogar, der restaurativen Staatsmacht gegenüber, eine „Zwangsarbeit", in der er „klar Wahres verleugnen" und dem „Gegenteil" sich „schweigend fügen" mußte.[40] „Beschränkung" aber auch, vom künstlerischen Gewissen angezeigt und als schöpferische Ökonomie geübt, in seiner Dichtkunst, die ihm eine unaufgebbare „Lieblingssünde" und „das Holdeste im Leben" wurde[41]; Beschränkung auf den Gattungsbereich der epischen Prosa, auf die Thematik menschlicher Grundverhältnisse, auf die Gestaltung überschaubarer Räume und gebändigter Leidenschaften, auf ausgewogene Formen, Mäßigung im Ausdruck und Verschweigen des Unsagbaren, das dennoch gegenwärtig bleibt und hinter dem Eingegrenzten „unzugänglichste Verhältnisse" der Seele ahnen läßt.

Diesem „Erlebnis" (im weitesten Sinne) stellt der Dichter die „lautere Gleichung" auf, eingestaltet und umgesetzt in Sprache. Nicht nur die Äquivalenz des „innen Gesehenen" mit dem außen „Herausgestellten" ist damit gemeint[42], sondern auch das „reine Gelingen" selbst und damit wiederum die Stärke seiner Gültigkeit. Doch das Epitheton „lauter" geht über die Bezeichnung des Vollkommenen, Gemäßen, Gültigen hinaus. Eine sittliche Bedeutung schwingt in dem Wortsinne mit. Sie eignet vielen Attributen, mit denen Rilke Stifters Welt, seine Kunst, seine Sprache zu kennzeichnen sucht: „rein" (das mehrfach herangezogen wird), „klar" und eben „lauter".[43] Diese, von Rilke unwillkürlich gewählten Bezeichnungen treffen recht genau jene „sittliche Ursprünglichkeit und Einfalt"[44], die Stifter mit seiner Kunst erstrebte; sie entsprechen seiner Ästhetik, die er in seinen Briefen und theoretischen Erörterungen immer wieder zu erläutern sucht und in der „das schlichte Sittliche als letzte Grundlage jedes Schönen"[45] erscheint. „Rein", „lauter", „klar" und „durchsichtig" ist natürlich nur eine ideale, ins Ideale stilisierte Welt — „als ob die Welt ohne Gedräng und Hast und Drohung wäre. (Wäre sie's!)", wie Rilke in einem Brief über den *Nachsommer* aus dem Jahr 1916 schreibt. Auch Stifter, dem es in seiner Dichtung darum ging, die „Dinge . . . in ihrer Wesenheit zur Erscheinung (zu) bringen"[46], hat diese sowohl sittliche als auch ästhetische Stilisierungsabsicht vor allem seiner späteren Dichtung mehrfach zum Ausdruck gebracht; so etwa, wenn er am 15. Oktober 1861 das Bekenntnis über den *Nachsommer* ablegt[47]:

Von dem roh stofflichen Treiben und Genießen unseres Zeitalters im höchsten Maße angewidert, dichtete ich mir Zustände, die vollkommen anders waren.

Hier ist zugleich jenes „persönlichste Bedürfnis" zugegeben, für sein Erlebnis die lautere Gleichung aufzustellen. „Lauter", das meint hier auch: geläutert zur idealen, ihre Wesenheit darstellenden Erscheinung der Dinge, und geläutert im reinen, klaren, zur Gültigkeit gebrachten sprachlichen Ausdruck.

Der Bestimmung dieses „Ausdrucks", der Abmessung seiner inneren Erfahrungsmöglichkeiten und seiner Transparenz zum Unsagbaren hin gilt endlich Rilkes abschließender Gedanke in dem großen Stifter-Brief an August Sauer. Mit ihm gelangt er zugleich, alles zuvor Angedeutete zusammenfassend, zu einer Gesamtwertung des österreichischen Erzählers, die diesem, am Maß des Gelingens einer lauteren Gleichung für sein in der Beschränkung so weites Erlebnis, einen höchsten Rang zugesteht:

Wenn man, nach der einen Seite hin, den Dichter daran ermessen mag, wie weit sein Ausdruck auch noch den unzugänglichsten Verhältnissen seiner Seele entgegenkommt, so wird man Stifter zu den, in diesem Verstande, glücklichsten und somit auch größten Erscheinungen zu rechnen haben . . .

Auch dieses letzte Kriterium, welches Rilke hier zum Schluß heranzieht, gilt dem Ermessen des „Dichters" Stifter, womit Rilke die für ihn höchste Wertkategorie des Künstlertums meint. Maßstab hierfür ist die Spanne des Ausdrucks, seine Intensität, seine Genauigkeit, seine Äquivalenz für das „innen Gesehene", womit er „auch noch den unzugänglichsten Verhältnissen" der dichterischen Seele entgegenzukommen vermag. Es könnte scheinen, daß Rilke hier, in sublimer Umschreibung, dasselbe meint, was Goethe seinen Tasso sagen läßt und was der alternde Dichter sich nochmals, mit einer bezeichnenden Variante, als Motto der *Marienbader Elegie* ins Gedächtnis ruft:

Und wenn der Mensch in seiner Qual verstummt
Gab mir ein Gott, zu sagen, was ich leide. .

Stifter aber ist, auch in Rilkes Augen, alles andere als ein Tasso. Seinen dichterischen Ausdruck kennzeichnet vielmehr, daß er nicht „sagt", sondern v e r b i r g t , was er leidet. Nicht nur für seinen *Waldgänger* gilt die Deutung Walther Rehms, daß „gerade im sogenannten Aussparen und Verschweigen des Innersten . . . die Reinheit der Erzählung" liege.[48] Es ist eines von Stifters wichtigsten Kunstgesetzen, daß „das Innerliche nur angedeutet, nicht völlig ausgesprochen werden könne", weshalb Rilke sehr genau auch vom „*Entgegen*kommen" des Ausdrucks auf die „unzugänglichsten Verhältnisse" der Seele zu, nicht aber von einer sprachlich unerreichbaren „völligen Deckung" spricht.[49] Selbst das „Unheimliche" — etwa im *Beschriebenen Tännling* — wird durch die Diskretion seiner gezügelten Sprache „verheimlicht".[50] So gehört das Schweigen und Verhüllen in besonderer Weise zum „Ausdruck" dieses Dichters. Das

„Innerliche" — der Bereich der Empfindung, der Leidenschaft, der Entzückung, des Schmerzes und der Schwermut — ist hier sehr viel unergründlicher zur Tiefe hin geöffnet als dort, wo es durch geschwätziges und expressives Ergreifen eher eingeengt oder gar verschüttet wird, als der Einfühlung aufgetan bleibt. Nur derjenige Leser, dem, wie es Rilke von den Dichtern fordert, „auch das Leiseste" nicht entgeht, vermag hinter dem Ausgesparten und Verhüllten dieser Sprache die „unzugänglichsten Verhältnisse" von Stifters Seele zu ermessen. Die Ausdrucksmittel, mit denen Stifter ihnen „entgegenkommt", sind sublimer Art. Zu ihnen gehört das Zwischen-den-Zeilen-Sagen oder das In-der-Schwebe-Lassen des Unaussprechlichen — wie in dem kurzzeiligen, eine „ganze Welt" der Seele umfassenden Schlußgespräch zwischen Georg und Cornelia im *Waldgänger* —, die Verhaltenheit jener Sätze, in denen Ungeheures zusammengepreßt wird — wie in der Schilderung vom Herz-Ende Brigittas —, die stumme Gebärde als „Ausdruck" einer überwältigenden Erregung oder Erschütterung — der schweigende Heimweg des Abdias, als er die tote Ditha nach Hause trägt —, die Übertragung von Ausdrucks-Werten auf die Komposition und den Ablauf einer Erzählung, bei der die Breite der Handlungseinleitung oder der Schilderung ihrer landschaftlichen Umgebung die Höhe des Gefälles am Wendepunkt der Erzählung bestimmt; und an diesem Wendepunkt, an der Klimax des Geschehens fast stets: eine äußerste Zurückhaltung des Ausdrucks, ein oft nur lakonisches Feststellen des Tatsächlichen, aus dem jede Emotion herausgepreßt erscheint, die dafür aber im Ungesagten um so eindringlicher und für den genauen Leser spürbarer enthalten bleibt.

Doch auch im Thematischen kommt der „Ausdruck" von Stifters Erzählkunst „noch den unzugänglichsten Verhältnissen seiner Seele" entgegen. Sie verbergen sich und enthüllen sich zugleich in dem immer wiederkehrenden Grundproblem von Verschuldung und Sühne, welches auch die wichtigsten Einzelthemen beherrscht: die Bedeutung und Problematik der Ehe, die fast überall auf irgendeine Weise berührt wird, beherrschend jedoch in *Brigitta*, in der *Narrenburg*, im *Waldgänger*, im *Prokopus* und im *Nachsommer;* aus dem weiteren Umkreis hierzu die Schicksale der Kinderlosigkeit und des Alleinseins im *Hagestolz* und im *Waldgänger;* und immer wieder die Ambivalenz einer zugleich tröstlichen und grausamen Natur. Bei manchen dieser vielfach abgewandelten Hauptthemen mag Rilke die verborgene Not oder Entbehrung in den Anlässen zu Stifters „Gegenbildern" als den Wurzelgrund unzugänglicher Seelenverhältnisse vermutet haben; und wenn er auch den entlegeneren Text der *Zuversicht* wohl nicht mehr kennengelernt hat, so dürfte er dennoch das Schlummern einer „tigerartigen Anlage" im „Unzugänglichen" dieser Dichterseele ebenso sehr für möglich gehalten haben, wie er das Hereinkommen von „oft ganz fremdartigen" oder „gefährlichen" Dingen in den Lampenschein des Stifterschen Dichtergefühls zu bemerken wußte.

Auch bei dieser Kennzeichnung von Stifters Dichtertum, welche die Wertung seiner Erscheinung mit dem andeutenden Aufspüren ihrer geheimsten schöpferischen Gründe zu verbinden sucht, bewährt sich wieder Rilkes Fähigkeit, in die Tiefe hinein zu lesen. Es ist für ihn, im doppelten Verstande, ein „Wahr-nehmen", also ein „Nehmen nach dem wahren Gewicht".[51] So gewahrte er, dem „entgegenkommenden" Ausdruck des Erzählers nachgehend, jene „unzugänglichsten Verhältnisse seiner Seele", von deren bloßem Vorhandensein das zeitgenössische Urteil über den vorgeblich leidenschaftslosen, kontemplativen, nur naturschildernden Schriftsteller kaum etwas ahnte. Es geschieht hier, allerdings in größerer Breite, etwas Ähnliches wie, vorausgehend, bei Rilkes Lektüre von Goethes *Italienischer Reise,* in der er Spuren von unausgesprochener Wehmut, von Abschiedsgefühl, ja in der Folge, vielleicht, von Verzweiflung entdeckte, und woraus er sich endlich einen Satz herausschrieb, den viele Leser in seiner Bedeutung verkannt oder übersehen haben mögen:[52]

— denn wir ahnen die furchtbaren Bedingungen, unter welchen allein sich selbst das entschiedenste Naturell zum Letztmöglichen des Gelingens erheben kann.

Diese „furchtbaren Bedingungen", die Goethe, bei der Betrachtung Raffaels, im künstlerischen Entwicklungsgang vom „strebenden" und „werdenden" zum „vollendeten Mann" vermutet, hat Rilke gewiß auch in der Erhebung zum „Letztmöglichen des Gelingens" bei Adalbert Stifter, bei der Gestaltwerdung seines „in der Beschränkung so weiten Erlebnissen" geahnt; sie sind in die „unzugänglichsten Verhältnisse seiner Seele" mit eingegangen, wo das „Unbewältigte" sich sammelt, welches der Künstler, nach Rilkes Meinung, „in Erfundenem und Gefühltem verwandelt aufzubrauchen" habe.[53] Das „Gelingen" aber — in der Gültigkeit der sprachlichen Durchsetzung — empfand Rilke bei Stifter als vollkommen, gemessen eben nach jener Seite hin, die in der Kongruenz von Ausdruck und innerem Erlebnis den Dichter bewertet. Das Unbewältigte erscheint hier, in Ausdruck und Gestalt, künstlerisch „ohne Rest" aufgebracht, das „Unsägliche" im Sagbaren wie im Ausgesparten „rein" erhalten; daher, so darf Rilke abschließend folgern, „wird man Stifter zu den, in diesem Verstande, glücklichsten und somit auch größten Erscheinungen zu rechnen haben".

Anmerkungen

1 Carl Sieber, *René Rilke* (Leipzig, 1932), S. 128 — Genauere Angaben bei Herbert Singer, *Rilke und Hölderlin* (Köln/Graz, 1957), Literatur und Leben, III, S. 11.

2 Hedda Sauer, geb. Rzach, Schriftstellerin, 1875—1953. Über sie und ihre Beziehung zu Rilke vgl. Alois Hofman, Begegnungen mit Zeitgenossen (Hedda Sauers Erinnerungen an R. M. Rilke), *Philologica Pragensia* (Časopis pro moderní philologii), 9 (48), (Praha, 1966), S. 292—304.

3 *Gesellschaft zur Förderung deutscher Wissenschaft, Kunst und Literatur in Böhmen*, begründet 1894 u. a. durch August Sauer; nach 1924: *Deutsche Gesellschaft der Wissenschaften und Künste für die Tschechoslowakische Republik*.

4 *Mir zur Feier*. Gedichte von Rainer Maria Rilke. Verlegt bei Georg Heinrich Meyer Berlin (1899). Widmung vor Titelblatt: „Diesem Buche haben bei seiner Veröffentlichung viel zudanke gethan: Durch Schmuck und Schönheit: Heinrich Vogeler-Worpswede; durch heimatliche Teilnahme: Herr Prof. Dr. August Sauer-Prag und die ‚Gesellschaft zur Förderung deutscher Wissenschaft, Kunst und Litteratur in Böhmen'".

5 Vgl. Clara Mágr (Prag), „Unbekannte Rilke-Briefe auf Schloß Orlik", *Sonntag*. (Berlin, DDR, 22. 5. 1955), S. 9.

6 Rainer Maria Rilke (im folgenden: RMR), *Briefe an seinen Verleger 1906—1926*. Neue erw. Ausgabe, 2 Bde. (Wiesbaden, 1949), S. 197.

7 Rilke erhielt damals von Anton Kippenberg aus der neuesten Produktion des Insel-Verlages die von Hugo von Hofmannsthal herausgegebene, vierbändige Auswahl *Deutsche Erzähler* (Leipzig, 1912) sowie die zweibändige Insel-Ausgabe von Adalbert Stifters *Studien* aus dem Jahre 1911.

8 S. Rainer Maria Rilke, *Briefe*. Hrsg. vom Rilke-Archiv in Weimar in Verbindung mit Ruth Sieber-Rilke, besorgt durch Karl Altheim. 2 Bde., Wiesbaden 1950, Bd. I, 470—474.

9 Adalbert Stifter, *Sämmtliche Werke*. Hrsg. von August Sauer, Franz Hüller, Kamill Eben, Gustav Wilhelm u. a. (Prag, Reichenberg, 1901—1940; Graz, 1958—1960, Göttingen, 1979), Bibliothek deutscher Schriftsteller aus Böhmen, später: . . . aus Böhmen, Mähren und Schlesien, Bd. I—XXV.

10 Briefe a. a. O., S. 472—473.

11 RMR an Gräfin Margot Sizzo-Noris-Crouy, Muzot 17. III. 1922, in: *Briefe* a. à. O., S. 341.

12 *Briefe* I, a. a. O., S. 45.

13 An Aurelia Gallarati-Scotti, Muzot 32. I. 1923, in: RMR, *Lettres milanaises 1921—1926.* (Paris, 1956), S. 27 f.

14 Wie Anm. 11.

[15] An Marie von Mutius, München 15. I. 1918, in: Maurice Betz, *Rilke in Frankreich* (Wien/Leipzig/Zürich, 1938), S. 53 f.

[16] Vgl. hierzu Friedrich Wilhelm Wodtke, „Das Problem der Sprache beim späten Rilke", *Orbis Litterarum*, Tom XI, Fasz. 1—2 (Copenhagen, 1956), S. 64—109.

[17] Vgl. hierzu: Emil Skála, Das Prager Deutsch, *Weltfreunde. Konferenz über die Prager deutsche Literatur.* Hrsg. von Eduard Goldstücker (Prag/Berlin/Neuwied, 1967), S. 119—125. Ferner: Egon Erwin Kisch: „Vom Kleinseitner Deutsch und vom Prager Schmock", ders., *Die Abenteuer in Prag.* (Wien/Prag/Leipzig, 1920), S. 276—285.

[18] Wie Anm. 17

[19] Vgl. hierzu Peter Demetz, *René Rilkes Prager Jahre* (Düsseldorf, 1953), passim. Hierzu E. C. Mason, „Rilkes abgetane Jugend. Anmerkungen zur Kritik der ‚Stilisierung' seines Lebens", *Wort und Wahrheit*, VIII. Jg. Heft 11 (1953), S. 854—859. Ferner: Clara Mágr. „Sprach Rilke tschechisch?" *Der Bibliophile*, Beilage zu: *Das Antiquariat*, VIII (1957), Nr. 3, S. 83/15—85/17.

[20] An die Gräfin Sizzo, a. a. O., S. 19 (Muzot 17. III. 1922).

[21] Darauf bezieht sich Rilkes Notiz, „die wohl zu den Entwürfen einer politischen Rede vom Herbst 1919 gehört" und die Ernst Zinn in seinen *Mitteilungen zu R. M. Rilkes ausgewählten Werken* zitiert (*Dichtung und Volkstum*, 40 [1939], S. 127: „Daß der Deutsche, sozusagen, von außen wieder nach innen schlüge". Ms. 238, Rilke-Archiv).

[22] Zum Nachweis der Kafka-Lektüre Rilkes vgl. den Exkurs *Rilkes Verhältnis zu Kafka*, in: Joachim W. Storck, *Rainer Maria Rilke als Briefschreiber.* Phil. Diss. (Freiburg i. Br., 1957), Bd II, S. 12—15.

[23] Muzot 17. II. 1922, in: Kurt Wolff, *Briefwechsel eines Verlegers 1911—1963.* Hrsg. von Bernhard Zeller u. Ellen Otten. (Frankfurt a. M., 1966), S. 152.

[24] Heinz Politzer in: *Das Kafka-Buch. Eine innere Biographie in Selbstzeugnissen.* (Frankfurt a. M., 1965), *Fischer-Bücherei* Nr. 708, S. 227.

[25] Über Kafkas Verhältnis zu Stifter vgl. Max Brod, „Franz Kafka. Eine Biographie", in: *Über Franz Kafka* (Frankfurt a. M., 1966), *Fischer-Bücherei* 735, S. 46, 49, 339; ferner Klaus Wagenbach, *Franz Kafka. Eine Biographie seiner Jugend* (Bern, 1958), S. 100. — Zu Rilke vgl.: Joachim W. Storck, „Stifter und Rilke", *Adalbert Stifter. Studien und Interpretationen.* Gedenkschrift zum 100. Todestage. Hrsg. von Lothar Stiehm (Heidelberg, 1968), S. 271—302.

[26] Rilke an Ellen Delp, München (vermutlich) Herbst 1915, unveröffentlicht (zitiert nach der Kopie im Rilke-Archiv, mitgeteilt von Frau Ruth Fritzsche-Sieber-Rilke †).

[27] An N. N., Paris 14. IV. 1913, unveröffentlicht, Fotokopie im Rilke-Archiv.

[28] Adalbert Stifter, *Der fromme Spruch.* Erzählung. In der ersten Fassung zum ersten Mal hrsg. von K. G. Fischer. (Frankfurt a. M., 1962), Insel-Bücherei Nr. 767. Dazu das Nachwort S. 115—145.

[29] Franz Kafka an Oskar Pollak (Prag, 4. II. 1902), in Franz Kafka, *Briefe 1902—1924* (New York u. Frankfurt a. M., 1958), S. 10.

[30] Vgl. Fritz Mauthner, *Erinnerungen.* Bd. I, *Prager Jugend-Jahre* (München, 1918), S. 51.

[31] Äußerungen dieses Ungenügens an sich selbst, aus dem heraus er auch sein „Feilen" begründet, finden sich bei Stifter zu allen Zeiten seines Schaffens, zumal in der mittleren Periode. So schreibt Stifter schon am 9. I. 1845 an Gustav Heckenast: „Ich bin im Arbeiten viel sorgsamer, ängstlicher und genauer als früher, damit die Sache nur annähernd den Glanz und die Feile bekäme, wie es ihr noth thut und wie ich es wünschte. . . . Und ich bleibe leider immer hinter dem von mir selbst Erstrebten zurük". (SW XVII², Nr. 54, S. 140 f.). Am 16. II. 1847 kritisiert er die *Studienfassung* der *Mappe meines Urgroßvaters* und deutet die ihn quälende Kluft zwischen dem Erstrebten, dem innerlich Erfaßten und dem dann tatsächlich Erreichten an: „Es ist so schön, so tief, so lieb in mir gewesen . . . — Wäre es gelungen, dann hätte das Buch mit der Größe, mit der Einfalt und mit dem Reiz der Antike gewirkt. — — So aber ist es nicht so. . . . ich weiß es und sehe die Kluft beständig offen stehen." (Ebda. Nr. 90, S. 208).

[32] Vgl. F. W. Wodtke, „Das Problem der Sprache beim späten Rilke", a. a. O. S. 88.

[33] Zur Textgeschichte vgl. nun die Bände 1,1—1,3 (*Journalfassungen*) sowie 1,4—1,6 (*Studien. Buchfassungen*) der HKG, die zwischen 1978 und 1983 von Helmut Bergner und Ulrich Dittmann herausgegeben wurden.

164

34 Zur Herkunft Amaliens vgl. Hans Kristian, „Philipp Mohaupt", in: *VASILO*, 13 (1964), S. 100—106 (mit Stammtafel). Siehe ferner: K. G. Fischer, *Adalbert Stifter. Psychologische Beiträge zur Biographie*, Schriftenreihe des Adalbert-Stifter-Institutes des Landes Oberösterreich, 16 (Linz, 1961), S. 43—53.

35 Siehe HKG I, 2, 41—68.

36 Wie Anm. 27.

37 An Clara Rilke, Paris 24. VI. 1907, *Gesammelte Briefe* II (Leipzig, 1939), S. 336 f.

38 An Erwein Freiherrn von Aretin, Berg 31. III. 1921, Briefe II, a. a. O., S. 231 f.

39 Adalbert Stifter an Joseph Türck, Linz 8. XI. 1851, SW XVIII, Nr. 210, S. 75.

40 Adalbert Stifter an Gustav Heckenast, Linz 24. VIII. 1859, SW XIX, Nr. 400, S. 173.

41 Adalbert Stifter an Louise von Eichendorff, Linz 2. VI. 1857, ebda Nr. 338, S. 25; an Marie von Hrussoczy, Linz 10. II. 1861, ebda. Nr. 443, S. 269.

42 R. M. Rilke, *Sämtliche Werke* VI, 785 *(Die Aufzeichnungen des Malte Laurids Brigge)*.

43 Man vergleiche hierzu Stifters eigene Kennzeichnung dessen, was er etwa mit der *Mappe* — zur Zeit der *Studienfassung* — beabsichtigt hatte. Er schreibt darüber am 16. II. 1847 aus Wien an Gustav Heckenast: „Es ist so schön, so tief, so lieb in mir gewesen, es könnte in der Art hold und eigenthümlich und duftig sein, wie das Haidedorf, aber tiefer, körniger, großartiger und dann ganz rein und klar und durchsichtig in der Form." SW XVII, Nr. 90, S. 208).

44 Adalbert Stifter an Aurelius Buddeus, Linz 21. VIII. 1847, ebda. Nr. 109, S. 252.

45 Adalbert Stifter, *An das Vizedirektorat der philosophischen Studien an der Universität Wien.* (Beilage zu dem Gesuche um Bewilligung öffentlicher Vorträge über Ästhetik.) Wien 18. III. 1847, SW XIV, 2. Aufl. 1933, S. 303.

46 Adalbert Stifter an Louise von Eichendorff, Linz 17. VII. 1858, SW XIX, 122 f. — Dazu der Brief Rilkes an Gräfin Aline Dietrichstein, München 9. VII. 1917, in: *Gesammelte Briefe* IV, 146.

47 Adalbert Stifter an Edmund Hoefer, Linz 15. X. 1861, SW XX, 13.

48 Walther Rehm, „Stifters Erzählung *Der Waldgänger* als Dichtung der Reue", W. R., *Begegnungen und Probleme. Studien zur deutschen Literaturgeschichte* (Bern, 1957), S. 343.

49 Siehe F. W. Wodtke, a. a. O., S. 89.

50 Urban Roedl, *Adalbert Stifter in Selbstzeugnissen und Bilddokumenten.* (Reinbek b. Hamburg, 1965), rowohlts monografien 86, S. 82.

51 Rilke an Rudolf Bodländer, Muzot 13. III. 1922, in: *Briefe* II, a. a. O., S. 332.

52 Goethe, *Italienische Reise.* 2. römischer Aufenthalt. Nachtrag, Päpstliche Teppiche. Goethe, *Poetische Werke und Schriften.* Gesamtausgabe in 22 Dünndruckbänden (Stuttgart, 1949 ff.), 9. Bd., S. 608. Dazu Rilke an Katharina Kippenberg, Widmung in einer Handschrift einiger *Aufzeichnungen des Malte Laurids Brigge* vom 17. IV. 1913. In: *Briefwechsel* (Wiesbaden, 1954), S. 49.

53 Rilke an Lou Andreas-Salomé, Irschenhausen 9. IX. 1914, in: *Briefwechsel* (Wiesbaden, 1952), S. 368.

Summary

This contribution treats a somewhat neglected aspect of the history of Stifter's influence: Rilke's highly personal reception of Stifter. Its significance lies first in the specific manner in which Rilke, a poet of the modern age, discovered for himself the work of the nineteenth century prose writer and the impressions he received from this encounter; secondly, the particular perspective from which Rilke attempted both to define the specific quality of this author and to interpret his literary and cultural-historical position. Rilke's reflections on Stifter's language represent an important aspect of this interpretation, and he characterized that language as a kind of ideal-typical 'Austrian'.

This thought forms the crux of the detailed letter which Rilke sent from Paris on 11 January 1914 to the Prague Germanist and editor of the historical-critical edition of Adalbert Stifter's works, August Sauer. In this letter to the man who had encouraged him in his early years in

Prague, Rilke attempts to sum up his preoccupation with Stifter's work, and thereby to account for his wish to subscribe to the new Stifter edition. His interests had begun in the Summer of 1910, when he read *Der Condor,* and reached its peak during the Winter of 1912/13 in the Ronda of Southern Spain when he read the *Studien* attentively and with deep emotion — and later, *Der Nachsommer.*

From this lengthy letter of Rilke's one may conclude that he was compelled to recognize, in a quite particular way which touched him personally, the representative status of this novelist of the Bohemian forest who was indeed, in the broader sense, his fellow-countryman. This had, in the first instance, to do with his conception of an Austrian ideal which had never become reality and furthermore, as part and parcel of that ideal, with the perception of a potential language model which might have provided a resolution for the objective historical dilemma of Austria. Rilke derives such an idea from a feeling of personal deprivation; from that absence of concord between linguistic and national identity which he at once associates with the failure of an 'integral' Austria in which conflicting elements could be reconciled. The fact that the 'multicoloured' homeland of this poet born in Prague 'had not been vouchsafed true interpenetration of its several parts in any sense' and that it had in consequence been unable to aspire to 'its own language', is perceived by Rilke as part of that 'negatively assigned sentry post' which he had constantly to endure. Stifter, by contrast, becomes for Rilke within this complex of problems 'one of the few artistic phenomena' which can repay him for this negative experience and offer him some consolation.

In order to be able to designate Adalbert Stifter's language as 'Austrian' in an ideal-typological sense, Rilke had first to sketch in the personal background of his own language crisis to which this 'counter image', which he so greatly admired, might be contrasted. He accounts for this in terms of his upbringing in an area where 'the borders of language were decaying', as he experienced it during his childhood and youth in Prague. This was further aggravated by the 'bad taste' of 'the eighties of the previous century' so that he was forced to establish his own language for himself, a medium of poetic self-expression 'outside the confines of all language memories, indeed through suppression of them'; a situation not unlike that of his younger countryman Franz Kafka, whose achievement he admired.

By contrast, Stifter, who for these very reasons had become a 'quite singular object of love and edification', could fashion his German for himself out of both 'inherited' and 'experienced' elements, a German which his critical successor felt disposed to describe as 'Austrian'. An understanding and an interpretation of this choice of terms must be derived from these indications themselves: we need to examine the relationship of the 'inherited' to the 'experienced' within Stifter's linguistic material, and in addition to consider the tension between the 'naive' and the created artefact of what has been 'fashioned' by Stifter's handling of the language. The analytical part of the present paper is directed to these aims.

What appeared 'naive' to Rilke was the evident rootedness in just this 'heritage' of the writer who had grown up in the 'purer condition of the Bohemian forest'; and to this belonged that dialect which could not develop in the young Rilke's language environment, the 'Prague German' of the German-speaking minority in the Bohemian capital. Moreover, for Rilke, Stifter's 'naivety' was also manifested in his sheer confidence in language, for the latter was wont to 'work away at' his writings and thereby a significant part of that 'fashioning' through linguistic articulation was made manifest. This process was nourished not only by his linguistic 'inheritance' but also by the multiplicity of his 'experience' which had been accumulated primarily in his extensive education, first in Kremsmünser, then in Vienna and beyond that through social intercourse and not least by his reading.

The language 'fashioned' from such components thus became an artistic language even though its creator appeared to proceed in a 'naive' manner, on the basis of an as yet intact language consciousness. Rilke attempted to subsume under the single concept 'Austrian' the language product thus 'nurtured' from rustic Upper Austrian, from urbane Viennese and from literary, classical roots. It seemed in his eyes especially admirable that this specific German could, in harmony with that 'whole' world of the novelist and emerging from 'such an apparently homely sphere', achieve such perfect 'power of validity', as Rilke expressly confirmed in his letter to Sauer. The fact that Stifter's creative language ultimately sprang from 'a personal need to establish the pure counterpart for this mind's far-reaching experience within the limits imposed' links its inception and application to Rilke's own aesthetics which he strove to base 'on this last, indeed only foundation of artistic values'. Finally, linked to this principle is Stifter's own special capacity, well recognized by Rilke, to reach 'the most inaccessible conditions of his soul' by means of the linguistic art of allusion and concealment. This particular quality of poetic expression met with Rilke's approbation and it explains that high esteem for Stifter's narrative art with which Rilke's reflections on Stifter's language are imbued.